Das Canadier Handbuch

Leitfaden für den Umgang mit dem Wander-Canadier („Kanu“) für Einsteiger

von Ralf Schönfeld

EDITION OCTOPUS

Ralf Schönfeld, »Das Canadier Handbuch – Leitfaden für den Umgang mit dem Wander-Canadier für Einsteiger«

Die Edition Octopus erscheint im
Verlagshaus Monsenstein und Vannerdat OHG Münster
www.edition-octopus.de

Satz: Ralf Schönfeld
Umschlag: MV-Verlag
Fotos: Ralf Schönfeld

Herstellung: MV-Verlag

ISBN 978-3-86582-030-3

Editorial

Schon seit langer Zeit bin ich mit viel Begeisterung im 2-er Wander-Canadier („Kanu“) auf Fließgewässern zu Wander-, Gepäck- und Wildwasser-Fahrten unterwegs, die Jahreszeit spielt dabei keine Rolle.
Große Faszination üben besonders winterliche Touren auf mich aus, sowie Touren in den nördlichen Breitengraden.

Im „German Open Canoe e. V.“, einem Verein speziell für den Canadierfahrer, habe ich ein Jahrzehnt lang aktiv mitgewirkt und so manche Paddeltour im In- und Ausland organisiert und durchgeführt.
In all den Jahren konnte ich zahlreiche Erfahrungen und Informationen zur Paddelei im 2-er Canadier sammeln (diesen „Indianerschiffchen“).

Diese möchte ich mit den nachfolgenden Seiten, dem „Canadier - Handbuch“, weiter vermitteln.
Sie mögen vor allem dem unerfahrenen Paddler oder Neueinsteiger mit diesen Booten eine Hilfestellung für einen raschen und gefahrlosen Einstieg in diese Materie geben.

Der routinierte Touren-Paddler, sowie der erfahrene Solo-Wildwasserfahrer oder gar C1-Freak wird aus diesen Seiten allerdings kaum neue Erkenntnisse ziehen können. Auch der Bereich Kajak findet hier keine Beachtung.

Auf meiner Seite im Internet www.kanadier.gps-info.de sind noch ein paar Touren-Berichte von kleineren und auch größeren Unternehmungen veröffentlicht.
Sei’s in Kanada, dem Norden Skandinaviens, im benachbarten Ausland oder dem heimischen Gewässer gleich um die Ecke.

Wer sich für die Satelliten-Navigation mit GPS interessieren sollte, findet auf dieser Webseite ebenfalls ein paar hoffentlich nützliche Informationen.
Nicht nur in Verbindung mit dem Paddeln ist GPS ein hilfreiches Werkzeug zur Navigation und Orientierung.

Natürlich möchte ich nicht versäumen mich bei all denen zu bedanken, die direkt oder indirekt mit ihrem Wissen und ihrer Erfahrung dazu beigetragen haben, diese Seiten erstellen zu können.
Hierzu gehören besonders meine Lehrmeister Georg Petz und Jürgen Braun. Ihnen möchte ich hiermit meinen besonderen Dank aussprechen.
Ebenso den Paddelkameraden und -kameradinnen, auf deren Bildmaterial ich bei der Illustration dieses Büchleins zurückgreifen durfte. Dies sind vor allem Peter Bergmann, Margrit Stickel und Christian Löhnert.
Ein Dank auch an Frank Moerke für die kritische Durchsicht der ersten Auflage und seinen konstruktiven Anregungen.

Dem Leser wünsche ich nun viel Spaß und Nutzen beim Schmökern, und natürlich beim Paddeln.

Ralf Schönfeld
Mai 2008

Umschlagbild:

„PakCanoe" Falt-Canadier (von Fa. Pakboats)
in der Einsamkeit von finnisch/norwegisch Lappland.
Die Paddler sind Espen Brestbakmo und Lena Jinnegren.
Der Fluss „Kautokeinoelv" in Norwegen.
Foto von Ralf Schönfeld

Inhaltsübersicht

Schwimmweste

Der Wurfsack

Knotenkunde und Seiltechniken

Handzeichen

Dachtransport von Canadiern........................296

Leichtgewichts-Kothen aus Schweden............379

Outdoor - Holzofen............390

Rezept für das „Trapper-Brot Bannock"........399

Links im Internet............404

Der Canadier

Definition: Kanu/Kanadier/Canadier
Canoe/Kajak/Kayak

Bevor wir tiefer in die Materie „Canadier“ einsteigen, möchte ich zunächst kurz einige Begriffe erläutern, da vielen am Paddeln interessierten Personen deren Bedeutung in ihrer offiziellen Definition so nicht bekannt ist, es aber dadurch immer wieder zu Missverständnissen und falschen Vorstellungen kommt.

Das deutsche Wort **Kanu** ist Oberbegriff für <u>alle</u>(!!!) Wassersportgeräte, die aus eigener Muskelkraft mit Paddeln in Blickrichtung nach vorne fortbewegt werden.
Im Gegensatz dazu ist beim Ruderboot die Blickrichtung ja nach hinten, zudem sind die „Paddel“ dort fest am Boot montiert (= Ruder).
Dieser Oberbegriff **Kanu** gliedert sich nun auf in zwei Hauptgruppen:

- Zum einen in die große Gruppe der **Kajak**,
- und zum anderen in die große Gruppe der **Canadier** (= Kanadier).

Sämtliche Bootstypen werden jetzt einer dieser beiden Kategorien zugeordnet, auch wenn die Boote einer Kategorie untereinander für den Laien zum Teil höchst unterschiedlich aussehen können (wie z. B. offene/geschlossene Boote).

- Merkmal der **Kajak** ist es, dass sie mit einem **Doppelpaddel** fortbewegt werden,
- Die **Canadier** dagegen mit einem **Stechpaddel**.

Die diversen Faltboote, See-Kajaks, manche Schlauchboot-Ausführungen usw. erhalten so ebenfalls ihre konkrete Zuordnung.

Da sich viele Leute dieser Definition nicht bewusst sind, führt der landläufige Begriff „Kanu“ sehr häufig zu Missverständnissen und Enttäuschungen, da sie mit „Kanu“ eigentlich die offenen Canadier meinen, dem Thema dieses Büchleins (diesen „Indianerschiffchen“).
Da entpuppt sich dann der „Kanu-Club XY“ in Wirklichkeit als reiner Verein für Kajak-Freaks, und der stolze Canadier Besitzer wird nur mitleidig wegen seiner mitgebrachten „Badewanne“ belächelt.

Eindeutig ist der Sachverhalt im englischen und französischen Sprachgebrauch definiert. Dort gibt es so einen verwirrenden Oberbegriff „Kanu“ für Paddel-Boote nicht. Das englische und französische Wort **Canoe** beschreibt eindeutig den „Canadier“, bzw. **Kayak** analog ganz konkret ein „Kajak“.
Das deutsche Wort **Canadier** bzw. **Kanadier** und das englische oder französische Wort **Canoe** ist also gleichbedeutend.

Die Wurzeln des **Kajaks** sind bei den Eskimos bzw. Inuits zu suchen.
Es sind geschlossene Boote mit einer Sitzluke. Die Kajak-Fahrer sitzen mit ausgestreckten Beinen in ihren Booten und bewegen es, wie gesagt, mit einem Doppelpaddel fort. Für Fahrten mit Gepäck bieten sie allerdings nur ein begrenztes Stauvolumen.

Die Urformen unserer **Canadier** stammen dagegen, wie der Name sagt, aus Canada bzw. Nordamerika.
Es sind in der Regel offene Boote, die sehr viel Platz auch für umfangreiches Gepäck bieten, richtige „Lastesel“ eben.

Sie werden üblicherweise kniend gepaddelt und mit dem Stechpaddel vorwärts bewegt.

Schon vor ca. 2000 Jahren benutzten die Indianer Boote aus Birkenrinde zur Erledigung von Transportaufgaben, zur Jagd und zum Fischfang, das **Canoe**.

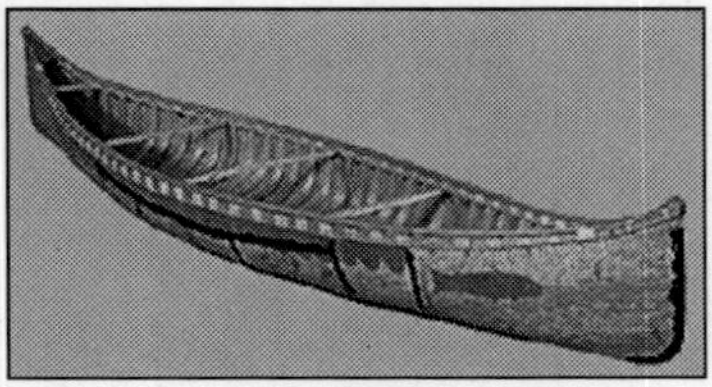

Birkenrinden - Canoe

Ziel dieses Buches ist es nun, den Leser an den fachgerechten und praxisorientierten Umgang mit diesen „Indianer“-Booten heranzuführen, um größtmöglichen Nutzen daraus ziehen zu können, und damit das Paddeln mit diesem eleganten Fortbewegungsmittel einfach auch so „richtig“ Spaß und Freude macht.

Materialkunde

Bei der Herstellung von Canadiern finden heutzutage stark unterschiedliche und nachfolgend genannte Materialien Verwendung.
Diese Zusammenstellung gewährt auch einen gewissen chronologischen Überblick über die historische Entwicklung.

Birkenrinde

Die ersten Europäer in Nordamerika erkannten rasch die zahlreichen Vorteile des Canoes, welche die Indianer sehr geschickt aus Birkenrinde anfertigten.
Ein riesiges Stück Birkenrinde (die dem Baum zugewandte glatte Seite ist am Boot außen) wurde durch eine Aussteifung mit Holz in Form gebracht (= Bauweise von außen nach innen) – also nicht, wie häufig zu lesen ist, ein Holzgerippe, das mit Birkenrinde bespannt wurde.

Über einen langen Zeitraum nutzten die Trapper und auch die Voyageure in den Groß-Canoes, welche die Handels-Kompanien von den Indianern bauen ließen, diese überaus robusten Boote.
Als jedoch die riesigen Birken, die den Rohstoff Rinde an einem Stück lieferten, immer seltener wurden, entwickelten die Europäer ein Canoe aus einem alternativen Werkstoff, die Holz-Canadier (Bauweise von innen nach außen).

Voyageurs-Canoe aus Birkenrinde der großen Handels-Kompanien, wie beispielsweise der legendären Hudson-Bay-Company

Holz

Nur noch wenige Hersteller führen die traditionelle Kanu-Bauweise aus Holz fort und bauen ihre Canadier aus diesem Naturprodukt. Es steckt sehr viel Handarbeit darin und die Boote kosten entsprechend viel.

Darüber hinaus sind sie relativ empfindlich (nur bedingt für Wildwasser geeignet) und verlangen ständig gute Pflege. Trotz zahlreicher guter Eigenschaften dieses natürlichen Werkstoffes wie niedriges Gewicht, leiser Lauf (Holz ist schallschluckend), hohe Steifigkeit, natürliche Elastizität, keine zusätzlichen Auftriebskörper erforderlich, gute Isolierung gegen Kälte, keine Aufheizung in der Sonne, sind sie als Gebrauchsboote doch eher weniger geeignet, sondern mehr etwas für Liebhaber. Als Gebrauchs-Gegenstand sind diese edlen Stücke einfach zu schade.

Bei den Holz-Canadiern wird zwischen zwei grundverschiedenen Bauweisen unterschieden:

- Den „Wood-Strip"-Canoe (= Stripper) und den
- „Wood-Canvas"-Canoe.

Die „Wood-Canvas Canoes“ sind traditionelle Holzboote und die direkten Nachfolger der Birkenrinden-Canoes. Es werden Planken auf Rippen genagelt, die mittels Dampf über einer massiven Form gebogen wurden und dort befestigt sind.
Der komplette Rumpf wird dann mit einem einzigen großen Stück starker Leinwand (= Canvas) bespannt. Die Leinwand wird danach aufwendig mit „Filler“ präpariert, um sie wasserdicht zu machen, und anschließend lackiert. Der Boden ist teilweise auch mit Shellack behandelt, damit die Boote noch widerstandsfähiger gegen Grundberührungen werden.

Heutzutage werden die Holz-Rümpfe anstatt mit Canvas wahlweise auch mit einer durchsichtigen Glasgewebeschicht und Epoxid-Harz überzogen (GFK). Dies soll u. a. zum Schutz vor Beschädigungen dienen und die Wartung minimieren. Dadurch sind die Boote etwa 15% leichter, aber auch spröder, da durch das Laminat das Holz nicht mehr so elastisch reagieren kann.

Boote, die aus langen schmalen Holzstreifen bestehen, die über die gesamte Länge des Rumpfes reichen, werden als „Stripper" bezeichnet (= Wood Strip Canoe). Heutzutage werden die langen Holzstreifen meist über einer Form aneinander geleimt, so dass innen keine Rippen zu sehen sind.
Danach wird alles glatt abgeschmirgelt und innen und außen mit einer transparenten Schicht von Glasgewebe und Harz beschichtet. Dies ergibt recht stabile, robuste und haltbare Boote.

Traditionell gefertigte Canadier aus Holz sind ein besonderer Genuss für das Auge

Wer sich näher für Holzboote und die unterschiedlichen Fertigungs-Methoden interessiert, dem seien folgende Info-Quellen empfohlen:

- Wooden Boot (Jörg Wagner)
  Taunusstraße 92, D-61191 Rosbach

Tel.: +49 (0) 6003 - 6022 · Fax: +49 (0) 6003-3716
Mobil: +49 (0) 171- 4684609
Internet: www.wooden-boat.de und

- The Canoe & Paddle Store/Roland-Hess-Verlag
  Mönchstraße 22A, D-70191 Stuttgart
  Tel./Fax: (0711) 256 93 65
  Internet: www.holzboot.com

Aluminium

Bis zum Aufkommen von Aluminium war Holz über Jahrhunderte hinweg das einzige Baumaterial für „Kanus". Nach dem 2. Weltkrieg wurden dann zum ersten Mal Canadier aus strapazierfähigem Flugzeug-Aluminium hergestellt. Dies von dem amerikanischen Flugzeughersteller Grumman. Zwei symmetrisch geformte Halb-Schalen wurden im Kielbereich miteinander vernietet.
Nahezu unzerstörbar, sowie der günstige Preis und die Wartungsfreundlichkeit im Vergleich zum Holz waren so gut, dass die Nachteile von Alu zunächst nicht ins Gewicht fielen.

Da Alu die Kälte des Wassers gut leitet, sind die Boote in den kälteren Jahreszeiten kalt, während bei Sonnenschein die beschienenen Flächen sehr heiß werden.
Außerdem sind sie auf dem Wasser sehr laut, jede Welle verursacht blecherne Geräusche, und mit der Zeit verbeulen leichte Grundberührungen den ganzen Rumpf. Im Gegensatz zu Booten aus Royalex neigen sie dazu an Hindernissen hängen zu bleiben (Steine/Felsen).
Zudem ist ihr Gewicht mit dem von minderwertigen GFK-Booten zu vergleichen, also relativ hoch. Dafür können kleinere Beschädigungen mit dem „Hammer" repariert werden (ausbeulen).

Aluminium selbst ist zu weich, um daraus Boote bauen zu können. Deshalb kommen stets Alu-Legierungen zum Einsatz, um die nötigte Härte und Steifigkeit zu erhalten. Bei hochwertigen Booten findet z. B. die Ofen gehärtete Legierung (engl. Alloy) 6061-T4 Anwendung, bei preiswerteren z. B. die kalt geformte Legierung 5052-H32.
Früher vor allem in Nordamerika und Skandinavien weit verbreitet, spielen heute Canadier aus Aluminium nur noch eine untergeordnete Rolle.

GFK (Fiberglas)/Tuff-Weave

Glasfaser verstärkter Kunststoff (= GFK) ist ein gebräuchliches und auch heute noch weit verbreitetes Material für Wander-Canadier.
Die Boote können in jeder Form und Größe gebaut werden, sind auch unterwegs gut zu reparieren und benötigen fast keine Wartung.
Es gibt sie von extrem preisgünstig (allerdings auch mit zum Teil zweifelhafter Qualität und Fahreigenschaften), bis zum exklusiv teuren Spitzenprodukt (Qualität hat eben in jeder Hinsicht ihren Preis).

Man sollte deshalb beim Kauf schon darauf achten, dass man ein Marken-Fabrikat ersteht, da die Qualität (Lebensdauer/Haltbarkeit) sehr stark von der Verarbeitung abhängig ist und von der Wahl der verwendeten Materialien, also Art der Glasfaser und deren Struktur, sowie dem Harz. Zudem haben die spezialisierten Firmen große Erfahrung in der Gestaltung des Bootskörpers, um die gewünschten Fahreigenschaften zu garantieren, damit das Paddeln auch wirklich Spaß macht.

Auf jeden Fall muss das Boot im Auflege-Verfahren hergestellt sein, bei der eine Matte oder eine Gewebe-Lage nach der anderen einlaminiert wird (= laminierte Boote; dabei Gewebe-Matten hochwertiger als Faser-Matten). Meist findet das billigere und qualitativ schlechtere Polyester-Harz Anwendung, das teurere und zähere Epoxyd-Harz wird bei den GFK Booten in der Regel nicht, oder nur bei den Spitzenprodukten eingesetzt.

Hände weg von Booten, die im Spritzpistolen-Verfahren hergestellt werden. Dabei werden mit Harz getränkte Fiberglas-Teile in eine Form gespritzt. Sie sind viel brüchiger als mit Gewebe hergestellte Canadier, also die laminierten Ausführungen.

Die harte Oberfläche der GFK-Boote (bei hochwertigen Booten meist „Gel-Coat", ein besonderes, dünn aufgebrachtes widerstandsfähiges Harz) ist zwar robust und sorgt für gute Gleiteigenschaften, ist aber auch empfindlich gegen starke Schläge (z. B. spitze Steine; das Harz löst sich vom Gewebe).
Zudem kann beim seitlichen Kentern an Hindernissen in schnell fließenden Gewässern ein GFK-Canadier schon mal auseinander brechen.
Weiterhin ist das Gewicht sehr hoch, wenn das Boot robust und/oder qualitativ minderwertig gebaut ist (Anzahl der Schichten und verwendete Materialien; meist preiswerte Boote).
GFK ist nicht recyclebar.

Tuff-Weave® ist ein patentiertes Verfahren des amerikanischen Boote Herstellers „We-no-nah". Es besteht aus einer Mischung aus Fiberglas (Glasgewebe-Lagen) und einer speziellen vernetzten Polyester-Faser namens Compet®. Diese Kombination ermöglicht Konstruktionen mit einem günstigen Verhältnis von Robustheit zu Gewicht. Zudem werden die Boote optional, d. h. auf Wunsch, mit einem zusätzlichen Hartschaum-Skelett angeboten.

Achtung:
Boote aus reinem GFK sinken, deshalb nie ohne zusätzliche Auftriebskörper paddeln!
Aus diesem Grund laminieren die Hersteller meist Styropor, geschlossenzelligen Schaum o. ä. gleich ab Werk in die Spitzen mit ein, oder schaffen dort Hohlräume (die eingeschlossene Luft liefert Auftrieb).

Kevlar

Kevlar® (eine Aramid-Faser) und Kohlefasern (Carbon) werden ähnlich verarbeitet wie GFK, d. h. Gewebe wird mit Harz in einer Form laminiert (= laminierte Boote). Die Verarbeitung ist jedoch wesentlich schwieriger, was auch die Reparatur komplizierter macht. In der Regel werden nur hochwertige teure Harze verwendet (z. B. Epoxyd).

Es sind zwar stabilere und leichtere, aber auch entsprechend teurere Boote. Kevlar ist etwa halb so schwer und nahezu doppelt so zäh wie GFK, Kohlefasern haben eine vielfache Festigkeit von GFK.
Zu erkennen sind sie manchmal an der gold-gelben Farbe. Wenn auch Kevlar selbst extrem leicht ist, so fällt allerdings die Gewichtseinsparung beim gesamten Boot doch nicht ganz so spektakulär aus, da sich das Gewicht von Sitzen, Süllrand, Verstrebungen etc. nicht reduzieren lässt, aber signifikanten Einfluss hat.

Mit diesen hochwertigen Materialien sind hochfeste, spitz zulaufende und sehr schnelle Rumpf-Formen möglich. Durch das insgesamt niedrige spezifische Gewicht verlieren auch längere Portagen ihren Schrecken.
Für Touren auf großen stehenden Gewässern/Seen oder breiten hindernisfreien Fließgewässern ohne enge Kurven sind diese Boote aus diesem Material sicherlich die 1. Wahl.

Für den Einsatz auf überwiegend steinigen Flüssen oder im Wildwasserbereich ist das Material jedoch insgesamt gesehen weniger empfehlenswert.

Inzwischen sind auch Boote in Verbundbauweise im Handel, d. h. im Inneren ein geschlossenzelliger Schaumkern (nimmt kein Wasser auf) und außen die laminierten Kevlar-Lagen. Darüber hinaus haben sich in der Vergangenheit Boote aus reinem Kevlar als nicht ideal erwiesen. Deshalb wird heutzutage meist eine Kombination verschiedener Werkstoffe eingesetzt (Kevlar, Carbon, diverse Fiberglas Arten, Schaumkern usw.).
Die äußerste Schicht ist wie bei hochwertigen GFK-Booten meist „Gel-Coat", ein spezielles, dünn aufgetragenes widerstandsfähiges Harz.

Schnittiger Touren-Canadier aus Kevlar mit asymmetrischem Rumpf und gerader Kiel-Linie

Polyethylen (PE)/RAM-X
(bzw. Olthylen/Crosslink; Details hierzu siehe weiter unten)

PE ist ein moderner und wirtschaftlicher Werkstoff. Er kostet wenig und je höher die Stückzahlen sind, desto kostengünstiger wird die Verarbeitung (Vakuum-Verfahren). Es gibt ihn in zahlreichen verschiedenen Werkstoff-Zusammensetzungen, daher ist „PE" nicht gleich „PE". Zu den Vorteilen zählt die gute Verformbarkeit, die Widerstandsfähigkeit gegen Schläge und es bricht nicht, wenn es gebogen wird. Zudem ist es wartungsfrei.

Nachteilig ist die mangelnde Isolation gegen die Kälte des Wassers, sofern es nicht im Sandwich-Verfahren verarbeitet wird, die Kratzempfindlichkeit der Oberfläche, die geringe Steifigkeit des Materials und das recht hohe Gewicht. Eine Reparatur ist problematisch, denn man kann nicht kleben, sondern nur verschweißen. Ebenso können Ankerplatten mit D-Ringen (z. B. für Schenkelgurte oder zum Verzurren von Gepäck etc.) nicht eingeklebt werden. PE-Boote können auf verschiedene Arten aufgebaut sein:

Im Sandwich-Verfahren hergestellte Boote (z. B. Gatz 3-Lagen PE, Pyranha, Lettman) haben eine gute Isolation gegen die Kälte des Wassers und die Rümpfe sind ausreichend stabil.
Boote, die nicht im Sandwich-Verfahren hergestellt werden, benötigen wegen der geringen Steifigkeit von PE ein Stütz-Gerippe, wie z. B. Coleman bzw. Pelican mit Alu-Gerippe und „RAM-X"-Außenhaut. Außerdem isolieren diese schlecht gegen die Kälte des Wassers.
Ein Canadier aus massivem PE ohne Stütz-Gerippe ist wegen der entsprechend erforderlichen Materialstärke extrem schwer (z. B. Gatz massiv-PE).
Boote aus linearem PE sind sehr gut recyclebar, aus vernetztem PE jedoch nicht oder nur eingeschränkt.

Royalex/Oltonar

Royalex, auch bekannt unter weiteren Handelsnamen wie z. B. Royalex Plus, Oltonar (Fa. Old Town), Sawyerlex etc. ist ein moderner Kunststoff-Verbundwerkstoff. Entwickelt wurde das Material von der Firma Uniroyal, welche es in Form von Platten an die Boote-Hersteller liefert.
Es ist ein Sandwich aus geschlossenzelligem PUR-Hartschaum als mittlere Schicht (dieser nimmt kein Wasser auf),

mehreren Lagen ABS-Kunststoff, sowie als abschließende äußere Schicht innen und außen eine relativ dünne Vinyl-Haut. Diese Vinyl-Schicht soll die darunter liegenden ABS-Lagen von den zerstörerischen Einflüssen der UV-Strahlung im Sonnenlicht schützen.

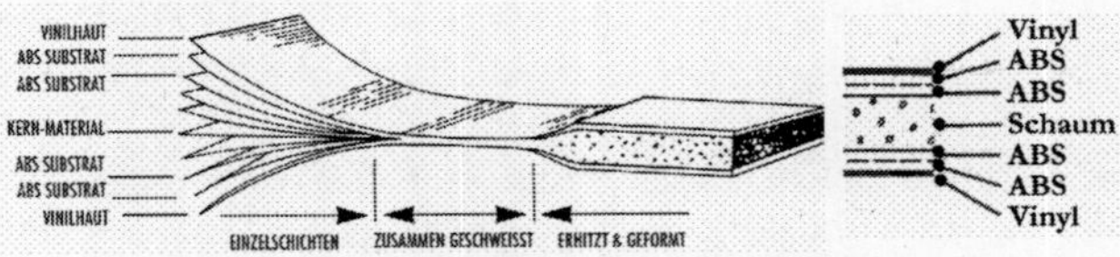

Material-Aufbau von Royalex

Sandwich aus Schaum in der Mitte, mehreren ABS-Lagen, sowie Vinyl-Außenhaut innen/außen zum Schutz vor UV-Strahlen

Er wird in den USA von den bekanntesten Canadier-Herstellern verwendet, sowie von einem deutschen Produzenten. Diese erhitzen das Rohmaterial, d. h. die Platten, und formen es im Vakuum-Verfahren um ihre diversen Modelle (= „Boots-Design“).
Es dürfte zurzeit das strapazierfähigste Material sein. Zudem ist es relativ leicht, allerdings doch schwerer, als sehr hochwertige GFK-Boote oder Konstruktionen aus Kevlar in vergleichbarer Größe – diese Boote haben jedoch wiederum ein anderes Einsatzspektrum.

Das Material isoliert gut gegen Kälte und Hitze, macht die Boote unsinkbar, den Rumpf steif und lässt sie leise laufen. Der Werkstoff ist extrem haltbar. Er ist bezüglich Zähigkeit, Knickfestigkeit und Schlagunempfindlichkeit unübertroffen. Er kann völlig zusammengedrückt werden, ohne zu brechen. Unter Einwirkung von Sonne oder Hitze (z. B. Heißluftfön) formt sich ein verbeulter oder verbogener Canadier wieder in seine ursprüngliche Form zurück.
Im Gegensatz zu Aluminium-Boote sind Boote aus Royalex bzw. ABS flexibel und tendieren dazu über Hindernisse zu gleiten (z. B. Steine/Felsen), anstatt daran hängen zu bleiben.

In die Boote lassen sich mit PVC-Kleber problemlos Ankerplatten mit D-Ringen einkleben (z. B. für Schenkelgurte oder zum Verzurren von Gepäck etc.).
Nachteil von Royalex ist die relativ weiche Oberfläche gegenüber GFK oder Kevlar (bei Steinberührungen lässt man „Farbe"; Abrieb der Vinyl-Schicht), und dass die Bootspitzen fertigungsbedingt nicht so scharf ausgeformt werden können.
Zudem sind diese Boote ebenfalls recht teuer und nicht recyclebar. Durch die extrem lange Lebensdauer braucht man aber deshalb aus ökologischer Sicht kein schlechtes Gewissen haben.

Ein Boot aus Royalex läuft auf stehenden Gewässern/Seen generell nicht so gut und leicht wie ein Boot in Laminat-Bauweise, also GFK/Tuff-Weave, Kevlar, oder aus Holz. Sie haben prinzipiell schlechtere Gleiteigenschaften. Je nach Hersteller, verwendeter Materialstärke und Rumpfform (z. B. Flachboden) neigen die Böden der Boote zudem mehr oder weniger zum „Wabbeln", d. h. die Böden sind nicht wirklich 100% steif bzw. starr.
Dies ist neben der produktionsbedingten schlechteren Schnittigkeit der Boote und den spezifischen Material-Eigenschaften von Royalex ebenfalls ein Grund für die nicht optimalen Gleit-Eigenschaften auf ruhigen Gewässern.

Royalex-Boote sind sehr robust für Fließgewässer, zählen allerdings nicht gerade zu den Leichtgewichten

Für das Allround-Wanderboot schlechthin auf heimischen, oft steinigen Fließgewässern, für Wildwasser-Canadier, sowie für Wildnis-Trips dürfe dieses Material jedoch derzeit immer noch die erste Wahl sein.
Wie schon erwähnt, wäre dagegen für überwiegenden Flachwasser-/Seen-Einsatz ein Boot in Laminat-Bauweise vorzuziehen.

R-84 Royalite bzw. R-Light/Royalex Light (o. ä.)

R-84 Royalite, R-Light, Royalex Light etc., es gibt verschiedene Namen je nach Hersteller, ist jeweils eine Leichtausführung von Royalex.
Sie haben jedoch zum Teil einen etwas abweichenden Materialaufbau.

Beim R-84 Royalite (z. B. Fa. Mohawk/Indian-Canoe) und R-Light (z. B. ehemals Canadier der Fa. Dagger) hat man zum Zwecke der Gewichtseinsparung die äußere, dem Wasser zugewandte Vinyl-Schicht entfallen lassen und dafür eine steife Kunststoffschicht (R-84) zum Schutz vor UV-Strahlen und für die Optik (Farbe) verwendet.
Die Vinyl-Schicht bei Royalex ist zwar recht dünn, aber aufgrund der großen Oberflächen wird doch das eine oder andere Kilo an Gewicht eingespart (ca. 10%). Zudem ist meist das gesamte Material-Sandwich etwas dünner ausgeführt.
Die abschließende Schicht im Bootsinneren ist jedoch wie bei Royalex meist Vinyl (zumindest bei den „Play-Booten“), damit problemlos Ankerplatten mit D-Ringen und sonstige Ausrüstung eingeklebt werden können.

Royalex Light (z. B. von Fa. Nova Craft) hat den identischen Materialaufbau wie Royalex, insgesamt sind die jeweiligen Schichten nur mehr oder weniger etwas schwächer dimensioniert (v. a. die ABS-Lagen sind dünner). Das Einkleben von D-Ringen bereitet also ebenfalls keine Probleme.

Soll „Heavy Duty" Einsatz des Bootes im Vordergrund stehen (stark verblockte Flüsse mit viel und heftiger Grundberührung) ist Royalex gegenüber den „Light"-Ausführungen vorzuziehen.

Olthylen/Crosslink (von der Fa. Old Town)

Olthylen des US-Herstellers Old-Town ist ebenfalls ein Kunststoff-Verbundwerkstoff mit ähnlich guten Eigenschaften wie Royalex (strapazierfähig, relativ leicht, gute Isolation, leiser Lauf, unsinkbar, extrem haltbar etc.) ohne die mechanischen Qualitäten jedoch ganz zu erreichen. Dafür sind Boote aus diesem Material deutlich preisgünstiger, bei vergleichbarer Größe allerdings auch um einiges schwerer als die Royalex Verwandten.

Aufbau: Vernetztes PE (Eigenname von Old Town „Crosslink"), dann geschlossenzelliger PUR-Hartschaum und dann wieder vernetztes PE.
Im Gegensatz zu Royalex (Fa. Old Town nennt es Oltonar) hat Olthylen eine rauere und gesprenkelte Innenseite. Royalex ist dagegen ganz glatt und unifarben.

Entscheidender Nachteil dieses Werkstoffes ist jedoch, dass er wegen der Verwendung von Polyethylen nicht geklebt werden kann.
Zwar ist die Notwendigkeit einer Reparatur bei diesen Booten eher unwahrscheinlich, aber es gibt keine dauerhaft verlässliche Möglichkeit beispielsweise D-Ringe für Schenkelgurte o. ä. anzubringen.

Olthylen soll inzwischen recyclebar sein.

Luftboote (Schlauch-Canadier)

Sie sollten nicht verwechselt werden mit den billigen Badebooten aus PVC aus dem Kaufhaus.
Hochwertige Luft-Canadier (z. B. XR-Trekking/Adventure/Outside von Grabner, Otter von Spreu) sind aus strapazierfähigen Materialien hergestellt (wie die großen Rafting-Schlauchboote), und überstehen klaglos auch heftigere Grund- und Steinberührungen.

Ihr Haupteinsatzgebiet liegt jedoch in fließenden Gewässern und im Wildwasserbereich, wo sie sehr sichere Fahreigenschaften aufweisen und auch dem ungeübteren Paddler eine Befahrung ermöglichen.
Weitere Vorteile sind ihr relativ niedriges Gewicht, bequeme Transportmöglichkeit und geringer Platzbedarf bei der Aufbewahrung.

Nachteilig ist ihr extrem langsames und zähes Fahrverhalten auf stehenden Gewässern, die große Windempfindlichkeit und ihr stolzer Preis.
Zudem bieten sie für längere Touren mit Gepäck nur ein sehr begrenztes Stauvolumen. Zwangsläufig muss Gepäck aufgetürmt werden, was den Schwerpunkt nachteilig verändert und die Windempfindlichkeit noch weiter erhöht. Generell ist ihr Fahrverhalten nicht mit dem von Booten mit festem Rumpf zu vergleichen – die Paddeltechnik dagegen unterscheidet sich nicht zu der mit starren Booten.

Wenn nicht ausdrücklich Wildwasser-Einsatz bzw. Paddeltouren auf stärker fließenden Gewässern im Vordergrund stehen, sind die nachfolgend genannten „Falt-Canadier“ eine empfehlenswerte Alternative.

Falt-Canadier

Einen ganz guten Kompromiss bieten hier die Falt-Canadier, wie z. B. die „Ally" von der norwegischen Firma Bergans www.bergans.no oder die „PakCanoe" der amerikanischen Firma Pakboats www.pakboats.com (diese waren früher mal im Exclusiv-Vetrieb von Mad River).

Sie bieten nahezu die gleich guten Fahreigenschaften wie ein starres Boot und zusammengepackt sind sie mit der Größe von Schlauchbooten zu vergleichen. Zudem sind sie sehr leicht; deutlich leichter als ein Schlauch-Canadier in vergleichbarer Größe/Länge.

Die Außenhaut besteht aus sehr robuster, glasfaserverstärkter PVC-Plane (ähnlich wie eine LKW-Plane), die mit einem zusammensteckbaren Alu-Gestänge ausgesteift wird. Für den notwendigen Auftrieb und die Isolation gegen die Kälte des Wassers, sorgt eine geschlossenzellige Schaummatte, die in den Boden eingelegt wird.
Die PakCanoe verfügen noch über seitliche Luft-Kammern für zusätzlichen Auftrieb, zur Stabilisierung und als „Stoßdämpfung" bei Kontakt mit Hindernissen (z. B. Steinen).

Die Falt-Canadier sind prinzipiell sehr robust(!!) und in hohem Maße wildwassertauglich, auch wenn sie auf den ersten Blick etwas „zerbrechlich" aussehen.
Allerdings fährt selbst bei routinierten Bootsbesatzungen doch immer ein gewisses Maß der Angst vor Beschädigungen mit (natürlich auch abhängig von den Einsatzbedingungen).
Bei häufigem Einsatz in anspruchsvollerem Wildwasser muss mit einem erhöhten Verschleiß gerechnet werden, da durch Relativ-Bewegungen zwischen Gestänge und Außenhaut, sowie Verwindungen eine erhöhte Beanspruchung an Außenhaut, Gestänge und deren Verbindungen auftritt.

Aufgrund dieser Problematik wurden die diesbezüglich optimierten „PakCanoe" von der Firma Pakboats entwickelt. Ein ausführlicher Erfahrungsbericht über diese Boote ist in dem Kapitel „***PakCanoe's in der Praxis***" zu finden.

Wer sich näher für das Themengebiet Faltboot interessiert, dem sei die Internet-Seite www.faltboot.de empfohlen. Dort geht es nicht nur um die klassischen Falt-Kajaks à la „Klepper" und „Pouch" etc., sondern ebenso um die Falt-Canadier wie z. B. den Ally oder den PakCanoe/Pakboats.

Ein hochwertiger Falt-Canadier ist äußerlich fast nicht von einem starren Boot zu unterscheiden

(PakCanoe 170 der Fa. Pakboats)

Fahreigenschaften

Die Fahreigenschaften eines Canadiers können durch die nachfolgenden drei wesentlichen Merkmale charakterisiert werden:

- Schnelligkeit
- Wendigkeit bzw. Richtungsstabilität
- Kippstabilität

Beeinflusst werden diese Merkmale durch die technische Konzeption des Bootes (Länge, Breite, Rumpf-Form), und sie variieren je nach vorgesehenem Einsatzzweck. Wesentlichen Einfluss auf das Fahrverhalten haben:

1. Für die Schnelligkeit

Die Form des Unterwasserschiffes (der Teil des Bootes, der unterhalb der Wasseroberfläche liegt) gibt Aufschluss über die Schnelligkeit eines Bootes (Widerstand beim Paddeln).

> ⇨ Je länger und schmaler der im Wasser liegende Teil, desto leichter (geringerer Kraftaufwand) lässt sich das Boot vorwärts bewegen („Länge läuft").

Typischer Einsatzbereich:
Lange Touren auf stehenden Gewässern.

⇒ Tendenziell Wander-Canadier bzw. Touren-Canadier; meist sind hochwertige Laminat-Boote für dieses Einsatzprofil optimiert.

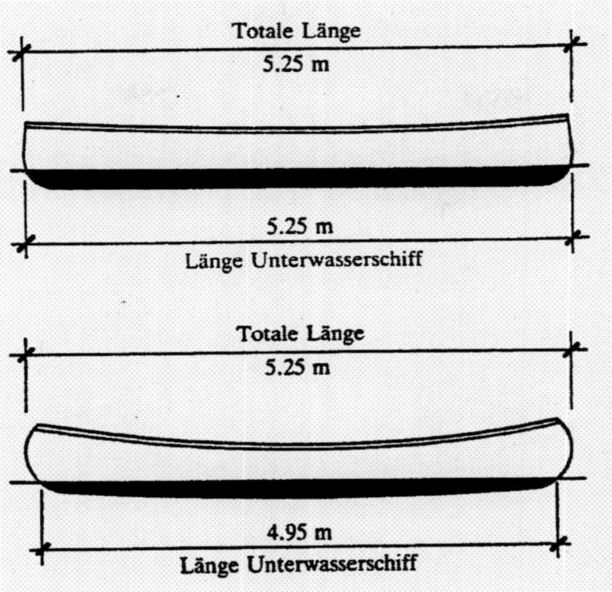

Wesentlichen Einfluss haben zudem die Winkel an Bug und Heck des Canadiers.
Wenn ein Canadier schon kurz nach den Spitzen breit wird („Badewanne"), muss beim Paddeln mehr Kraft aufgewendet werden, als bei einem Boot das nur langsam breiter wird. Kurze Boote benötigen wiederum ein breites Bug und Heck, um die nötige Zuladung tragen zu können (Volumen = Auftrieb).
Boote die für bewegteres Wasser/Wildwasser geeignet sind, haben zur Erzielung eines hohen Auftriebes ebenfalls ein voluminöseres Bug/Heck.

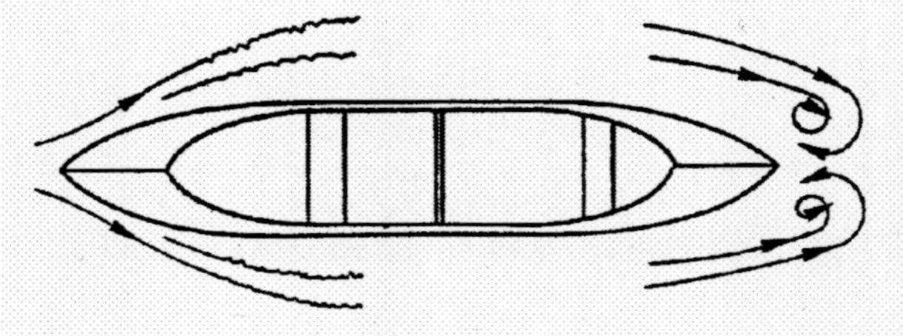

„Plumpes“ Boot, aber viel Auftrieb

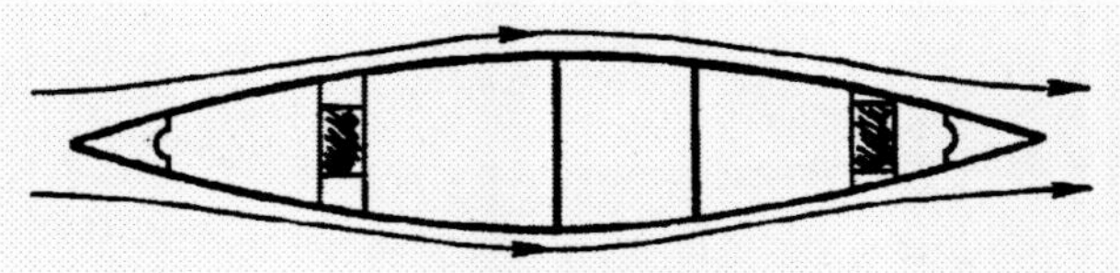

„Schnittiges“ Boot, aber geringerer Auftrieb an den Spitzen

Hochwertige moderne, für leichten, schnellen Lauf auf Flachwasser ausgelegte Touren-Boote (ruhige, große Wasserflächen/Seen) haben häufig eine ausgeprägte asymmetrische Rumpf-Form, d. h. der Bug (= vorne) ist besonders lang und schmal, das Heck dagegen breit und voluminös. Im Prinzip haben alle guten Boote heutzutage eine gewisse Asymmetrie, dies ebenfalls Royalex-Boote.

2. Für die Wendigkeit bzw. Richtungsstabilität

Die Wendigkeit (auch Manövrierfähigkeit) resultiert aus drei Faktoren:

1. Länge des Bootes:

Kurz	=	wendig (tendenziell Wildwasserboot)
Lang	=	richtungsstabil (tendenziell Wanderboot)

2. Kiellinie (Kielsprung bzw. Rocker):

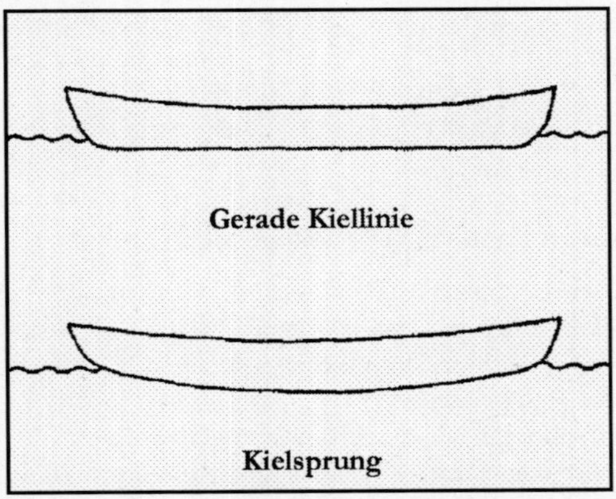

Gerade Kiellinie und Kielsprung

Gerade	=	richtungsstabil (tendenziell Wanderboot)
Gebogen (d. h. mit Kielsprung)	=	wendiger (tendenziell Wildwasserboot)

3. Querschnitt des Unterwasserschiffes

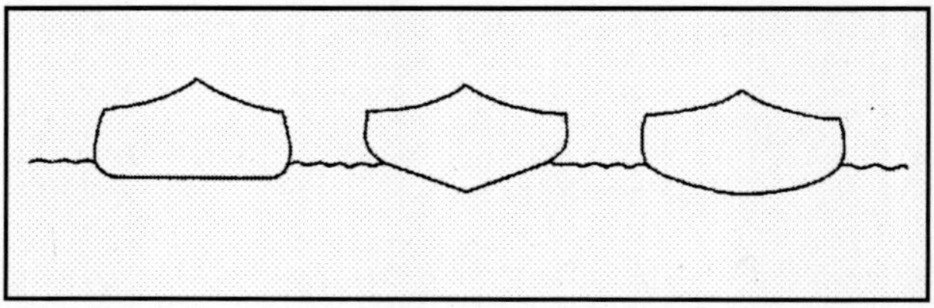

Flacher V-Boden

Flacher Boden ***Abgerundeter Boden***

Flach	=	wendig (gut für Wildwasser, geringer Querwiderstand)
V-Boden oder halbrunder Boden	=	richtungsstabil (tendenziell Wanderboot)

Canadier mit einem Kiel/hochgezogen Spitzen:

Ein Canadier sollte nur dann einen Kiel haben, wenn er ausschließlich auf Seen verwendet wird (besserer Geradeauslauf, geringere Seitenwindempfindlichkeit, Schutz des Bodens (z. B. bei Holzbooten)).
Von Holzbooten abgesehen, haben allerdings in der Regel nur Boote der unteren Qualitäts-Kategorie einen Kiel (meist billige aus GFK). Hochwertige Laminat-Boote kommen durch ausgereifte Rumpf-Formen ohne(!!) damit aus.
Auf bewegtem Wasser sollte das Boot auf keinen Fall einen Kiel haben (schlechte Manövrierbarkeit, Gefahr an Unterwasser-Hindernissen hängen zu bleiben ⇒ umkippen).

Ein hoher Bug/Heck ist bei bewegtem Wasser/Wildwasser vorteilhaft, aber extrem hochgezogene Spitzen, wie es manche Hersteller bevorzugen, können zwar sehr elegant und originell aussehen (eben richtig „indianermäßig"), einen praktischen Nutzen haben sie aber nicht.
Die Spitzen können das Eindringen von Wasser nicht verhindern, da bei etwas höheren Wellen das Wasser im ersten Drittel des Canadiers eintritt. Zudem stellen sie eine unnötige zusätzliche Angriffsfläche für den Wind dar. Der Süllrand eines Bootes sollte vielmehr von der Mitte zu den Enden hin harmonisch und moderat ansteigen. Im englischen wird dieser Verlauf übrigens „Sheerline" genannt.

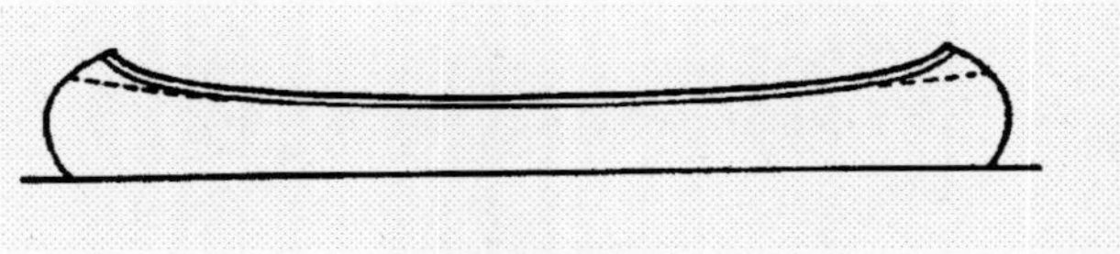

Hohe Spitzen

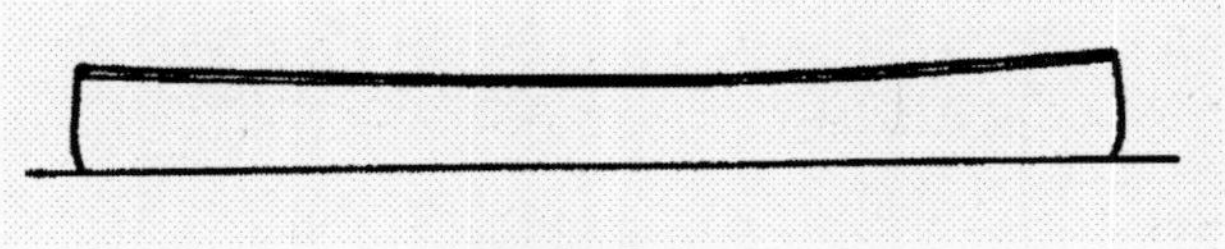

Flache Spitzen mit moderatem und harmonischem Anstieg des Süllrandes zu den Enden

Für die Kippstabilität

Gerade Anfänger und Familien mit Kindern sollten die Kippstabilität eines Canadiers nicht unterbewerten. Ob man ein gutmütiges Freizeit-„Kanu“, ein Boot für den versierten Touren-Paddler oder einen kippeligen Wildwasser-Canadier vor sich hat, erkennt man an der Breite und wiederum am Querschnitt des Unterwasserschiffes:

1. Breite an der Wasserlinie:

Breit = kippstabil

2. Querschnitt des Rumpfes:

Siehe dazu nachfolgende Übersicht:

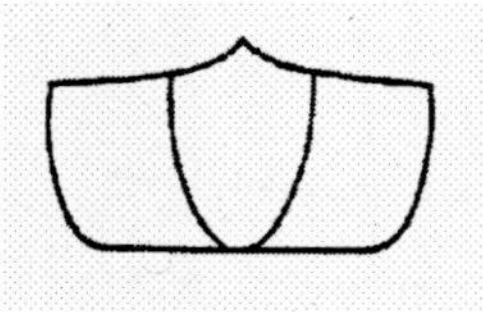

Flacher Boden =
höchste Anfangsstabilität
geringe Endstabilität und
geringe Reservestabilität

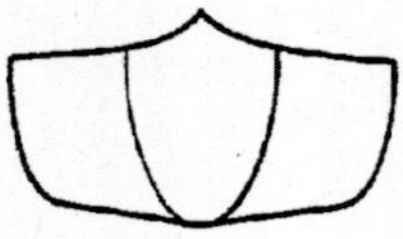

Flacher V-Boden =
hohe Anfangs- und
Endstabilität
geringe Reservestabilität
(tendenziell Canadier
für Seen)

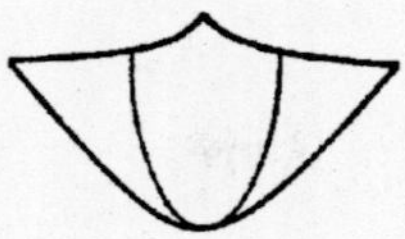

V-Boden =
geringste Anfangsstabilität
höhere Endstabilität
hohe Reservestabilität
(bei offenen Canadiern
nicht üblich)

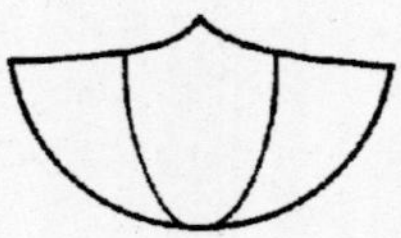

Halbrunder Boden =
geringe Anfangs- und
Endstabilität
(tendenziell Wildwasser-
Canadier und
schnelle Touren-Boote)

Die meisten universell einsetzbaren Wander-Canadier sind ein Kompromiss aus Flach-Boden und leicht V-förmigem Boden.
Bei Wildwasser-Canadiern und Touren-Canadiern (genaue Definition siehe weiter unten unter „Klassifizierung") findet sich ein rundlicher Boden.

Definitionen:

Anfangsstabilität: Ist der Widerstand gegen das Kentern bei ruhendem Boot.
⇒ Also das was man gemeinhin unter „Kippeligkeit" versteht.

Endstabilität: Ist der Widerstand gegen das Kentern, wenn das Boot Fahrt macht
(ähnlich wie beim Fahrradfahren).

Reservestabilität: Ist der Widerstand gegen das Kentern von der Schräglage bis zur endgültigen Kenterung.

Resümee – gibt's den idealen Canadier?

Zugegeben, das Ganze wirkt auf den ersten Blick sehr verwirrend und widersprüchlich – ist es auch!!!
Bei genauerem Studium wird man erkennen, dass die Summe aller Eigenschaften eines Canadiers immer nur einen Kompromiss darstellen kann.
Beispielsweise kann ein Wander-Canadier nicht optimal schnell sein (= schmales Boot) und gleichzeitig sehr kippstabil (= breites Boot).

Gute Wendigkeit (= kurzes Boot mit Kielsprung) und hohe Richtungsstabilität (= langes Boot mit gerader Kiellinie) schließen sich ebenfalls gegenseitig aus.
Trotzdem ist der Einsatz-Bereich eines Canadiers enorm groß, prinzipiell kann man jedes Boot für alle Einsatz-Bereiche nützen – extremes Wildwasser natürlich ausgenommen.
Aber jedes Boot hat seinen eigenen Charakter, und aufgrund seiner Konstruktion (=> Form und Material) seine besonderen Stärken auf einem ganz bestimmten Gebiet.
Wer vornehmlich Langstrecken hinter sich bringen will, muss normalerweise bei der Wendigkeit Abstriche machen – und umgekehrt.
Auch bei der Wahl des Materials muss letztendlich ein Kompromiss gewählt werden.

Länge

Da die meisten Boote aus Nordamerika importiert werden, wird die Boots-Länge sehr häufig in der englischen Maßeinheit „Fuß“ angegeben (= „Foot“, „ft“ oder „‘ “ ; 1 Fuß = 0,3048 Meter bzw. grob gesagt 30 Zentimeter).
Für 2-er Wander- bzw. Touren-Canadier sind 16 und 17 Fuß üblich (ca. 4,85 m bzw. 5,20 m) und für Solo-Wildwasser-Canadier 12 und 13 Fuß (ca. 3,65 m bzw. 4,00 m). Natürlich gibt es längere und auch kürzere Boote, aber das sind so die Standard-Maße.

Zuladung

Der klassische offene Canadier (engl. Open Canoe) ist eher ein „Mittel zum Zweck“ für die Erledigung von Transportaufgaben und zur Fortbewegung, als ein Sportgerät. Er bietet deshalb die Möglichkeit, alles Notwendige für längere Touren zu verstauen (Verpflegung, Zelt, Schlafsack, Hund usw.).
Dafür ist ein Canadier mit hoher Zuladung notwendig. Sie wird bestimmt von der Länge und Breite des Bootes, sowie von der Höhe der Seitenwand, d. h. von der Wasserverdrängung.

Die maximale Zuladung ist bei 15 cm Freibord erreicht und sollte beim Vergleich verschiedener Boote untereinander als Maß herangezogen werden.
Es bringt nichts, wenn ein Hersteller eine sehr hohe Tragkraft/Zuladung für seine Boote angibt, die Süllränder dann aber schon unter Wasser liegen.

Anmerkung:
Süllrand = die obere umlaufende Kante eines Canadiers, teilweise auch Dollbord oder im englischen Gunnels bzw. Gunwales genannt.

Unter Freibord versteht man den Abstand zwischen niedrigstem Punkt in der Bordkante der Seitenwand (= Süllrand) und der Wasserlinie.
Besonders im bewegten Wasser/Wildwasser ist eine hohe Seitenwand erforderlich (mind. 36 cm; besser noch 38 cm). Zudem ist dann ein hoher Bug/Heck mit viel Volumen vorteilhaft.
Nachteil ist die höhere Seitenwind-Empfindlichkeit und die geringere Schnittigkeit auf Seen.

Wie schon einmal erwähnt, können extrem hochgezogene Spitzen wie es manche Hersteller bevorzugen sehr elegant und originell aussehen (eben richtig „indianermäßig“), einen praktischen Nutzen haben sie jedoch nicht.
Die Spitzen können das Eindringen von Wasser nicht verhindern, da bei etwas höheren Wellen das Wasser im ersten Drittel des Canadiers eintritt. Außerdem stellen sie eine zusätzliche unnötige Angriffs-Fläche für den Wind dar.

Zudem sollte beachtet werden, dass ein Boot seine Fahreigenschaften bei hoher Beladung erheblich verändert, es wird in der Regel deutlich träger und schwerfälliger reagieren. Wenn Fahrten mit Gepäck geplant sind oder schwergewichtige Personen damit reisen möchten, sollte deshalb ein Boot mit hohen Zuladungsreserven und im Zweifelsfall lieber eine Nummer größer gewählt werden. Dies bezogen auf die Länge, also z. B. ein 17 oder gar 18-Fuß Boot, anstatt einer 16-Fuß Variante.

Wesentliche Begriffe am Boot

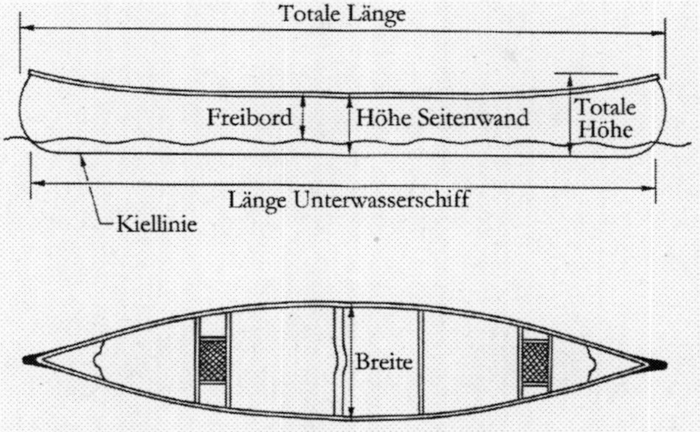

Begriffe wie Totale Länge, Länge Unterwasserschiff, Breite, Freibord, Höhe Seitenwand, Totale Höhe, Kiellinie

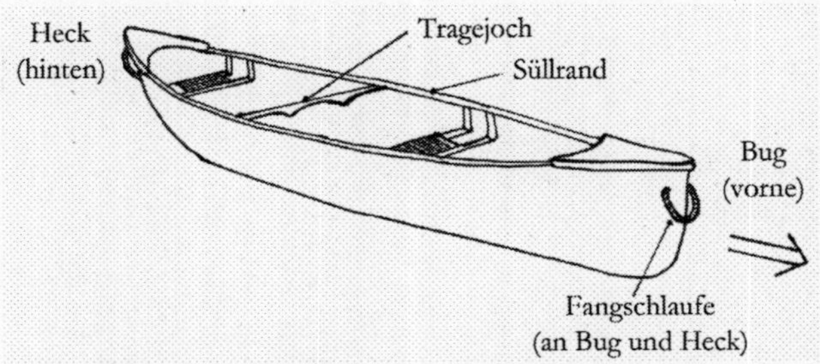

Begriffe wie Heck (hinten), Bug (vorne), Tragejoch, Süllrand, Fangschlaufe (an Bug und Heck)

Weitere Begriffe (Flare/Tumblehome/Rocker/Chine)

In Prospekten stößt man teilweise auf weitere englische Begriffe wie z. B.:

Flare
Um ein Boot besser vor eindringendem Wasser zu schützen, werden die Seitenwände an Bug und Heck manchmal nach außen schräg gestellt. Dadurch soll das Wasser abgelenkt werden (= Flare; eingesetzt vor allem bei Wildwasser-Canadiern).

Tumblehome
Im mittleren Teil des Bootes werden bei manchen Wander-Canadiern die Rumpf-Seitenwände oben nach innen eingezogen.
Damit soll ermöglicht werden, dass das Paddel bequemer dicht am Rumpf entlang geführt werden kann. Werden solche Boote jedoch über diesen Punkt hinweggekantet, ist eine plötzliche unangenehme Überraschung nicht ausgeschlossen.

Rocker
Damit ist die Kiellinie bzw. der Kielsprung eines Bootes gemeint. Siehe hierzu Seite 26.

Chine
Der Übergang zwischen der Seitenwand und dem Unterschiff (Boden) wird „Chine" genannt.
Ein Boot mit flachem Boden und abruptem Übergang zu ziemlich steilen Seitenwänden hat beispielsweise „harte"

Chines. So ein Boot verhält sich beim Kanten nicht besonders gutmütig.
Ein Wanderboot sollte dagegen einen möglichst harmonischen Übergang aufweisen, also „weiche“ Chines haben.

Canadier - Kategorien/Klassifizierung

Die Rumpf-Gestaltung eines Canadiers mit der Vielzahl von Kriterien ist also eine komplexe Angelegenheit und entscheidend für dessen Eigenschaften; der Mixtur sind kaum Grenzen gesetzt.
Deshalb kann ein besonders preiswertes Boot von einem „No-Name“-Hersteller von den Fahreigenschaften „hundsmiserabel“ sein, und dem Besitzer in kurzer Zeit jeglichen Paddelspaß rauben – die renommierten Hersteller dagegen haben sich über Jahrzehnte große Erfahrung und Know-how erworben – dies aber nur als kurze Randbemerkung.

Um nun dem Käufer die Auswahl speziell für seinen Einsatzzweck zu erleichtern, klassifizieren die Hersteller teilweise mehr oder weniger detailliert ihre Boote in bestimmte Kategorien.
Leider gibt es hierfür keine Normung oder klare Definition, so dass manche Hersteller bzw. die europäischen Generalimporteure teilweise ihre eigenen/unterschiedliche Begriffe kreiert haben (manchmal leider auch missverständlich).

Dies führt dazu, dass eine Klassifizierung mal sehr grob, mal stark verfeinert vorgenommen wird, unterschiedliche Begriffe für ein und dieselbe Art Boot auftaucht usw. Dem Käufer hilft das nur sehr bedingt, und vergleiche zwischen den einzelnen Herstellern bleiben schwierig, teilweise fast unmöglich (vermutlich ist das aber so gewollt).
In der Regel sind die englischen Begriffe von den nordame-

rikanischen Boots-Herstellern in deren Original-Prospekte, oder auf deren Internet-Seiten von größerem Nutzen.

Folgende Begriffe/Einteilungen können auftauchen:

Allrounder/ *Wander-Canadier (*)* **(engl.: Recreation)**

Diese Boote haben eine hohe Grundstabilität und einen insgesamt weiten Einsatzbereich.
Für den Gelegenheits-Paddler sind sie gut geeignet. In dieser Kategorie sind auch kürzere Boote zu finden, die sowohl solo als auch zu zweit gefahren werden können. Dies dann jedoch ohne Gepäck.
In der Regel haben sie relativ niedere Seitenwände, so dass sie für bewegteres Wasser/Wildwasser, und für Fahrten mit Gepäck und/oder Kindern nur sehr bedingt geeignet sind.

(*) Die Verwendung des Begriffes „Wander-Canadier" in diesem Zusammenhang (z. B. von dem ehemaligen deutschen Old Town Importeur) halte ich persönlich für keine glückliche Wahl, dazu aber später noch.

Tourer/Touren-Canadier **(engl.: Touring)**

Dieser Begriff ist schon klarer definiert, obwohl er von den Herstellern/Importeuren mal eng und mal sehr weit gefasst wird.
Es sind lange und relativ schmale Boote mit geringem oder keinem Kielsprung, schnittigen, spitzen Formen, relativ niedrigen Seitenwänden für geringe Windanfälligkeit, und wirken für Anfänger wegen ihres meist rundlichen Bodens kippelig (geringe Grundstabilität aber hohe Reservestabilität).

Hauptsächlich gedacht für lange Touren zum schnellen Zurücklegen von weiten Strecken auf ruhigen Gewässern/

Seen, oder breiten Fließgewässern ohne viele Hindernisse. Für den Einsatz in bewegterem Wasser/leichtem Wildwasser nur bedingt geeignet (eingeschränkte Wendigkeit, durch schnittige Form weniger Auftrieb in Bug/Heck, niedrige Seitenwände).
In dieser Kategorie sind viele der hochwertigen Laminat-Boote zu finden, also gute GFK und Kevlar-Boote.

Expeditions-/Wildnis-/ *Wildwasser (*)*-Canadier (engl.: Riverrunning/Tripping)

Diese Boote lassen sich recht gut charakterisieren. Es sind große lange Boote mit viel Volumen, hohen Seitenwänden, Kielsprung, und relativ bulligem Bug und Heck für viel Auftrieb (variiert auch je nach Schwerpunkt des Einsatzes).
Sie sind sehr gut geeignet für bewegteres Wasser, Wildwasser bis zu mittlerem Schwierigkeitsgrad, Gepäckfahrten mit Sack und Pack, Touren mit Kindern, und natürlich auch ohne jeglichen Ballast.
Die Boote in dieser Kategorie sind meist aus Royalex oder dessen „Light"-Ausführungen gefertigt.

Aufgrund ihrer Konzeption sind sie recht kippstabil. Ich halte sie für die am universellsten einsetzbaren Canadier, allerdings mit Abstrichen bezüglich Schnelligkeit und Geradeauslauf auf großen Wasserflächen.
Wegen ihres großen Volumens weisen sie trotz moderner Materialien ein relativ hohes Gewicht auf.

(*) In diesem Zusammenhang allerdings von „*Wildwasser*"-Canadiern zu reden halte ich persönlich für nicht zutreffend, wie z. B. von dem ehemaligen Old Town Importeur in Deutschland.
Die Boote, die damit gemeint sind, sind eigentlich eher als

wildwassertaugliche 2-er Canadier oder Wander-Canadier zu bezeichnen. Wildwasser-Canadier sind nämlich eine ganz andere Klasse für sich, siehe weiter unten.

17-Fuß „Expeditions" - Canadier im Einsatz:

Auf Gepäckfahrt ...

... und im Wildwasser

Angel-/Freizeit-Canadier (engl.: Sporting)

Diese Boote sind recht breit (> 95 cm) und dadurch sehr kippstabil.
Sie haben teilweise einen Heckspiegel für einen Außenbordmotor und können sowohl gerudert, als auch gepaddelt werden. Damit sind sie gut geeignet für Angler oder Naturbeobachter.
Für die Paddelei in der Freizeit um Flüsse und Bäche zu befahren, wie ich es hier in diesem Büchlein beschreibe, allerdings nicht.

Wildwasser-Canadier (engl.: Whitewater-Canoes)

Die Wildwasser-Canadier sind eine Spezies für sich. Es sind meist Solo-Boote, seltener Tandem-Boote.
Aufgrund ihrer ausgefallenen Rumpf-Formen (z. B. extremer Kielsprung; „Bananen"-Boote), ihrem Outfitting (fest eingeschnürte großvolumige Luftsäcke als Auftriebskörper; Sattel-Sitz; eng beieinander liegende Sitzposition im Tandem etc.), sind sie eigentlich nur noch im Wildwasser einsetzbar und der universelle Charakter eines offenen Canadiers ist hier kaum noch vorhanden.
Ein Paddel-Anfänger kann sich kaum vorstellen, dass man in diesen „kippeligen Dingern" überhaupt fahren kann, geschweige denn im Wildwasser.

Anmerkung:
Einen Wander-Canadier mit solchen Sattel-Sitzen auszurüsten würde ich allerdings aus verschiedenen Gründen nicht empfehlen.

Nachfolgend zwei Beispiele von solchen Solo Wildwasser-Canadiern (= Open Whitewater Canoes):

Wildwasser Solo-Boote
mit Sattel-Sitz und Auftriebs-Körpern
(spezielle Luftsäcken) vorn und hinten

C1/C2

Was ist denn jetzt ein C1/C2?
Alle oben aufgeführten Angaben, Beschreibungen etc. beziehen sich auf den klassischen, offenen Canadier, also diesen „Indianerschiffchen" (= „Open Canoe" oder „OC").

Aber es gibt auch Boote, die zwar äußerlich wie ein Kajak aussehen, jedoch trotzdem im Knien mit einem Stechpaddel fortbewegt werden.
Je nach Anzahl der Personen an Bord heißen diese „C1" (Solo-Boot) oder „C2" (Tandem-Boot).
Auf diese Art Canadier möchte ich hier allerdings nicht eingehen, nur falls man einmal auf diese Begriffe stoßen sollte.

Anmerkung:
Die obige Übersicht erhebt keinen Anspruch auf Vollständigkeit. In dem einen oder anderen Prospekt werden sicherlich auch noch andere Begriffe zu finden sein.

Meine Klassifizierung von Canadiern in dem Buch

In diesem Handbuch unterteile ich die offenen Canadier (Open Canoes; OC) nur pauschal in zwei große Gruppen:

- Wander-Canadier und
- Wildwasser-Canadier

Mit diesen Seiten möchte ich vor allem den unerfahrenen Paddler oder Neueinsteiger im Wander-Canadier ansprechen, um ihm eine Hilfestellung für einen raschen, erfolgreichen und gefahrlosen Einstieg im Umgang mit dem Stechpaddel zu geben.

Dabei unterscheide ich nicht, ob er in einem schnittigen oder gar superschnittigen Touren-Boot allein oder zu zweit sitzt, in einem hochtrabend als Expeditions-Boot bezeichneten Canadier, oder in einem Falt- oder Schlauch-Canadier. Deshalb habe ich diesen Oberbegriff „Wander-Canadier" gewählt.
Wenn ich vom 2-er Canadier schreibe, meine ich das Wander-Boot, das von einem Team aus zwei Personen gesteuert wird – der Krönung des Canadier-Fahrens.

Die Krönung: In Harmonie gepaddelter 2-er Canadier

Die Qual der Wahl – welches Boot wählen/Entscheidung treffen
(Form und Material)

Die Kaufentscheidung für ein bestimmtes Boot hängt natürlich von vielen verschiedenen Faktoren ab (verfügbares Budget, Einsatzzweck etc.) und die Wahl wird schwer fallen. Um es vorweg zu nehmen, die endgültige Kaufentscheidung kann ich niemandem abnehmen und möchte hier auch explizit keine Hersteller oder Modelle nennen.
Ich kann nur die Vor- oder Nachteile der einzelnen Bootsformen/Materialien kurz erwähnen und daraus pauschal eine Empfehlung ableiten.

Beim Kauf eines Bootes sollte weniger auf den Preis als auf das Gewicht geachtet werden.
An einem vermeintlich preisgünstigen Kauf wird man auf die Dauer gesehen wenig Freude haben, wenn das Boot unverhältnismäßig schwer ist. Man denke nur an das zwangsweise erforderliche häufige Auf- und Abladen vom Fahrzeugdach, beim Umtragen (ggf. noch mit Gepäck) usw.
Zudem ist üblicherweise der Erwerb eines neuen Bootes eine Anschaffung für viele Jahre, wenn nicht gar Jahrzehnte, und rechtfertigt letztendlich schon eine gewisse Mehrausgabe.

Wie mehrfach erwähnt, können besonders preiswerte fabrikneue Boote aus unbekannter Produktion eine große Enttäuschung hinsichtlich Materialqualität und Fahreigenschaften sein, auch wenn ihre äußere Optik für den Laien zunächst ansprechend anmutet (dies v. a. bei günstigen GFK-Booten, die zudem unverhältnismäßig schwer sind).

Wenn das Budget nur eine begrenzte Investition zulässt, ist es ratsamer auf ein gebrauchtes Boot eines renommierten Herstellers zurückzugreifen. Lasst Euch dann beim Kauf

nicht von ein paar äußerlichen Kratzern abschrecken. Die sind leider auch bei einem Neukauf im späteren Gebrauch ruckzuck da, tun der Funktionalität keinen Abbruch, aber Ihr habt in der Regel ein Boot erworben, das Paddel-Spaß vermittelt.
Zudem ist dabei viel Geld gespart und bei einem späteren Weiterverkauf, wenn es doch aus Unerfahrenheit nicht ganz das Traumboot gewesen ist, hält sich der Wertverlust in Grenzen.

Die Lebensdauer eines Bootes hängt entscheidend vom Material und der Verarbeitungs-Qualität ab.
Die Form und ebenso die Wahl des Materials des Canadiers ist abhängig vom gewünschten Einsatzzweck. Nicht jeder Boots-Typ ist für jeden Zweck gleich gut geeignet. Die Form wird bestimmt von den gewünschten Fahreigenschaften und der Zuladung.
Es wurde ja schon in diesem Kapitel im Abschnitt „***Fahreigenschaften***“ erwähnt, dass die Summe aller Eigenschaften eines Canadiers immer nur einen Kompromiss darstellen kann.

Wenn ich von meinem Einsatzprofil ausgehe, also von zwei Personen auf Flüssen und Bächen im süddeutschen Raum und den angrenzenden Alpenländern, auf denen Grundberührungen/Steine etc. manchmal unvermeidbar sind, Gepäckfahrten mit Sack und Pack oder auch Einsatz im bewegteren Wasser/Wildwasser (= WW), würde ich zu folgendem raten:

Universell einsetzbarer 17-Fuß (ca. 5,20 m) Expeditions-Canadier aus Royalex, also mit Kielsprung, relativ breit, hohen Seitenwänden, flachem- oder leicht angedeutetem rundlichen Boden oder leichtem V-Boden, sowie einem hohen, eher voluminösem Bug und Heck.

Kommt WW weniger in Frage, kann ein schlankeres Bug/Heck gewählt werden.
Soll der Haupteinsatz dagegen mehr im bewegteren Wasser liegen, wählt man ein besonders voluminöses Vorderschiff mit bulligem Bug/Heck.

Stehen bei Euch Fahrten mit Kindern und/oder Gepäck auf dem Programm, oder zählt Ihr zu den eher schwergewichtigen Zeitgenossen, würde ich auf jeden Fall ein 17-Fuß Boot wählen.

Wenn keine Fahrten mit Kindern oder Gepäck etc. geplant sind, und das Boot hin und wieder solo gefahren werden soll, wäre prinzipiell auch ein 16-Fuß Boot mit den gleichen Kriterien ausreichend (Expeditions- bzw. Wildnis-Canadier).

16-Fuß „Expeditions" - Canadier solo auf Gepäckfahrt

Wenn Ihr die Grundlagen der Paddeltechnik beherrscht, spielt die Länge eines 17‘-Bootes keine Rolle, hat aber bezüglich der Zuladung deutliche Vorteile.
Wenn ein langes Boot partout nicht dorthin fährt, wo Ihr eigentlich hin möchtet, wird das mit einem 15‘-Boot auch nicht anders sein.

Ein leichter V-Boden wirkt zwar im ersten Moment etwas kippeliger als ein flacher Boden, da er bei wechselnder Belastung im Boot von der einen Seite des „V“ auf die andere Seite kippt. Er ist aber neben dem flachen Boden ebenfalls eine gute Wahl.
Vorteilhaft vor allem, wenn das Boot öfters auch solo gefahren wird und dann ein problemloses Kanten des Bootes ermöglicht (kräftesparend).
Ein leicht rundlicher Boden wirkt ebenfalls zunächst etwas kippeliger, er hat aber insgesamt Vorteile und ist empfehlenswert, da er dafür eine relativ hohe Endstabilität bietet.

Ist das Boot sehr häufig im Einsatz oder soll es gar in bewegterem Wasser/Wildwasser eingesetzt werden, lohnt sich die Mehrausgabe für Royalex allemal. Bei moderater Belastung wäre dabei eine „Light“-Ausführung von Royalex eine Überlegung wert.
Wird das Boot dagegen nur ein-, zweimal im Jahr benutzt und ohne gehobene Ansprüche an die Innenausstattung (keine Kniegurte, kein einkleben von Ankerplatten mit D-Ringen für Gepäckbefestigung oder zusätzliche Auftriebskörper etc.), ist ein Boot aus Olthylen bzw. 3-Lagen PE (Sandwichbauweise mit Schaumkern) eine empfehlenswerte, deutlich preiswertere Alternative.
Wegen der hohen Beschädigungsgefahr würde ich von GFK bei diesem Einsatzprofil abraten.

Soll das Boot dagegen mehr oder weniger ausschließlich zum Zurücklegen größerer Entfernungen auf Seen oder breiten

Fließgewässern ohne der Gefahr allzu häufiger und heftiger Grundberührungen eingesetzt werden (z. B. ausgedehnte Touren auf den Seen-Systemen Nord-Deutschlands/ Skandinaviens/Masurens (Polen)), würde ich einen Touren-Canadier aus Kevlar wählen mit geringem oder ganz ohne Kielsprung, relativ schmal, spitz ausgeformtem Bug und Heck und rundlichem Boden.
Soll dabei noch viel Gepäck transportiert werden, ist zur Erzielung einer hohen Zuladung unter Umständen ein Boot länger als 17-Fuß in Erwägung zu ziehen.

Eine preiswertere, allerdings auch schwerere Alternative wäre ein Boot aus dem Material GFK, bei dem ebenfalls schnelle, widerstandsarme Rumpf-Formen darstellbar sind und das gute Gleiteigenschaften aufweist. Hohe Festigkeit bei moderatem Gewicht bietet in diesem Segment noch das Material „Tuff-Weave" der US-Firma We-no-nah.

Wegen der großen Windanfälligkeit von Canadiern muss für diesen Einsatzzweck ein Kompromiss zwischen geringer Wind-Angriffsfläche, und unbedingt erforderlicher Höhe von Seitenwand und Bug/Heck bei Wellengang gefunden werden.

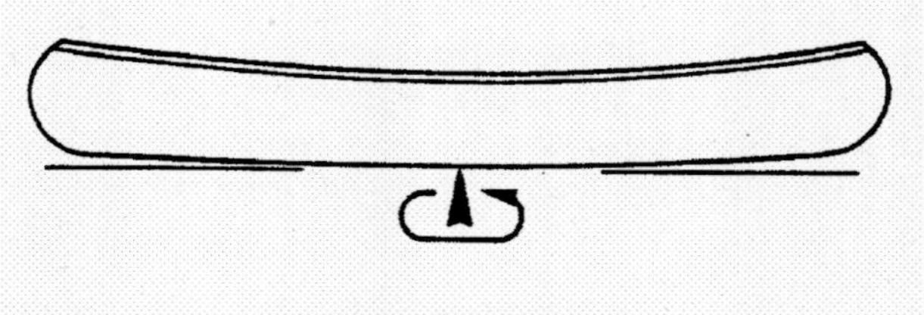

Gebogene Kiellinie
=> Tendenz Expeditions-Canadier

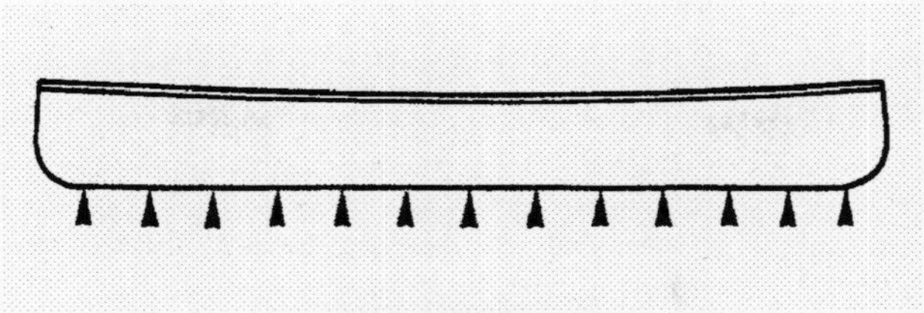

Gerade Kiellinie
=> Tendenz Touren-Canadier

Wer auf der Suche nach einem Solo-Boot für den reinen WW-Einsatz ist, dem würde ich zu den speziell dafür konzipierten Booten aus Royalex der etablierten US-Hersteller mit Sattel-Sitz und Auftriebskörpern in der Länge 12 oder 13-Fuß raten (z. B. Mohawk/Indian-Canoe, Dagger, Witesell, MadRiver ...).

Mein oben beschriebenes Einsatzprofil decke ich mit zwei Booten ab:
Für Gepäckfahrten, Fahrten auf Wanderbächen alleine oder zu zweit, sowie im Wildwasser zu zweit, habe ich einen 17'-Expeditions-Canadier.
Für WW-Fahrten alleine habe ich noch einen reinen 13-Fuß Solo-WW-Canadier.
Außerdem rundet noch ein 16,5'-PakCanoe Falt-Canadier für allerlei universelle Einsatz-Zwecke meinen „Fuhrpark" ab.

So – und jetzt viel Spaß beim Prospekte wälzen.

Unbedingt notwendige Ausrüstung am Boot

Zur unbedingt notwendigen Ausrüstung eines Bootes gehören:

Fangschlaufen an Bug und Heck

Sie sollten so groß sein, dass man nach einer Kenterung als Schwimmer bequem mit der Hand hineingreifen kann. Falls sich das gekenterte Boot unvermittelt drehen sollte, darf die Hand nicht eingequetscht werden.
Sie müssen aus hochfestem Material gefertigt sein und sollten zudem einen großen Querschnitt von mindestens 7 mm, besser jedoch 9 bis 10 mm haben.
Sie müssen mehrere 100 kg aushalten, denn diese Kräfte treten auf, wenn ein verklemmtes, wassergefülltes Boot gegen einen erheblichen Strömungsdruck geborgen werden muss. Ein mit Wasser gefüllter Canadier erreicht locker das Gewicht von 1 Tonne!!

An den Fangschlaufen am Bug und Heck sollte außerdem jeweils eine kurze Bootsleine angebracht werden (mögl. Schwimmleine). Die Länge sollte ca. 4 bis 5 m betragen (max. Bootslänge) und der Durchmesser ca. 7 bis 9 mm sein.

Meist ist bei fabrikneuen Booten für Fangschlaufen nichts vorgesehen. Auch wenn's im Inneren des Herzens wehtut: Löcher bohren – der eigenen Sicherheit und auch dem Boot zu Liebe.
Bei Booten aus Royalex, den „Light"-Ausführungen von Royalex und bei Olthylen/PE ist das absolut unproblematisch, bei anderen Materialien muss je nach den Gegebenheiten vorgegangen werden.

Ich rate dringend(!!) davon ab, Fangschlaufen oder Bootsleinen am Oberdeck, Tragegriffen o. ä. anzubringen. Diese Teile sind in der Regel überhaupt nicht dafür geeignet, große Kräfte auszuhalten.

Auftriebskörper

Bei Auftriebskörpern muss unterschieden werden zwischen:

- Unbedingt notwendige Auftriebskörper, um ein Boot unsinkbar zu machen.
- Großvolumige Auftriebskörper, um ein Boot für bewegtes Wasser bzw. Wildwasser-Einsatz tauglich zu machen (egal ob jetzt spezielles WW-Boot oder Wander-Canadier).

a.) Unbedingt notwendiger Auftrieb (Minimalauftrieb)

Ist das Boot konstruktionsbedingt bzw. auf Grund des verwendeten Materials nicht unsinkbar (z. B. Laminat-Boote aus GFK oder Kevlar, PE-Boote ohne Schaumkern etc.), werden Auftriebskörper benötigt, um ein grundsätzliches „Absaufen“ des Bootes zu verhindern.

Diese können unterschiedlichst ausgeführt sein und werden in der Regel bereits vom Hersteller ab Werk eingebaut. Beispielsweise fest einlaminierte Styroporblöcke in Bug und Heck, Bug und Heck ausgeschäumt, wasserdicht verschließbare Hohlräume, die außerdem als Gepäckraum genutzt werden können – oder auch als Luftschläuche unter dem Süllrand.

Dass diese Auftriebskörper aus Gründen der Sicherheit nicht entfernt oder verkleinert werden sollten, muss wohl nicht extra erwähnt werden.

Der Minimalauftrieb eines Bootes:
(=> die Auftriebskörper sind schwarz markiert)

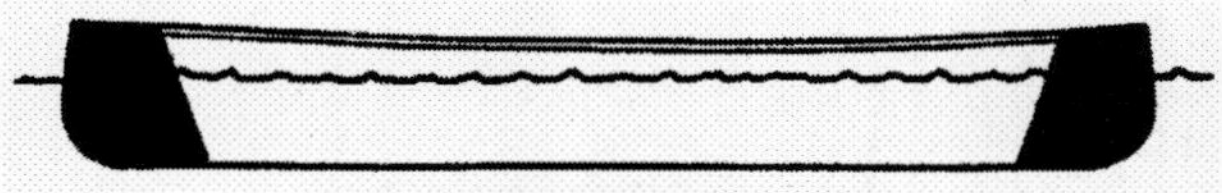

Auftrieb ausreichend

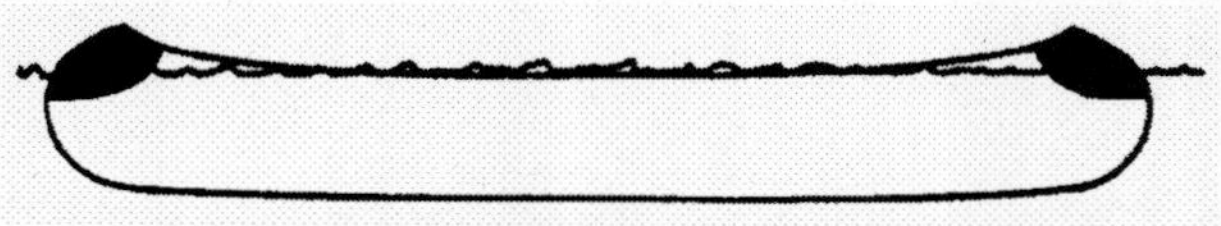

Auftrieb ungenügend (Boot zu tief im Wasser)

Boote in Sandwich-Bauweise mit einem Hartschaum als mittlere Schicht (z. B. Royalex/Oltonar, Olthylen, Kevlar in Verbundbauweise mit Schaum etc.) benötigen keinen zusätzlichen Auftrieb mehr. Hier übernimmt der Schaum diese Funktion.

Voll mit Wasser gefüllt schwimmen aber auch sie nur knapp über oder unterhalb der Wasseroberfläche, so dass sie fast nicht mehr zu sehen sind.
Dies bedeutet, dass für Wildwasser-Einsatz hier ebenfalls zusätzliche Auftriebskörper zwingend erforderlich sind.

b.) Auftrieb bei Wildwasser-Einsatz

Soll ein Canadier im Wildwasser-Bereich (WW) eingesetzt werden, sind die Freiräume im Boot mit großen, fest eingebundenen Luftsäcken auszufüllen. In Bug und Heck werden dann üblicherweise so genannte „Spitzenbeutel“ eingesetzt, in der Mitte eine große rechteckige Ausführung (= „Centerbag“). Diese ganz speziellen Luftsäcke aus Nylongewebe oder PVC sind im Fachhandel für den Paddelsport erhältlich.
Das Boot kann ggf. zusätzlich mit einer dicht schließenden und widerstandsfähigen Spritzdecke (Persenning) mit Schürzen versehen werden.

Vorsicht:
Ein Boot, das nur mit Spritzdecke ausgerüstet ist, läuft bei einer Kenterung mit Wasser voll.
Deshalb grundsätzlich auch hier großvolumige Auftriebskörper darunter verwenden. Das können auch Kunststoff-Gepäcktonnen, pralle Wickelsäcke, Packsäcke o. ä. sein.

Diese Maßnahmen (zusätzlicher Auftrieb/Freiräume ausfüllen) sind im Wildwasser völlig unabhängig davon, aus welchem Material der Canadier gefertigt ist und welcher Typ es ist, d. h. aus welcher Kategorie. Schlauch-/Luft-Canadier allerdings ausgenommen.

Ein voll „abgefüllter“ Canadier erreicht locker das Gewicht von einer Tonne. Ein solches Boot ist in schnell fließenden Gewässern äußerst gefährlich, nur schwer zu bergen und endet sehr schnell zerbrochen am nächsten Felsen.
Mit genügend großen Auftriebskörpern dagegen schwimmt das Boot mehr oder weniger direkt auf der Wasseroberfläche. Im theoretischen Ideal-Fall also quasi wie ein Wasserball.

Auftrieb bei Wildwasser-Einsatz:

Großvolumige Luftsäcke in einem Wander-Canadier im Wildwasser

Bei Gepäckfahrten übernimmt das geladene, wasserdicht verpackte und fest verzurrte Gepäck die Funktion als Auftriebskörper.
Wesentlich ist, dass die Auftriebskörper, egal wie sie geartet sind, fest im Boot eingebunden sein müssen und sich im Falle einer Kenterung nicht aus dem Boots-Inneren herauslösen können – sonst wären sie nämlich gänzlich unwirksam.

Allerdings gehen die Meinungen in Paddler-Kreisen teilweise stark auseinander, wie das Gepäck im Boot gesichert sein sollte: Das Gepäck immer fest einbinden, so wie ich es beschrieben habe, das ansonsten lose Gepäck nur über eine Schnur an das Boot sichern, oder das Gepäck nur lose ohne jegliche Sicherung im Boot verstauen.

Da gab es, und wird es sicherlich auch noch in Zukunft, am Lagerfeuer so manche hitzige Diskussionen darüber geben.

Sicherlich sind bei den unterschiedlichen Meinungen auch die jeweiligen äußeren Rahmen-Bedingungen zu berücksichtigen: Touren über Seen bzw. große Wasserflächen, Paddeln im Wildwasser (WW) mit starker Strömung und großer Wasserwucht, WW mit wenig Wasserwucht, aber dafür stark verblockt, „Drop and Pool-Rapids", usw.
Aufgrund der von mir bisher gemachten Erfahrungen tendiere ich insgesamt zu der von mir beschriebenen Methode.

Im Wildwasser gekenterter Canadier aus Royalex (siehe Pfeil) ohne ausreichend Auftriebskörper

Das Boot hat sich um ein Baumhindernis gewickelt und ist jetzt praktisch nur noch „Schrott". Derartige Situationen können für die Insassen zudem tödlich enden (=> verklemmen im Boot).

Tipps und Hinweise

Eine Reihe von hoffentlich nützlichen Tipps und Hinweisen sind in dem gesonderten Kapitel „***<u>Tipps und Hinweise</u>***" aufgeführt.

Der Canadier:

Ein elegantes und lautloses Fortbewegungsmittel, das viel Platz auch für sehr umfangreiches Gepäck für Touren weit abseits der Zivilisation bietet.

Sei's im Norden Kanadas oder ...

... auf Wintertour auf heimischen Flüssen

Das Stechpaddel

Definitionen

Paddel gibt es in zwei verschiedenen Ausführungen. Es wird grundsätzlich unterschieden zwischen:

- Doppelpaddel beim Kajak
- Stechpaddel beim Canadier

Das Stechpaddel besteht aus Blatt, Schaft und Knauf.

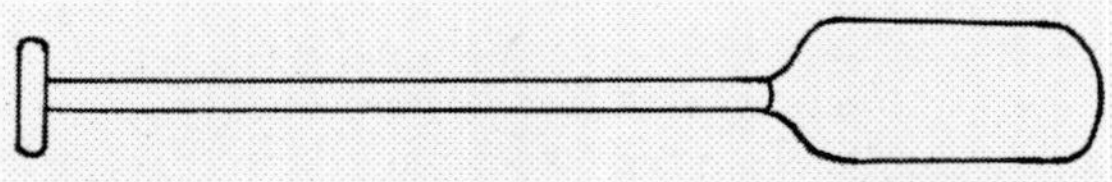

Knauf-, Blatt- und Schaft-Ausführungen

Sowohl beim Knauf als auch beim Blatt sind verschiedene Formen auf dem Markt anzutreffen.

Als **Knauf** findet standardmäßig und für den Bereich Wildwasser der **T-Griff** (bzw. Spaten-Griff) Anwendung. Für den universellen Einsatz ist dieser zu empfehlen. Eine Sonderform stellt der **Palm-Griff** dar.
Beim Palmgriff ist der Knauf als „runder Knubbel" ausgebildet, der sehr gut in die gekrümmte Handfläche passen sollte. Diese Form ist bei Stechpaddeln aus Holz weit verbreitet und soll u. a. eine angenehme Drehung des Paddels bzw. der Hand für die Steuerung des Bootes ermöglichen (z. B. beim J-Schlag).

Holzpaddel mit Palm-Griff haben häufig ein langes, schmales Blatt, das zum ermüdungsfreien, kräfteschonenden Zurücklegen weiter Strecken auf großen Fließgewässern oder Seen dient. Es ist ein Genuss, wie diese Paddelblätter durchs Wasser schneiden.
Die langen, schmalen Blattformen gibt es in zahlreichen unterschiedlichen Dimensionen und haben teilweise so klangvolle Namen wie beispielsweise Ottertail oder Beavertail.
Sie sind für den oben beschriebenen Einsatzzweck in den Händen eines versierten Paddlers vorgesehen (vor allem die extrem schmalen und langen Blätter).

Dies gilt erst recht für die **Bent-Shaft Paddel** (= abgekröpfte Paddel = Knickpaddel). Das Knickpaddel ist eine Sonderform des Stechpaddels, bei dem der Schaft am Übergang zum Blatt um ca. 12 Grad, oder 14 bzw. 15 Grad abgekröpft ist (gibt es in unterschiedlichen Winkeln).
In der Hand eines Experten dient es zur Erzielung hoher Geschwindigkeiten auf großen Wasserflächen, da hiermit ein effektiverer Paddeleinsatz möglich ist (Blatt steht länger senkrecht im Wasser, dadurch größere Kraftübertragung).

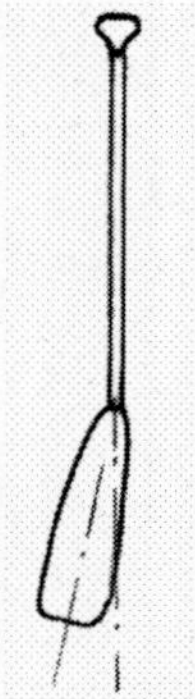

Bent-Shaft

Es wird mit hoher Schlagfrequenz eingesetzt und das Paddel ist jeweils nur für einen kurzen Weg im Wasser (eben nur da, wo es effektiv arbeitet). Das Knickpaddel ist wenig verbreitet und insgesamt von untergeordneter Bedeutung – Marathon-Paddler oder erfahrene Touren-Paddler werden es aber zu schätzen wissen.

Für uns Allround-Paddler bzw. den Paddel-Novizen kommen eigentlich nur die mehr oder weniger rechteckigen Blattformen in Betracht, die eine Größe von ca. 20 x 40 cm haben, aus den unten aufgeführten Materialien gefertigt sein können, und üblicherweise mit einem T-Griff ausgestattet sind.
Holzpaddel mit solchen „Standard"-Blättern haben teilweise auch einen Palm-Griff. Wer es allerdings im bewegteren Wasser/Wildwasser einsetzen möchte, dem würde ich in diesem Fall eher zu einem T-Griff raten.

Es sind zudem Blätter auf dem Markt (meist aus Kevlar, Carbon o. ä.) die eine Kehlung aufweisen, d. h. das Blatt ist in sich gekrümmt. Sie sind vor allem für den engagierten Wildwasserfahrer im C1 oder Solo-WW-Canadier gedacht. Für den Gelegenheits-Paddler sind sie nicht zu empfehlen, da die Muskulatur und die Gelenke entsprechend trainiert sein müssen.

Bei der Wahl der Blattgröße eines „Allround"-Paddels sollte man die eigenen Kraftreserven und die Körperstatur berücksichtigen und nicht unbedingt das allergrößte aussuchen. Beispielsweise kein Paddel auswählen, das eigentlich für den Einsatz in einem Raft gedacht ist.
Wenn verschiedene Paddel beim Kauf verglichen werden, zudem auf das Gewicht achten, je leichter desto besser. Überhaupt ist dem Gewicht eines Paddels eine große Bedeutung zuzumessen.

Paddel mit Blättern aus Kunststoff, GFK, Composit oder PU-Schaum haben in der Regel einen Schaft aus Aluminium. Fertigungsbedingt läuft der Schaft erst im Blatt aus, was je nach Paddel zu einer mehr oder weniger stark ausgeprägten Rippe in der Mitte des Blattes führt. Je flacher und unauffälliger diese Rippe ausfällt (nicht stark aufträgt), desto besser.

Die untere Hälfte des Alu-Schafts sollte mit einem soliden Kunststoffüberzug (Schrumpfschlauch o. ä.) versehen sein, damit die Schafthand (= die Hand des Paddlers, die den Schaft umgreift) zur Isolation nicht direkt das Alu umfasst. Wegen der hohen Leitfähigkeit von Metall wird es sonst im Sommer unangenehm heiß, bzw. besteht bei kaltem Wasser die Gefahr der Unterkühlung der Hand.
Die isolierende Wirkung ist jedoch insgesamt nicht so gut wie bei einem Holzschaft.

Grundsätzlich darauf achten, dass ein Blatt möglichst dünn ist und scharfe schnittige Kanten aufweist, damit es effizient und geräuschlos durch dass Wasser schneiden kann.

Materialien

Welches Material man letztendlich bevorzugt, ist sowohl abhängig vom persönlichen Geschmack, vom verfügbaren Budget als auch von der Art des Einsatzes:

Holz

Das Holzpaddel ist vor allem bei den Wanderfahrern sehr beliebt. Es wirkt natürlich und passt gut zum Charakter eines Canadiers.
Es hat eine natürliche Elastizität, was besonders beim Tourenpaddeln geschätzt wird, und es lässt sich angenehm umgreifen.
Wie oben schon erwähnt, sind zwei verschiedene Arten von Griff üblich (T-Griff oder Palm), sowie unterschiedliche Blattformen im Angebot (je nach Einsatzprofil standardmäßige, oder lange und schmale Formen).
Die Qualität eines Holzpaddels (Holzart, Form, Verarbeitung, Gewicht etc.) ist in hohem Maße vom Preis abhängig.

Sehr preiswerte Paddel genügen den gestellten Anforderungen in der Regel nicht. Gute Holzpaddel sind im oberen Preis-Segment angesiedelt.

Der Haupteinsatz liegt bei Seen und tiefen Flüssen. Für verblockte und flache Bäche mit viel Grundberührung sollte das Blatt an der Unterseite mit einer Schutzkante versehen sein.
Am besten sind integrierte Kanten aus Alu oder Kunststoff. Aufgesetzte Kanten aus Blech oder Alu sind nicht empfehlenswert, da sie mit der Zeit abstehen und die Verletzungsgefahr, sowie die Gefahr der Beschädigung von Ausrüstung stark steigt.

Für den rauen Einsatz im Wildwasser sind Holzpaddel insgesamt weniger geeignet.
Hochwertige Holzpaddel sind sehr leicht und daher für das ermüdungsfreie Zurücklegen großer Entfernungen in ruhigerem Wasser in den Händen eines versierten Paddlers sehr geschätzt (haben dann meist langes schmales Blatt und Palm-Griff).

Kunststoff

Die besonders preiswerten Paddel aus Polystyrol (PS) („Plastik") aus der „Badeboot-Abteilung" der Kaufhäuser sind nicht besonders haltbar und eignen sich bestenfalls als Kinderpaddel.
Sie sind nicht empfehlenswert (geringe Zähigkeit, bruchempfindlich bei Schlagbeanspruchung).

Es gibt aber durchaus Paddel mit Kunststoffblättern (z. B. aus Polyamid (PA), Polyethylen (PE), Polypropylene (PP), Duralen, …) und solidem Alu-Schaft zu moderatem Preis, die erstaunlich hart im Nehmen und widerstandsfähig sind.

Sie können daher eine Überlegung wert sein.
Allerdings sind manche Kunststoffpaddel mit Alu-Schaft unverhältnismäßig schwer, deshalb sollte sorgfältig auf das Gewicht geachtet werden. Schwerer als ca. 850 Gramm sollte es keinesfalls sein.

GFK

Robust und widerstandsfähig sind Paddel mit einem Blatt aus GFK. Sie haben in der Regel einen Schaft aus Aluminium. Die Blätter bestehen aus glasfaserverstärktem Kunststoff (GFK-Laminat), der auf einen Aluminium-Rahmen gepresst wird.
Wie bei Alu-Schäften allgemein üblich, ist der untere Teil des Schaftes zur Isolation mit Kunststoff-Schrumpfschlauch überzogen.

Composit

Ausführungen in Composit-Bauweise sind ähnlich aufgebaut wie die GFK Blätter, sie sind jedoch aus mehreren verschiedenen Materialien zusammengesetzt, wie z. B. GFK außen, im Inneren ein Schaum-Kern und Alu-Verstärkungen. Teilweise sind sie nicht besonders haltbar (hab jedenfalls schlechte Erfahrungen damit gemacht).

Kevlar

Sehr teure Paddel werden aus der nahezu unverwüstlichen, sehr leichten Kevlar/Aramid bzw. Kohle/Carbonfaser gefertigt (sowohl Blatt als auch Schaft). Zu erkennen sind sie manchmal an der gold-gelben Farbe.

Derartige Blätter haben häufig eine starke Kehlung. Diese sind in erster Linie für den Experten im Wildwasser-Canadier gedacht. Kevlar-Paddel sind in der Regel sehr steif, was besonders der WW-Fahrer schätzt.
Es werden aber auch superleichte Touren- und Bentschaft-paddel daraus angefertigt.

PU-Schaum (RIM-Paddel)

Die Paddelblätter bestehen aus hochverdichtetem Polyurethan-Schaum (PU), der Schaft aus Aluminium.
Die Blätter sind elastisch und dämpfen Schläge ab. Sie sollen so das Handgelenk des Paddlers schonen.
Sie sind zwar ebenfalls robust, aber weniger als die aus GFK. Ihre Lebensdauer/Robustheit hängt sehr stark von der Fertigungs-Qualität ab. Innerhalb dem gleichen Hersteller und Modell sind je nach Toleranzen in der Fertigung und Qualitäts-Einbrüchen große Unterschiede möglich.
Die meisten Blätter werden mit der Zeit etwas krumm (bekommen eine Kehlung), was aber keinen Einfluss auf die Lebensdauer hat.

Paddellänge

Ein Wander-Canadier sollte möglichst immer im Knien gepaddelt werden. Die Vorteile und Gründe dazu sind in dem Kapitel „***Grundlagen der Stechpaddel-Technik***“ aufgeführt.

Standardmäßig werden Stechpaddel in einer Länge zwischen etwa 140 und 160 cm angeboten.

1.) Als einfache Merkregel für die ungefähre Paddellänge kann folgender Anhaltswert genommen werden. Dies gilt jedoch nur für ein „Allround"-Paddel bei kniender Haltung:

Das senkrecht auf den Boden gestellte Paddel sollte dem Canadierfahrer bis unter die Achselhöhle gehen.
Länger als bis zum Kinn sollte das Paddel nicht reichen.

Der Heckpaddler wird zum Steuern ein etwas längeres Paddel bevorzugen als der Bugpaddler.
Der Solo-Paddler im Wander-Canadier wiederum ein etwas längeres als der Solofahrer im Wildwasser-Canadier.

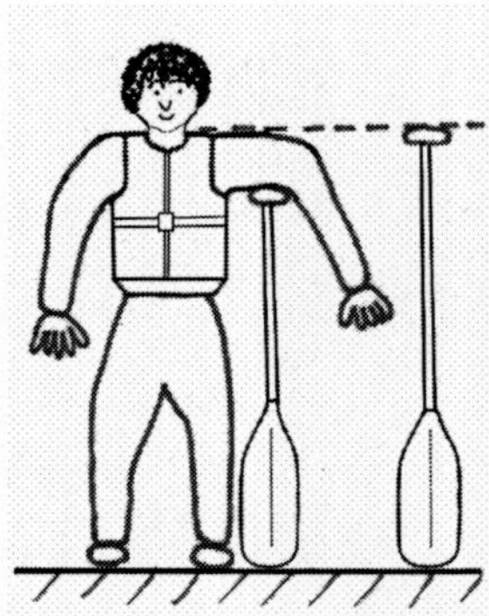

Ermittlung Paddellänge für ein „Allround"-Paddel

In der Regel werden den Leuten immer viel zu lange Paddel verkauft!!
In den Läden wird meist vom Sitzen im Boot ausgegangen, wobei dann prinzipiell ein etwas längeres Paddel nötig wäre.
Im Zweifel lieber zum Kürzeren greifen.
Ein nicht zu langes Paddel ist entscheidend, um schnell und problemlos einen effektiven und sauberen Paddelstil zu erlernen.

2.) Der engagiertere Paddler wird mit dieser oben beschriebenen einfachen Merkregel allerdings nicht zufrieden sein. Die Länge eines Paddels nach der Körpergröße auszuwählen ist nicht ganz korrekt, da ja im Boot nicht gestanden, sondern gekniet bzw. gesessen wird.

Die Größe des Oberkörpers und die Höhe des Sitzes werden dabei nicht berücksichtigt. Ebenfalls nicht die Länge des Blattes. Dies ist vor allem bei nicht „Allround“-Blättern wie beispielsweise Beavertail/Ottertail etc. von Belang.

Zur exakteren Ermittlung der Paddellänge auf dem Wasser in das Boot knien bzw. sitzen. Dann die Entfernung vom Griff des Paddels (Knauf) senkrecht nach unten bis zur Wasseroberfläche messen.

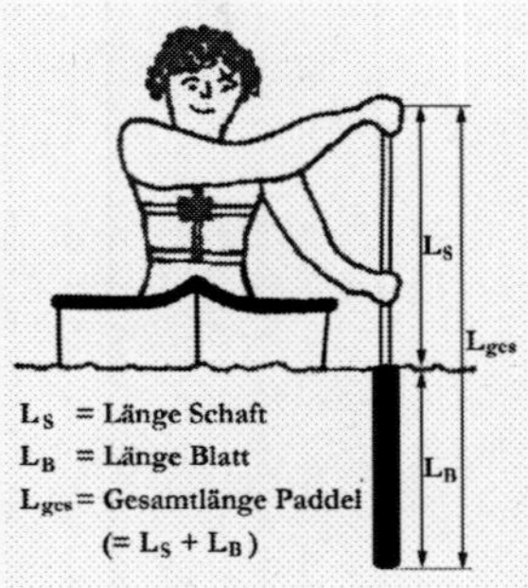

Exakte Ermittlung Paddellänge je nach Ausführung des Blattes

Dabei sollte sich der Griff in dem Bereich zwischen Schulterhöhe (=> tendenziell Wander-/Touren-Fahrer) und Nasenspitze (=> tendenziell Wildwasserfahrer) befinden. Als guter Kompromiss kann etwa Kinn-Höhe angesehen werden. Das ist also die Soll-Länge des Schaftes.

Zu diesem Maß noch die Höhe des Blattes dazuzählen. Das ist dann die empfehlenswerte Paddellänge über alles.

Allerdings sollte man keine überkomplizierte Wissenschaft daraus machen. Die Paddellänge ist auch vom individuellen Geschmack abhängig. Kauft Euch zunächst ein preiswertes Paddel und probiert dann auf ein paar Touren aus, mit welcher Länge Ihr ganz individuell am besten zurechtkommt.

Paddelbrücke

Das Paddel dient nicht nur zur Fortbewegung auf dem Wasser, sondern auch als Hilfsmittel zum Einsteigen in die ungewohnt kippelig und wackeligen Boote.
Das Boot längs zum Ufer ins Wasser bringen, den Bug auf Fließgewässern (= Bäche und Flüsse) gegen die Strömung gerichtet.
Die vordere Person hält das Boot am Bug fest, während die hintere Person mit Hilfe der Paddelbrücke einsteigt.

Hierzu das Paddel quer über das Boot über die beiden Süllränder legen. Beide Hände umgreifen den Paddelschaft und gleichzeitig die Süllränder.
Das gesamte Gewicht nun in Richtung Ufer verlagern, an dem das Paddelblatt flach aufliegt und sich abstützt. Dann mit dem ersten Fuß genau in die Mitte(!) des Bootes treten, der zweite Fuß folgt.
Danach steigt die vordere Person auf die gleiche Weise ein (Paddelbrücke; mit dem Fuß genau in die Mitte treten).

Beim Anlegen auf Fließgewässern den Bug ebenfalls immer gegen die Strömung richten, das Boot dazu also entgegen der üblichen Fahrtrichtung flussabwärts um 180 Grad wenden. Die vordere Person steigt zuerst mit Hilfe der Paddelbrücke aus und hält dann den Bug fest, danach folgt die hintere Person.
Diese Reihenfolge sollte stets beachtet werden. Falls sich das Boot beim Ein- oder Aussteigen vom Ufer lösen sollte, kann die hintere Person das Boot über die Paddeltechnik der „Seilfähre vorwärts" problemlos ans Ufer zurücksteuern.
Der vorderen Person würde dies alleine nicht so schnell und einfach gelingen.

Es ist also im Normalfall auf Bächen und Flüssen grundsätzlich immer gegen die Strömung An- und Abzulegen. Dabei hat die hintere Person bei der beschriebenen Vorgehensweise immer Kontrolle darüber, wie die Kräfte der Strömung am Boot angreifen, und kann ggf. Korrekturen durchführen.
Den Bug des Bootes immer in Richtung Ufer ausrichten, damit die Strömung das Boot ans Ufer drückt, also den Winkel zwischen Längsachse des Bootes und der Strömungsrichtung beachten.

Ein- und Aussteigen mit Hilfe der Paddelbrücke:
(sowohl vordere als auch hintere Person)

Den Bug des Bootes immer in Richtung zum Ufer hin ausrichten. Der Pfeil markiert die Strömungsrichtung des Flusses.

Tipps und Hinweise

Die hier aufgeführten, hoffentlich nützlichen Tipps sind übrigens in dem Kapitel „***<u>Tipps und Hinweise</u>***“ alle noch einmal zusammengefasst.

- Bei einer **Kenterung** Boot und Paddel nicht einfach davonschwimmen lassen, sondern beides fest im Griff behalten – es sei denn, es droht eine besondere Gefahr (Wasserfall o. ä.).
  Dieses Verhalten wird man in der Regel als Anfänger nicht an den Tag legen und muss trainiert werden. Deshalb nach dem ersten Schock der Kenterung sofort nach Boot und Paddel umschauen und danach greifen. Selbst in schwerem Wildwasser ist alles noch in Griffweite.

- Auf keinen Fall das Paddel über eine Schnur mit dem Körper oder dem Boot verbinden/sichern. Beim Kajakfahren auf Küstengewässern ist dies übliche Praxis und dort auch o. k., aber nicht beim Canadierfahren auf Bächen/Flüssen oder gar im Wildwasser.

- Bei größeren Unternehmungen auf jeden Fall immer ein **Reserve-Paddel** mitführen (besonders auf großen Gewässern/Seen) und im Boot gegen Verlust sichern (festbinden).

- **Namen, Adresse und Telefon-Nummer** auf das Paddelblatt schreiben (z. B. mit wasserfestem „Edding“ Filzschreiber). Ebenso ins Boot und auf den Wurfsack. Dies hilft bei Verlust am Bach und erschwert den Diebstahl.

Paddeltechnik

Grundlagen der Stechpaddel-Technik

Das Stechpaddel erfordert eine besondere Paddeltechnik, die überhaupt nicht mit der landläufigen Doppelpaddel-Technik im Kajak verglichen werden kann.
Gute Kajakfahrer setzen dagegen in bestimmten Situationen im Wildwasser-Bereich ihr Doppelpaddel ähnlich ein (z. B. beim „Duffek"), wie es die Canadierfahrer mit ihrem Stechpaddel eigentlich stets tun sollten.

1.) Es wird mit steiler Paddelhaltung gepaddelt, d. h. das Paddel bzw. Blatt möglichst immer im rechten Winkel, also senkrecht zur Wasseroberfläche einstechen und bewegen.
Das Paddel so schief und schräg zu führen ähnlich wie bei einem Kajak oder gar Ruderboot ist zum einen nicht besonders elegant, zum anderen wenig wirkungsvoll und effizient. Die einzige Ausnahme bildet die flache Paddelstütze (dazu aber später noch).

Korrekte und falsche Paddelhaltung

2.) Stets das ganze Blatt eintauchen. Die Farbe des Blattes darf im Wasser nicht mehr zu sehen sein. Nicht oberflächlich und zaghaft das Wasser streicheln, dies ist nicht besonders effektiv.

3.) Die Griffweite für den „Normaleinsatz" stimmt, wenn das über den Kopf gehaltene Paddel zusammen mit den Unter- und Oberarmen einen rechten Winkel bildet („Kasten").

Ermittlung der Griffweite

Dieser Griffabstand wird bei allen Paddelschlägen beibehalten, nur verändert sich dann der „Kasten" in eine mehr oder weniger schiefe Raute. Dem Anfänger würde ich diese Haltung empfehlen. Den Schaft keinesfalls tiefer greifen.

Der routinierte Paddler kann mit der Schafthand etwas nach oben rutschen.
Dann kann das Paddel im Wasser einen größeren Weg zurücklegen, erfordert jedoch einen größeren Krafteinsatz (wegen Hebel-Gesetz, bzw. Hebel-Verhältnisse am Paddel). Die Schafthand ist dann meist auf Höhe des Süllrandes bzw. etwas darüber.
Zur Ermittlung der ungefähren Griffweite kann man sich das Paddel unter die Achsel klemmen und den Arm und die Finger ausstrecken. Den Schaft dort greifen, wo der Daumen endet.

4.) Das Paddel immer am Schaft und Knauf festhalten, nie mit beiden Händen am Schaft.
Der Knauf ist üblicherweise T-förmig ausgebildet und im gleichen Winkel angebracht wie das Blatt. Über den Knauf hat man damit eine Information, in welchem Winkel sich das

Blatt im Wasser befindet, d. h. mit dem Knauf wird das Paddel gesteuert und ggf. die Stellung des Blattes korrigiert.

Die unter Hand umfasst den Schaft locker und greift nur in der Zugphase fest zu. Die beiden Arme bleiben weitgehend gestreckt.
Die Kraft entwickelt man aus den Schultern bzw. dem gesamten Oberkörper, nicht aus den Armen oder Händen. Deshalb beim „Grundschlag vorwärts" (dazu später noch) den ganzen Oberkörper mitdrehen. Am besten dem Paddel nachschauen, dann hat man automatisch die Drehung/ den Bewegungsablauf mit drin.
Beim einzelnen Paddelschlag verteilt man die Kraft auf den Druckarm am Paddelknauf und den Zugarm, der am Schaft greift.

5.) Ein Canadier sollte in der Regel immer im Knien gepaddelt werden.
Anmerkung: Die besonders schnellen Touren-Canadier, die aufgrund ihrer spezifischen Rumpfform nur im Sitzen mit Fußstützen gepaddelt werden können, möchte ich hier in dieser Betrachtung außer acht lassen – das ist doch zu speziell.

Vorteile:
Schwerpunkt tiefer, größere Paddelreichweite (d. h. man kann sich weiter aus dem Boot lehnen), engerer Bootskontakt/direktere Bootsführung und besserer Halt durch solide 3-Punkt Auflage – Gesäß ist am Sitz abgestützt und die beiden Knie sind im Boot verspreizt.
Beine und Gesäß sollten bis zur Hüfte regelrecht mit dem Boot verschweißt sein. Querbewegungen des Bootes werden dann über die Hüfte ausgeglichen/abgeschaukelt („Hüft-Knick").

Man kann sich dies auch so vorstellen:
Ein nur mit „schlabbrigen" Turnschuhen ausgestatteter Skifahrer wird seine Skier nie dorthin dirigieren können, wo er eigentlich hin möchte, sie werden im nicht gehorchen. Er kann dann noch so elegant mit dem „Ärschle" wackeln, seine Skier werden einfach nicht darauf reagieren. Erst mit der festen Verbindung Bein/Skistiefel/Ski wird jede Körperbewegung unmittelbar auf die Skier übertragen. Vergleichbar verhält es sich beim Paddeln mit dem Canadier.

Im Sitzen wird man deshalb nie einen effektiven und sauberen Paddelstil entwickeln und einen Canadier in allen Lagen sicher beherrschen können.
Besonders in schwierigen Situationen (z. B. Stromschnellen), in denen das Boot feinfühlig und rasch auf die Paddelschläge reagieren sollte, empfiehlt sich die kniende Haltung. Natürlich kann in ruhigen Passagen zur Abwechslung und Entspannung auch mal die sitzende Haltung eingenommen werden.

Achtung Gefahren-Hinweis(!!!):

Unbedingt darauf achten, dass Ihr unter dem Sitz genügend Platz für Eure Füße habt.
Legt ggf. Eure Sitze höher. Dies ist je nach Boot/ Sitzausführung/Befestigung mehr oder weniger leicht umsetzbar – Bastelarbeit. Unter dem Kapitel „***Tipps und Hinweise***" ist eine Adresse angegeben, die das für Euch übernehmen kann falls Ihr keine Möglichkeit dazu habt, oder es zu kompliziert sein sollte.

Ein problemloses und schnelles Aussteigen muss(!!) jederzeit gewährleistet sein, bzw. bei einer Kenterung muss man problemlos „rausflutschen" können, bzw. automatisch aus dem Boot fallen – sonst akute Lebensgefahr!!!

Rein für das Wildwasser konzipierte Boote sind üblicherweise mit so genannten Sattelsitzen ausgerüstet (je nach Ausführung ähneln sie einem Pferdesattel; nur zum Knien geeignet). Einen Wander-Canadier mit solchen Sattelsitzen auszurüsten würde ich allerdings aus verschiedenen Gründen nicht empfehlen.

6.) Es wird nur auf einer Seite gepaddelt.
Die Paddelseite wird nicht gewechselt, sondern der Drall des Bootes wird ggf. über Steuerschläge am Ende des Grundschlages korrigiert (dazu aber später noch). Das Paddel also ständig von der einen Bootsseite zur anderen zu nehmen, um das Boot auf geradem Kurs zu halten ist nicht besonders wirkungsvoll und sollte man sich gar nicht angewöhnen.
Dies gilt sowohl für den Solo-Paddler, als auch für die hintere Person im 2-er Canadier.
Wie auch die schiefe/schräge Paddelhaltung, raubt das hektische Wechseln der Paddelseite zudem die Harmonie und Eleganz einen Canadier spielerisch vorwärts zu bewegen.

Ausnahmen:
a.) Der Solo-Paddler wird v. a. auf anspruchsvolleren Fließgewässern bzw. im Wildwasser ab und zu für bestimmte Manöver die Paddelseite wechseln müssen.
Dabei wechselt er aber nicht das Paddel von der einen Hand in die andere, sondern greift von seiner aktiven Paddelseite („On-Side“) einfach unter Beibehaltung der Paddelhaltung auf die andere Bootseite über („Off-Side“).
Diese Paddelschläge auf der „anderen“-Seite (= „Off-Side“) gehören aber schon zur fortgeschrittenen Paddeltechnik für Solo-Fahrer auf stärker fließenden Flüssen und Bächen. Ähnliches gilt für die vordere Person im 2-er Canadier im Wildwasser (der „Übergriff“).

b.) *Es gibt eine spezielle ausgefeilte Paddeltechnik, die sich „Hit and Switch" nennt (=> quasi „Schlagen und Seite wechseln"). Dabei wird beim Solo-Boot etwa alle 3 bis 4 Schläge (z. B. beim „Minnesota-Switch"; ist aber auch abhängig vom Boot) die Paddelseite komplett gewechselt, die Schlagfrequenz selbst ist dabei sehr hoch. In Tandems wird „Hit and Switch" ebenfalls angewandt (Wechsel der Seite etwa alle 6 bis 8 Schläge).*
Diese Technik wir vor allem beim Marathon-Sport angewendet, oder findet auf großen Wasserflächen in Verbindung mit besonders leicht und schnell geradeauslaufenden, relativ schmalen Touren-Canadiern Anwendung.

Bei „Hit and Switch" wird meist im Boot gesessen und sich an Fußstützen abgestützt. Es wird deshalb manchmal auch „Sit and Switch" genannt (=> „Sitzen und Seite wechseln").
Dabei wird häufig zur weiteren Steigerung der Effizienz ein Bentschaft-Paddel verwendet, ist aber nicht zwangsläufig damit gekoppelt. Der Vorteil dieser Technik liegt darin, dass die gesamte Energie in Vortrieb umgesetzt wird und zusätzliche Kurs-Korrekturen (C-Schlag, J-Schlag etc.) nicht erforderlich sind.

Aber wie schon gesagt, ist dies eine ganz spezielle Paddeltechnik für den sehr routinierten Touren-Paddler oder Marathon-Fahrer, die sehr viel Übung erfordert.
Für den Einsteiger oder „Otto-Normalverbraucher" in einem Wander-Canadier ist sie nicht zur Nachahmung empfohlen.

7.) Im 2-er Canadier paddelt einer auf der linken, der Partner auf der rechten Seite – niemals wird gleichzeitig auf einer Seite gepaddelt. Das ist eine eiserne Regel. Dadurch hat jede Person eine feste Seite für die sie zuständig ist, und durch die Paddeltechniken des „Stützens" (dazu später noch), wird eine Kenterung immer unwahrscheinlicher.

Dabei ist es von Vorteil, auf dem Sitz ganz nach außen zum Süllrand hin zu rutschen, um das Paddel so dicht wie

möglich senkrecht an der Bordwand entlang führen zu können. Keine Angst – vordere und hintere Person halten sich dabei das Gleichgewicht, da sie jeweils auf der gegenüberliegenden Seite paddeln.
Wer jetzt links und wer rechts paddelt ist eigentlich egal, sollte aber im Team abgesprochen werden. Da die hintere Person noch die Aufgabe des Steuerns übernimmt, sollte man sich jedoch nach deren bevorzugten Paddelseite richten. Natürlich kann dann bei einer längeren Paddeltour in gewissen Abständen nach Absprache auch gemeinsam die Paddelseite gewechselt werden, um die Muskulatur gleichmäßiger zu beanspruchen.

Bei ruhigem und gemäßigtem Wasser gibt die hintere Person den Kurs vor (ist quasi der Kapitän), die vordere Person ist hauptsächlich nur „Antriebsmaschine".
Je anspruchsvoller der Fluss zu befahren ist (Wildwasser), gewinnt die vordere Person immer mehr an Bedeutung und übernimmt auch teilweise die Funktion der Kurswahl. Sie erkennt unvermittelt auftauchende Steine zuerst und gibt dann die Fahr-Taktik vor (z. B. ausweichen links oder rechts und dabei das Boot beschleunigen, oder Rückwärtspaddeln und mit Seilfähre versetzen etc.).

8.) Hände weg vom Süllrand!!!
Kommt eine etwas schwierigere, anspruchsvollere Passage in Sicht (Stromschnelle), sich nicht vor lauter Angst und Ehrfurcht am Süllrand festhalten (auch wenn einem der Instinkt dazu rät), sondern die Hände gehören immer ans Paddel, und das Paddel ins Wasser. Auch wenn der angewandte Paddelschlag dann nicht unbedingt der richtige sein sollte.

Hält man sich dagegen am Süllrand fest, ist eine Kenterung fast unvermeidlich und nur riesiges Glück, wenn es nicht

passiert Man zieht sich nämlich dabei das Boot quasi wie eine Bettdecke über den Kopf.
Paddelschläge, welcher Art auch immer, stabilisieren das Boot, und beugen einem Umkippen des Bootes/einer Kenterung vor.
Nur zum Ein- und Aussteigen mit Hilfe der Paddelbrücke sollte man sich am Süllrand festklammern. Wie das sichere Einsteigen ins Boot gelingt siehe Kapitel „***Das Stechpaddel***“.

Paddellänge

Dieses Thema wurde schon im Kapitel „***Das Stechpaddel***“ behandelt, aber hier noch einmal kurz zur Wiederholung:
1.) Als einfache Merkregel für die ungefähre Paddellänge kann folgender Anhaltswert genommen werden (gilt jedoch nur für ein „Allround“-Paddel bei kniender Haltung):

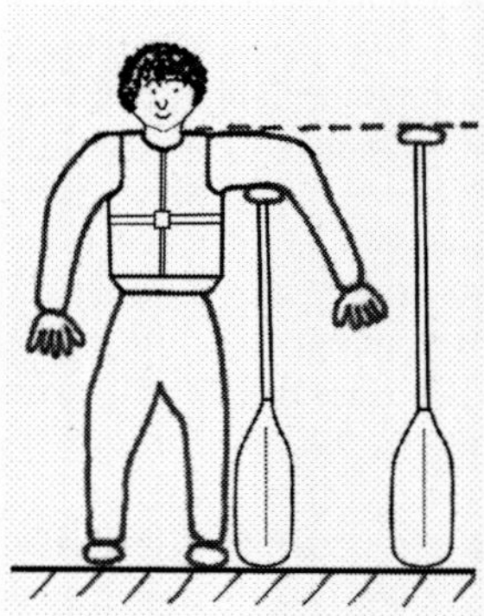

Ermittlung Paddellänge für ein „Allround“-Paddel

- Das senkrecht auf den Boden gestellte Paddel sollte dem Canadierfahrer bis unter die Achselhöhle gehen.
- Länger als bis zum Kinn sollte das Paddel nicht reichen.

Der Heckpaddler wird zum Steuern ein etwas längeres Paddel bevorzugen als der Bugpaddler.

Der Solo-Paddler im Wander-Canadier wiederum ein etwas längeres als der Solo-Fahrer im Wildwasser-Canadier.

In der Regel werden den Leuten immer viel zu lange Paddel verkauft!!!
In den Läden wird meist vom Sitzen im Boot ausgegangen, wobei dann prinzipiell ein etwas längeres Paddel nötig wäre. Im Zweifel immer zum Kürzeren greifen. Ein nicht zu langes Paddel ist entscheidend, um schnell und problemlos einen effektiven und sauberen Paddelstil zu erlernen.

2.) Der engagiertere Paddler wird mit dieser oben beschriebenen einfachen Merkregel allerdings nicht zufrieden sein. Die Länge eines Paddels nach der Körpergröße auszuwählen ist nicht ganz korrekt, da ja im Boot nicht gestanden, sondern gekniet bzw. gesessen wird.
Die Größe des Oberkörpers und die Höhe des Sitzes werden dabei nicht berücksichtigt. Ebenfalls nicht die Länge des Blattes. Dies ist vor allem bei nicht „Allround"-Blättern wie beispielsweise Beavertail/Ottertail etc. von Belang.

Zur exakteren Ermittlung der Paddellänge auf dem Wasser ins Boot knien bzw. sitzen. Dann die Entfernung vom Griff des Paddels (Knauf) senkrecht nach unten bis zur Wasseroberfläche messen.

Dabei sollte sich der Griff in dem Bereich zwischen Schulterhöhe (=> tendenziell Wander-/Touren-Fahrer) und Nasenspitze (=> tendenziell Wildwasser-Fahrer) befinden.

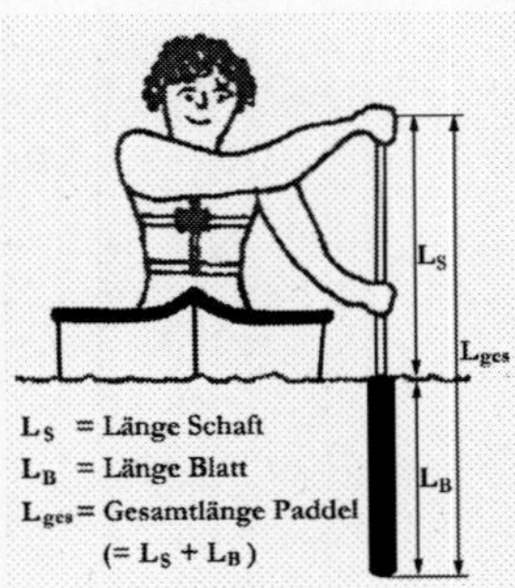

Exakte Ermittlung der Paddellänge je nach Ausführung des Blattes

Als guter Kompromiss kann etwa Kinn-Höhe angesehen werden. Das ist also die Soll-Länge des Schaftes.
Zu diesem Maß noch die Höhe des Blattes dazuzählen. Das ist dann die empfehlenswerte Paddellänge über alles. Wie erwähnt, aber auch keine „Wissenschaft" draus machen.

Beim Solo-Kurs für 2-er Wander-Canadier des GOC (German Open Canoe e. V.) unter der Leitung von Canoe - Instructor Georg Petz

Zur Geradeausfahrt sind die Boote zur Paddelseite hin („On-Side") gekantet

Wesentliche Paddelschläge

Wohin will ich denn meinen Canadier dirigieren können? – eigentlich ja klar. Er soll:

- Vorwärts fahren und dabei
- gerade auf Kurs bleiben.
- Rückwärts fahren.
- Nach Links fahren können bzw.
- nach Rechts und
- nicht umkippen bei all der Fahrerei.

Aus dieser Frage ergibt sich klar die Forderung, welche Paddelschläge benötigt werden.

Empfehlung:
Beschränkt Euch am Anfang auf ein paar wenige, aber wirklich sauber ausgeführte Paddelschläge, die diese Forderung am effektivsten und wirkungsvollsten erfüllen, der Rest kommt dann mit der Paddelpraxis.
Wie schon erwähnt, mit dem Paddel nicht zaghaft und oberflächlich das Wasser streicheln. Das Wasser wird sich sonst kaum beeindruckt zeigen und das Boot nicht so reagieren, wie Ihr es gerne hättet.

Lasst Euch nicht von Büchern oder irgendwelchen Kursen verrückt machen, wo Euch für ein und dasselbe Manöver ein halbes Dutzend verschiedener Paddelschläge präsentiert werden.

Viele von denen sind sowieso nur im Flachwasser (= ruhigem Wasser) einzusetzen, bei stärker fließendem Wasser dann schon nicht mehr, wie z. B. die meisten Bogenschläge.

Mit folgenden Paddelschlägen lassen sich die oben gestellten Forderungen erfüllen:

- Vorwärts Fahren : Grundschlag vorwärts
- Rückwärts Fahren: Grundschlag rückwärts
- Gerade auf Kurs bleiben: Steuerschlag (am Ende des Grundschlages vorwärts; nur hintere Person im Tandem bzw. der Solo-Fahrer)
- Nach links oder rechts: Je nach Paddelseite Ziehschlag oder Hebel
- Gegen das Umkippen: Flache Paddelstütze und Hohe Paddelstütze

Macht das Boot Fahrt, geht das „Ziehen" (Ziehschlag) in die „Hohe Paddelstütze" über, und der „stationäre Hebel" in den „Hebel unter Fahrt".

Die oben aufgeführten Paddelschläge sind auch kombinierbar, z. B. Blatt unter 45° einstechen ergibt eine Kombination von Ziehen und Grundschlag und ist in den meisten Fällen wirkungsvoller, als irgendwelche Bogenschläge.

Bogenschläge sind in stehenden/ruhigen Gewässern ausreichend, in stärker strömenden Fließgewässern ist dagegen ihre Wirkung in der Regel nicht mehr effektiv genug.

Setzen im 2-er Canadier beide Personen gleichzeitig einen Hebel oder Ziehschlag an, fährt das Boot je nach dem eine sehr enge Links- oder Rechts-Kurve (wenn es Fahrt macht), oder kann auf der Stelle gedreht werden.
Setzt dagegen eine Person einen Hebel und die andere Person einen Ziehschlag an, kann das Boot parallel seitlich versetzt werden (dazu später noch ein paar Erläuterungen und Skizzen unter „***Wesentliche Paddelschläge – schematische Darstellung***“).

Die meisten Probleme bereitet dem Anfänger das Geradeaussteuern des Bootes.
Wie oben unter „***Grundlagen der Stechpaddel-Technik***“ schon erwähnt, wird dabei nicht die Paddelseite gewechselt, sondern der Drall nur durch das Paddel kompensiert. Dies im Tandem durch die hintere Person, sowie analoge Vorgehensweise beim Solo-Fahrer.
Beschränkt Euch am Anfang nur auf den Steuerschlag und lasst Euch nicht verrückt machen mit J-Schlag oder sonstigen Varianten, auch wenn ich jetzt vielleicht den Zorn des einen oder anderen J-Schlag-Anhängers ernte – natürlich hat der J-Schlag seine Berechtigung und Vorzüge. In den schematischen Skizzen der wesentlichen Paddelschläge wird er auch kurz vorgestellt.

Der Steuerschlag ist sehr wirkungsvoll und wird deshalb auch überwiegend im bewegterem Wasser/Wildwasser eingesetzt. Zudem ist man blitzschnell bereit(!!) für eine „Flache Stütze“.
In manchen Büchern wird er leider als „Deppenschlag“ bezeichnet und hat dadurch zu Unrecht einen negativen Touch bekommen.

Merkregel:
Der ausgestreckte Daumen zeigt beim Steuerschlag in Richtung zum Herzen, beim J-Schlag nach unten zum Wasser.

Wenn Ihr dann mit der Zeit routinierte Paddler geworden seid, könnt Ihr Euch selbstverständlich mit solchen Feinheiten wie J-Schlag, Kanadischer Schlag, Indianer-Schlag, C-Schlag, Hit & Switch, Wriggen, Bentshaft-Paddel usw. beschäftigen – aber zunächst solltet Ihr solide Grundlagen legen.

Dem Anfänger fällt besonders das Geradeaussteuern des Bootes schwer, egal ob als hintere Person im Tandem oder als Solo-Paddler

Anmerkung:
Beim Solo-Paddeln empfiehlt es sich im Normalfall eine Position möglichst in der Mitte des Bootes einzunehmen.
In diesem Falle musste jedoch der Paddler wegen starkem Wind die Trimmung verändern (siehe hierzu Kapitel ***Tipps und Hinweise*** *unter „**Trimmung**" und „**Seen/Windempfindlichkeit**".*

Weiterführende Stechpaddel-Technik

Wenn zudem Flüsse und Bäche mit stärkerer Strömung und Hindernissen darin auf Eurem Paddel-Programm stehen, solltet Ihr Euch außerdem intensiv mit den nachfolgend aufgeführten Techniken auseinandersetzen:

- Seilfähre vorwärts:
  Beispielsweise um einen Bach/Fluss mit Strömung zu queren, bzw. ohne Höhenverlust von einer Uferseite zur anderen zu gelangen.

Prinzip-Skizze zur Seilfähre vorwärts:

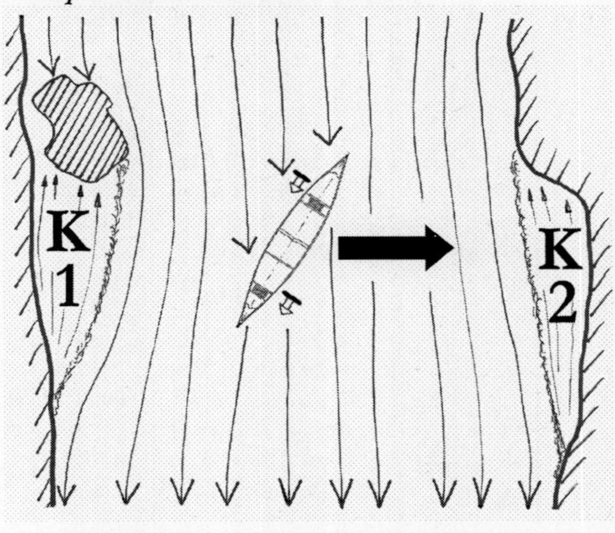

In diesem Falle wird eine Seilfähre vorwärts aus dem Kehrwasser hinter dem Stein (= K1), zu dem Kehrwasser (K2) in der Einbuchtung des Ufers gefahren.

Mit Tempo wurde aus dem Kehrwasser K1 hinter dem Stein ausgefahren. Beide Paddler machen Grundschläge vorwärts, paddeln also quasi flussaufwärts. Jedoch nur soviel, um auf gleicher Höhe zu bleiben.
Die hintere Person „stellt" das Boot in der Strömung, d. h. gibt dem Boot einen Winkel zwischen der Strömungsrichtung und der Kiellinie des Bootes. Dieser Winkel ist abhängig von der Heftigkeit der Strömung und wie stark „gepowert" wird, muss also entsprechend dosiert werden.

Die Strömungskräfte greifen nun an der Seitenwand des Bootes an und schieben es in Verbindung mit dem Vorwärtspaddeln wie von Geisterhand zur anderen Fluss-Seite, das Boot verliert dabei nicht an Höhe. Eine Seilfähre vorwärts ist prinzipiell einfacher zu Fahren als eine Seilfähre rückwärts.

- Rückwärtspaddeln:
  Z. B. erforderlich für die Seilfähre rückwärts oder um bei heftigeren Schwallstrecken/hohen Wellen kein Wasser zu schöpfen („Fahrt rausnehmen"). Im Wildwasser (WW) ist defensives Fahren mit dem offenen Wander-Canadier das „A" und „O".

- Seilfähre rückwärts:
  Z. B. um das Boot in der Strömung ohne Höhenverlust seitlich zu versetzen (beispielsweise um Hindernisse zu umfahren); beim Befahren enger Flusskurven/Biegungen bei stärkerer Strömung; zum rückwärtigen Einfahren in ein Kehrwasser.

Skizze und nähere Erläuterungen dazu siehe auf der nächsten Seite.

Prinzip-Skizze zur Seilfähre rückwärts:

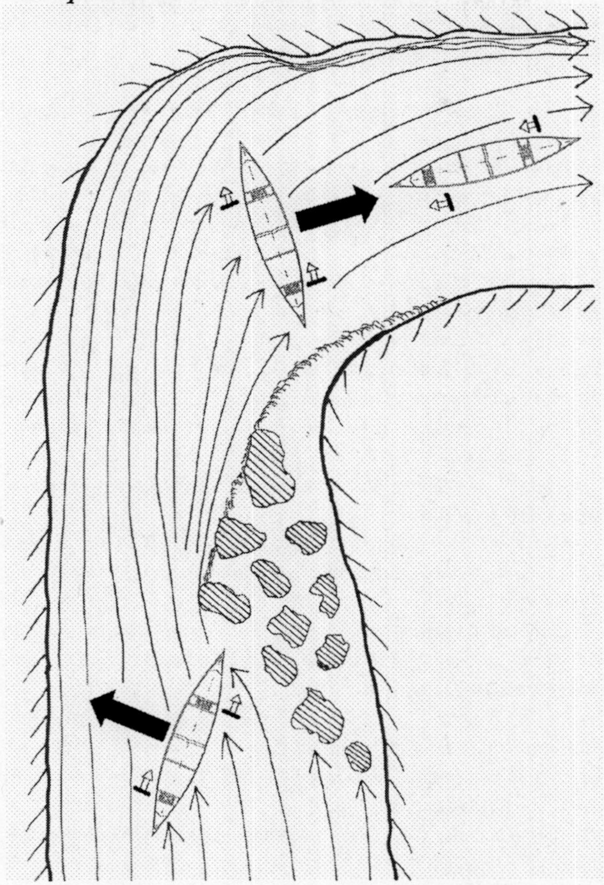

Unser Boot hat gleich zwei Situationen mit Hilfe der Seilfähre rückwärts zu meistern.

Erstens der Verblockung (= zahlreiche Steine) auf der rechten Seite auszuweichen in die das Boot versehentlich geraten ist und zweitens die daran anschließende Rechtskurve.

Um den Steinen auszuweichen paddeln beide Personen kräftig rückwärts.
Die hintere Person „stellt" das Boot in der Strömung, d. h. gibt dem Boot einen Winkel zwischen der Strömungsrichtung und der Kiellinie des Bootes. Dieser Winkel ist abhängig von der Heftigkeit der Strömung und wie stark „gepowert" wird, muss also entsprechend dosiert werden. Als grober Anhaltspunkt können etwa 30° genannt werden (Maximum 45°).
Die Nase des Bootes zeigt dabei in die „falsche" Richtung, also in Richtung zum Hindernis, dies ist für viele Leute sehr ungewohnt.
Die nun seitlich an der Bordwand angreifende Strömung versetzt das Boot in Verbindung mit dem Rückwärtspaddeln nach links.

Mit dieser Bootsstellung die anschließende Rechtskurve anzugehen, würde jedoch fatal enden.
Aber auch die Kurve so anzusteuern, wie man dies in einem Auto machen würde, also „rechts blinken und abbiegen" würde in der Außenkurve enden.
Die Kraft der Strömung würde seitlich am Rumpf angreifen und das Boot an die Außenkurve drücken, zumal die Hauptströmung sowieso zur Außenkurve hin verläuft.

Also schnell das Boot zur anderen Seite hin „anstellen" (Nase des Bootes zeigt wieder zum Hindernis => die Außenkurve) und wieder kräftig Rückwärtspaddeln.
Nach der Kurve das Boot geradestellen und wie gewohnt weiterpaddeln.
Dieses „Geradestellen" gelingt mühelos, weil die Strömungskräfte die am Bug angreifen größer sind als die am Heck. Die Kräfte nehmen nämlich von der Innenkurve in Richtung zur Außenkurve stetig zu.

Das „Stellen“ des Bootes übernimmt die hintere Person (der Heckpaddler), da nur sie einen Gesamt-Überblick darüber hat, wie das Boot als ganzes in der Strömung liegt.
In der Praxis sprechen noch weitere signifikante Gründe dafür, dass die hintere Person diesen Part übernimmt und insgesamt „Herr“ über die Seilfähre rückwärts ist, auch wenn diesbezüglich manche Paddler gegenteiliger Meinung sind.
Ich empfehle jedenfalls die beschriebene Vorgehensweise. Natürlich geschieht dies schon mit Hilfe und im Zusammenspiel mit der vorderen Person.

Sollte das Boot versehentlich zu schräg kommen, d. h. wird der Winkel zwischen Strömung und Boot zu groß, nicht versuchen zu Hebeln oder zu Ziehen (es wird einem nämlich kaum gelingen dadurch den Winkel des Bootes zu korrigieren), sondern die vordere Person macht 1 oder 2 „Grundschläge vorwärts“, bevor sie wieder rückwärts paddelt. Dadurch wird der Winkel des Bootes schneller und effektiver verändert (verkleinert), und die hintere Person kann nun das Boot neu „stellen“.

Das sichere Beherrschen der Seilfähre rückwärts halte ich neben dem beherrschen des Kehrwasserfahrens für das wichtigste Fahrmanöver auf Fließgewässern.
Mit ihr kann nahezu allen drohenden Gefahren ausgewichen werden (umgestürzte Bäume, Holzverhau, Felsblöcken/Steinen, engen Kurven). Aber auch das Verharren in der Strömung auf der Stelle kann nützlich sein und basiert darauf. Dies beispielsweise um Zeit für Überlegungen zu gewinnen, welches Fahrmanöver in der vorliegenden Situation als nächstes am ratsamsten ist.
Viele Paddler erkennen zwar diese Gefahren und möchten ihnen aus dem Wege gehen, aber sie können dies nicht paddeltechnisch in die Tat umsetzen.

- Kehrwasserfahren:
  Beispielsweise um die „Ruhezonen" im bewegteren Wasser/Wildwasser anzusteuern.
  Was es mit „Kehrwasser" auf sich hat wird in dem separaten Kapitel „***Tipps und Hinweise***" näher erläutert.

Prinzip-Skizze zum Einfahren ins Kehrwasser:

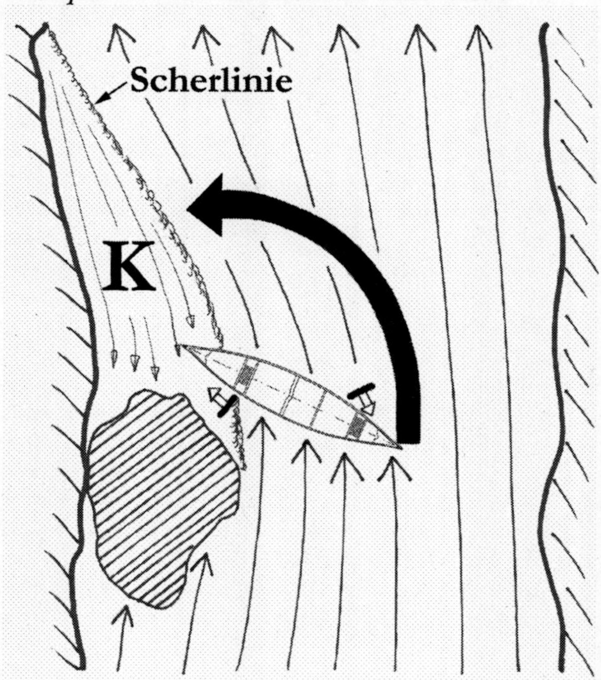

Das Kehrwasser mit dosiertem Tempo und in schrägem Winkel (je nach Situation ca. 45° bis 90°) anfahren. Bei der Einfahrt das Boot flussaufwärts kanten, sich also wie ein Motorradfahrer in die Kurve legen.

Sobald der Bug die Scherlinie überquert „pflanzt" (verankert) die vordere Person das Paddel ins Kehrwasser ein. In diesem Falle mit einer „Hohe Paddelstütze", da die Drehung zur „On-Side" erfolgt. Das Boot wird nun um das „verankerte" Paddel des Bugpaddlers regelrecht herumgewirbelt. Während der Drehung des Bootes bleibt dabei der Winkel des Paddelblattes in Bezug zum Wasser konstant, muss also von der vorderen Person entsprechend gesteuert werden. Die hintere Person kann eine Kombination aus Grund- und Ziehschlag ausführen, um das Boot einerseits in das Kehrwasser zu schieben und andererseits die Drehung noch zu verstärken.

Anmerkung:
Würden die beiden Paddler bei dieser Paddel-Konstellation (Bugpaddler paddelt links, Heckpaddler rechts) ein Kehrwasser auf der rechten Seite anfahren, macht die vordere Person im Kehrwasser anstatt einer „Hohen Stütze" einen „Übergriff" (Drehung zur „Off-Side").
Die hintere Person kann dabei eine „Flache Stütze" fahren. Dabei natürlich das ganze Boot wieder flussaufwärts kanten.

Bei der Ausfahrt aus dem Kehrwasser verankert die vordere Person das Paddel in der Strömung, sobald der Bug die Scherlinie überquert. Hierzu das Paddel im rechten Winkel zur Strömung „einpflanzen". Dieser Winkel wird in Bezug zur Strömungsrichtung während der gesamten Drehung des Bootes beibehalten. Je nach Seite der Drehung erfolgt dies mit einer „Hohen Stütze" oder einem „Übergriff".
Dabei das ganze Boot fluss<u>ab</u>wärts kanten, sich also wieder wie ein Motorradfahrer in die Kurve legen. Wie stark beim Ein- und Ausfahren gekantet werden muss ist abhängig von der Stärke der Strömungsverhältnisse und dem Tempo.

Anmerkung:
Mit „verankern" bzw. „einpflanzen" ist nur die Verankerung des Paddels im Wasser(!) gemeint, nicht irrtümlich meinen das Blatt bzw. Paddel im Flussgrund einrammen zu müssen.

Diese „Verankerung" im Wasser funktioniert deshalb so gut und problemlos, weil eine Geschwindigkeits-Differenz zwischen Boot und dem Wasser besteht bzw. das Boot Fahrt macht. Es kommt dann richtig „Zug" auf das Paddelblatt.
Wesentlich beim Kehrwasserfahren sind diese 3 Grund-Faktoren: Geschwindigkeit, Winkel und Kanten.

- Übergriff :
  Im 2-er Canadier z. B. von der vorderen Person beim Kehrwasserfahren im bewegterem Wasser/ Wildwasser angewandt.

- Kanten des Bootes:
  Beispielsweise beim Ein- und Ausschlingen beim Kehrwasserfahren bzw. allgemein beim Einfahren in die Strömung, sowie wenn der Canadier geradeaus solo gepaddelt wird.

- Stütz-Techniken:
  Beispielsweise Flache und Hohe Paddelstütze um das Boot zu stabilisieren.

- Das Wasser „Lesen" lernen:
  Z. B. wo ist eine Stromzunge (= das charakteristische „V" mit glattem Wasser), wohin geht der Stromzug bzw. wohin wird die Strömung das Boot treiben, wo liegen verdeckte Steine, wo ist der Fluss seicht/wo tief genug, wo sind Kehrwasser, Walzen usw., welcher „Linie" muss ich folgen?

Außer dem neu hinzukommenden „Übergriff" werden hierzu die gleichen Paddelschläge eingesetzt, wie oben unter „***Wesentliche Paddelschläge***" schon angesprochen wurde – sie werden nur vielfältiger und konsequenter umgesetzt.

Die eingangs erwähnten Grundlagen der Stechpaddel-Technik, die beschriebenen Paddelschläge, sowie die weiterführende Stechpaddel-Technik haben dabei allgemeine Gültigkeit, d. h. werden gleichermaßen im Wander-Canadier wie auch im Wildwasser-Canadier, C1/C2, oder auch Falt- und Schlauch-Canadier eingesetzt.

Die Technik des „Rückwärtspaddelns" und der „Seilfähre Rückwärts" wird vor allem beim 2-er Wander-Canadier bei anspruchsvolleren Passagen angewandt, in einem Wildwasser-Canadier oder C1 dagegen seltener oder gar nicht.
Wie weiter oben schon kurz aufgeführt, ist defensives Fahren (z. B. durch Rückwärtspaddeln) bei einem Wander-Canadier in verblockten Passagen (d. h. Steine oder sonstige Hindernisse versperren die freie Durchfahrt) oder in heftigen Schwallstrecken/hohen Wellen der Schlüssel zum Erfolg. In einer verblockten Passage kommen Euch die Steine sonst schneller entgegen, als Euch lieb ist, bzw. als Ihr lenken könnt.
Dies erfordert aber, dass das Boot in der Strömung immer richtig „gestellt" wird, d. h. der Winkel des Bootes zur Strömung muss wohl dosiert sein und stets korrekt stimmen.

Wird nur vorwärts gepaddelt, würde man in einer heftigen Schwallstrecke gleich bei der ersten Welle das Boot „abfüllen", da die Bootsspitze in die Welle einsticht und dann das Wasser in großer Menge ungehindert hereinschwappen kann.
Bei der defensiven Fahrweise wird durch das Rückwärts-Paddeln dem Boot Zeit gelassen, bis der Auftrieb am Bug wirken kann und über die Wellen gehoben wird, dann schiebt man sich durch dosiertes vorwärts Paddeln über die Welle. Die Wellen werden „abgeritten".

Mit dieser Technik ist eine Persenning/Spritzdecke für den Canadier in fließenden Gewässern eigentlich nicht erforderlich, wobei dies allerdings auch von der Bau- und Rumpfform, sowie dem Beladungszustand des Bootes abhängig ist. In meinem Paddelkreis ist kein 2-er Wander-Canadier der im Wildwasser eingesetzt wird, mit einer Persenning/Spritzdecke ausgestattet. Ggf. aufgenommenes Wasser wird einfach ausgeschüttet/ausgeleert.

Anmerkung:
Auf großen Wasserflächen/Seen kann eine Persenning allerdings schon hilfreich und empfehlenswert sein, schon alleine um die Angriffsmöglichkeiten des Windes am Boot stark zu reduzieren.

Insgesamt heißt defensives Fahren natürlich nicht, dass im Wildwasser (WW) nur permanent rückwärts gepaddelt wird, sondern nur an Stellen, wo dies wirklich erforderlich ist. Und wo erforderlich, erfolgt es in einem Wechselspiel von vorwärts und rückwärts Paddeln, aber dieses eben jeweils zum richtigen Zeitpunkt, wohldosiert und mit dem exakten Stellen des Bootes (= dem Winkel der Bootslängsachse (Kiellinie) zur Strömungsrichtung).

Die in den nachfolgenden Seiten dargestellte Bild-Sequenz von 6 Aufnahmen zeigt dafür ein Beispiel. Ein besonderer Dank an Ueli Meyer aus der Schweiz für diese Bild-Serie:

Anmerkung:
Leider ist auf den schwarzweiß Abbildungen das Boot und die hintere Person nur schlecht erkennbar, ich bitte dies zu entschuldigen.

Bild 1

Bild 2

Bild 3

Bild 4

Bild 5

Bild 6

Erläuterungen:
Rückwärts paddelnd wurde in die Schwallstrecke eingefahren, d. h. Fahrt wurde herausgenommen, man lässt sich von der Strömung „ansaugen" (in der Bild-Serie nicht dargestellt).

Auf den Bildern 1 und 2 *gleitet das Boot über die Wellenkämme, es ist langsamer als die Strömung.*
Die vordere Person paddelt überwiegend rückwärts und fährt ggf. eine „Hohe oder Flache Paddelstütze".
Die hintere Person „stellt" vor allem das Boot (in diesem Fall, da frei vor Hindernissen, längs zur Strömung) und stützt je nachdem flach oder hoch.

Auf dem Bild 3 *freut sich der Leser zu früh. In keinem Moment ist das Boot kentergefährdet.*
Das Boot befindet sich in einem tiefen Wellental. Die vordere Person paddelt nach Kräften rückwärts, dies schon wirkt stabilisierend auf das Schiffchen.
Die hintere Person hält das Boot gerade und stützt. In diesem Fall eine „Flache Paddelstütze".
Der Eindruck täuscht: Trotz der hohen Welle schwappt kein Wasser ins Boot. Der Bug sticht auch durch die verhaltene Fahrweise nicht in die Welle ein.

Bild 4 und 5: *Das Boot war dadurch deutlich langsamer als die Strömung, also genug Zeit, damit der Auftrieb am Bug des Schiffes wirken konnte und von der Welle angehoben wurde. Die vordere Person paddelt nun vorwärts und schiebt das Boot über den Wellenkamm.*

Bild 6: *Ob's der Leser nun glaubt oder nicht. Durch diese harmonische und abgestimmte Team-Arbeit wurde kaum mehr als ca. 1 Kaffeetasse Wasser aufgenommen und das Boot war ohne Persenning/Spritzdecke ausgerüstet, allerdings auch nur mit leichtem Gepäck beladen.*

Drohen seitlich Wellen/Wasser in das Boot einzudringen, wird das Boot entgegengesetzt gekantet, um die Höhe der Seitenwand zu vergrößern.

Nur bedingt richtig ist die Aussage mancher Paddler, ein Boot könne nur gesteuert werden, wenn es sich schneller bewegt als die Strömung.
Für denjenigen, der enge Kurven, Biegungen, Hindernisse etc. immer nur so ansteuert und befährt, als würde er in einem Auto sitzen, mag das zutreffen. Auf Dauer wird er damit aber in bestimmten Situation mit einem über 5 m langen Canadier erhebliche Probleme bekommen und in gefährliche Situationen geraten.

In diesem Punkt kann man nicht einfach die Wildwasser-technik der Kajak- oder C1-Fahrer in ihren kurzen Booten bzw. der Paddler in ihren speziellen „krummen" Solo-Wildwasser-Canadiern, wo hauptsächlich das Tempo zählt, auf einen großen Wander-Canadier übertragen. Ich bin jetzt kein Kajakfahrer, aber ich habe allgemein den Eindruck, dass dieses Rückwärtspaddeln bei der Doppel-paddel-Technik im Kajak eher unüblich ist.
Deswegen muss für unsere Belange schon differenziert werden.

Mit einer Seilfähre rückwärts, d. h. langsamer als die Strömung und entsprechend in der Strömung gestelltem Boot (vermutlich etwas ungewohnt für viele, weil dann die Boots-Nase eigentlich in die „falsche" Richtung zeigt), lassen sich dagegen solche Situationen absolut gelassen, souverän und sicher für Mensch und Material bewältigen.
Sollte dabei das Boot versehentlich zu schräg kommen, d. h. wird der Winkel zwischen Strömung und Boot zu groß, nicht versuchen, zu Hebeln oder zu Ziehen (es wird einem nämlich kaum gelingen dadurch den Winkel des Bootes zu

korrigieren), sondern die vordere Person macht 1 oder 2 Grundschläge vorwärts, bevor sie wieder rückwärts paddelt. Dadurch wird der Winkel des Bootes schneller und effektiver verändert (verkleinert) und die hintere Person kann nun das Boot neu „stellen".

Diese Seilfähren-Technik gibt uns zudem die Möglichkeit, rückwärts in einem Kehrwasser „einzuparken", z. B. wenn eine Drehung mit unserem langen Schiff aufgrund von Verblockung, der zur Verfügung stehenden Flussbreite o. ä. nicht möglich oder ratsam ist.
Natürlich ist es in bestimmten Situationen im Wander-Canadier ebenfalls erforderlich, für Manöver schneller zu sein als die Strömung. Pauschale Aussagen können da nicht getroffen werden.
Aber gerade der situationsbedingte Einsatz der effizientesten Fahrtechnik zum richtigen Zeitpunkt ist die Kunst, einen großen Wander-Canadier zu zweit auch im bewegteren Wasser/WW souverän zu beherrschen.

Wer sich näher über diese und weitere spezielle Fahrtechniken informieren möchte, seien allgemein die, im Kapitel „***Tipps und Hinweise***" aufgeführten Bücher empfohlen:

- „Die Kunst des Kanufahrens – Der Canadier"
  von Bill Mason
  (bzw. Arno Gatz und Elmar Engel (deutsche Bearbeitung)).
- „Faszination Kanusport"
  von Garry & Joane McGuffin
  (Text etc. in deutsch).

Das Kanten des Bootes ist nicht nur den Wildwasser-Booten vorbehalten, sondern auch ein Wander-Canadiern wird, beispielsweise beim Einfahren in die Strömung oder beim Kehrwasserfahren, stark gekantet.
Auch wenn ein Wander-Canadier solo geradeaus gefahren wird, wird er üblicherweise aufgekantet. In all diesen Fällen muss man sich nur an die spezifischen Eigenschaften des Bootes (der Rumpf-Form) anpassen und die Grenzen ausloten.

Schlauch-Canadier sollten beim Kehrwasserfahren ebenfalls gekantet werden, d. h. wie üblich beim Einfahren in das Kehrwasser flussaufwärts, beim Ausfahren aus dem Kehrwasser, also beim Einschlingen in die Strömung, flussabwärts. Man legt sich also praktisch wie ein Motorradfahrer in die Kurve.
Es fällt dort zwar optisch nicht so stark auf, weil sich diese Boote nicht so spektakulär zur Seite neigen lassen wie ein starres Boot, aber die entsprechende Gewichtsverlagerung durch das „Arbeiten" der Paddler im Wasser, erfolgt analog wie bei den anderen Bootstypen.

Ein Boot mit besonders gerader Kiellinie ohne Kielsprung (typisches Boot für große Gewässer/Seen) muss für eine Drehung bzw. um Wendigkeit zu erzielen stärker und konsequenter gekantet werden, als ein Boot mit großem Kielsprung.
Durch das Kanten wird nämlich aufgrund der Rumpfform automatisch starker Kielsprung erzeugt und das Boot dreht sich dann fast von alleine (Kielsprung durch die Seitenwand).

Das soll jetzt keine Überheblichkeit sein, aber wenn man die angesprochenen Grundlagen und weiterführenden Techniken im Umgang mit dem Stechpaddel beherzigt und beherrscht, verliert die häufig zu hörende Aussage:

„Paddeln gehen kann man ja nur im Sommer wenn's warm ist, da fällt man doch so oft rein dabei"
an Gültigkeit, und eine Kenterung mit dem Canadier wird immer unwahrscheinlicher. Da kann man dann seine Paddel-Aktivitäten auch recht gefahrlos in die kälteren Jahreszeiten Herbst, Winter und Frühjahr ausdehnen oder verlegen.

Und noch was. Mit Muskelkraft kann mangelnde Paddeltechnik nur begrenzt ausglichen werden.
Je anspruchsvoller und „wildwässriger" der Fluss wird, um so weniger können fehlende Paddel-Kenntnisse durch Kraft ausgeglichen werden – gegen strömendes Wasser kommen auch Bärenkräfte nicht an.
Umso faszinierender dagegen, wenn von einem routinierten, schmächtigen 2-er Team ein Wander-Canadier elegant und sicher im Wildwasser gefahren wird – da reibt sich mancher Kajaker ungläubig die Augen.
Was soll man sich auch unnötig plagen. Im strömenden Wasser übernehmen die Kräfte der Strömung die überwiegende Arbeit, das Paddel muss nur richtig eingesetzt werden, um dieses Potential zu nutzen.

Die bildliche Darstellung der einzelnen Paddelschläge würde den Rahmen hier jetzt sprengen (und meine graphischen Fähigkeiten übersteigen).
Nachstehend jedoch schematische Skizzen der wesentlichen Paddelschläge mit einer etwas ausführlicheren Beschreibung. Prinzipiell gelten diese sowohl für den 2-er Canadier, als auch dem Solo-Boot.

Wie im Text schon einmal kurz erwähnt, ist die Seite des Bootes auf der ich meine Paddelschläge ausführe die „On-Side", die gegenüberliegende Seite die „Off-Side".

Das Blatt des Paddels hat ja 2 Seiten.
Die Seite die üblicherweise beim Paddeln Druck auf das Wasser ausübt bzw. auf der die Kräfte des Wassers einwirken, ist die „aktive Seite" (also beim Grundschlag vorwärts), die Rückseite des Blattes ist die „passive Seite".

In den Skizzen ist diese „übliche" aktive Seite des Blattes dick schwarz dargestellt, die passive Seite weiß. So kann leichter nachvollzogen werden, wie die Haltung des Paddels bei den einzelnen Schlägen in Bezug zum Grundschlag vorwärts verändert wird.
Welche Seite des Blattes dann den Druck auf das Wasser ausübt, bzw. wo die Kräfte des Wassers einwirken, ist durch einen kleinen Doppelpfeil gekennzeichnet.

Manche der Paddelschläge sind dabei eigentlich gar keine „Schläge" im eigentlichen Sinne. In vielen Fällen wird nämlich das Wasser überhaupt nicht in irgendeiner Weise „geschlagen", um eine Wirkung zu erzielen, sondern das Paddel wird nur in einer bestimmten Haltung und einem bestimmten Winkel geschickt im Wasser positioniert, um die Strömungskräfte des Wassers bzw. eine Relativgeschwindigkeit zwischen Boot und Wasser, für eine Reaktion unseres Canadiers auszunutzen.

Wesentliche Paddelschläge – schematische Darstellung

Grundschlag vorwärts

Er dient dazu das Boot zu beschleunigen bzw. nach vorne zu bewegen. In der Praxis ist er der wichtigste und der am häufigsten ausgeführte Paddelschlag.

Das Paddel mit weitgehend gestreckten Armen senkrecht und dicht am Boot einstechen (Blatt ganz eintauchen), und dann parallel zur Kiellinie des Bootes bis etwa zur Hüfte nach hinten durchziehen (*). Anschließend in einer „flüssigen" Weiterbewegung die Rückholphase des Paddels einleiten.

(*) Genau genommen wird das Blatt im Wasser „verankert" und man zieht sich samt Boot zu dem verankerten Blatt hin. Diese Verankerung und Zugphase des Blattes wird von manchen Paddlern als „Catch" bezeichnet.

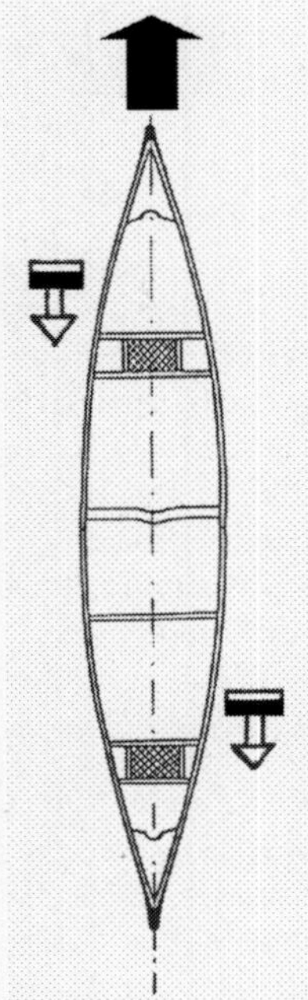

Prinzip-Skizze: Grundschlag vorwärts

Das Paddel seitlich aus dem Wasser heben, und flach über dem Wasser wieder nach vorn führen. Dabei das Blatt ganz leicht nach oben anwinkeln, damit es nicht unterschneiden kann, also unter Wasser gezogen wird, falls es versehentlich mit der Wasseroberfläche in Berührung kommen sollte. Diese Rückholphase (engl. Recovery) nicht hektisch ausführen. Vor allem die vordere Person (Bug) sollte sich dazu etwas Zeit nehmen, damit der Paddler im Heck am Ende des Grundschlages noch seine Korrekturschläge ausführen kann (z. B. Steuerschlag, J-Schlag, ...).

Die Kraft kommt dabei nicht aus den Armen, sondern aus der Drehung des gesamten Oberkörpers bei der Schlag-Ausführung. Einfach dem Paddelblatt nachschauen, dann führt man diese Drehung (= „Rotation") automatisch aus.

Das Paddel geschmeidig und möglichst geräuschlos vorne einstechen.
Beim Durchziehen des Blattes darauf achten, dass das Wasser nicht gurgelt, blubbert und schäumt, also keine Wirbel und Strudel auftreten. Dann hat man nämlich unnötigerweise zuviel Energie hineingesteckt und hat „Schlupf".
Das ist praktisch so, als wenn ein Auto mit durchdrehenden Rädern gefahren wird. Ganz ohne „Schlupf" wird die Paddelei allerdings nicht gelingen, aber versuchen diesen auf ein Minimum zu reduzieren.
Im Tandem den Grundschlag im Bug/Heck möglichst synchron ausführen. Dadurch gleitet das Boot ruhiger und es schaukelt sich nicht auf.

Auch wenn der Grundschlag absolut perfekt ausgeführt werden sollte, wird das Boot allerdings nicht von langer Dauer so schön Geradeausfahren, wie es der eingezeichnete Pfeil in der Skizze zeigt. Die Antriebskräfte greifen leider nicht in der Mittelachse des Bootes an – das wäre ideal. Je nach Boot bekommt es nach kurzer Zeit einen mehr oder weniger starken Drall zur Seite.
In der Regel wird das Boot auf die Paddelseite des Bugpaddlers hin wegdrehen, bzw. beim Solo-Fahrer zur „Off-Side". Dieses „Wegdrehen" bzw. diesen Drall muss die hintere Person oder der Solo-Fahrer über Korrekturschläge kompensieren. Siehe hierzu weiter unten „Steuerschlag" und „J-Schlag".

Grundschlag rückwärts

Um die Fahrt des Bootes zu verlangsamen bzw. langsamer zu sein als die Strömung (ganz wesentlich bei der „Seilfähre rückwärts“), oder um sich rückwärts zu bewegen.
Das Paddel parallel zur Kiellinie waagrecht außerhalb des Süllrandes positionieren.

Die Griffhand befindet sich etwa in Höhe der Hüfte, und etwa in Höhe des Süllrandes.
Die Schafthand drückt das Blatt mit dem Gewicht des Oberkörpers ins Wasser und nach vorne. Beide Arme sind gestreckt.
Die Kraft kommt aus der Drehung des Oberkörpers von hinten nach vorne.

Ist das Boot flott unterwegs, kann der Grundschlag rückwärts zunächst meist nicht so komplett ausgeführt werden wie beschrieben. In diesen Fällen kann man das Paddel nur kräftig ins Wasser drücken, nicht jedoch die Bewegung nach vorne in die Tat umsetzen.
Aber dieses kräftig „ins Wasser drücken“ reicht schon aus, das Boot effektiv abzubremsen.

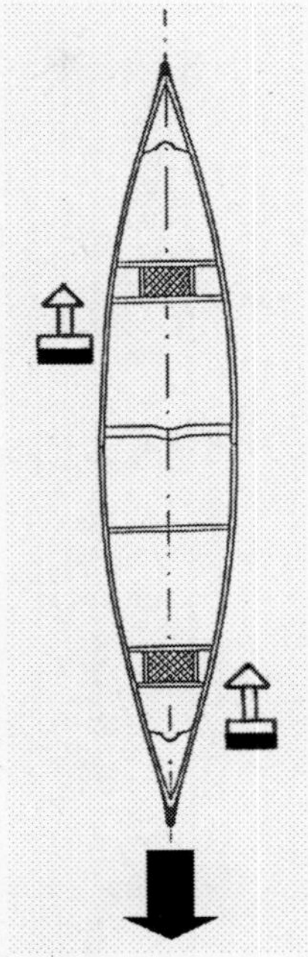

Prinzip-Skizze: Grundschlag rückwärts

Steuerschlag

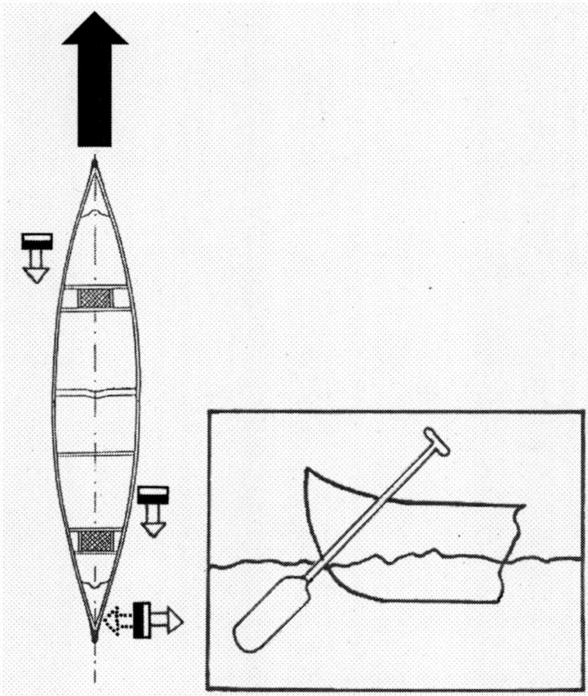

Prinzip-Skizze: Steuerschlag

Nur hintere Person im 2-er Canadier bzw. der Solo-Fahrer. Beim Grundschlag vorwärts wird das Boot nicht stetig Geradeausfahren, sondern zur „Off-Side“ hin einen Drall bekommen.

Dieser wird durch den Steuerschlag ausgeglichen, bzw. dieser allgemein zur Steuerung des Bootes eingesetzt (eigentlich ist es gar kein „Schlag“).

Am Ende des Grundschlages vorwärts wird die aktive Seite des Paddelblattes zur Seitenwand des Bootes hin gedreht, der Daumen der Griffhand zeigt dabei in Richtung des Herzens. Die Griffhand befindet sich etwa in Höhe der Hüfte, das Blatt des Paddels ist möglichst weit hinten am Heck des Bootes positioniert und vollständig eingetaucht.
Der parallel zur Kiellinie ausgerichtete Paddelschaft kann sich am Süllrand abstützen.
Das Blatt wirkt nun wie das Ruder an einem Wikinger Schiff und kann zur Richtungssteuerung feinfühlig dosiert werden. Dabei nur kleine Winkel-Änderungen vornehmen, das Boot nicht unnötig abbremsen, dem Boot nur „Führung geben“. Zudem kann neben der Veränderung des Winkels „Schaft zur Kiellinie Boot“ auch das Blatt zur Steuerung seitlich geschwenkt werden.
Für eine starke Richtungsänderung in Richtung Paddelseite („On-Side“) geht diese Steuerung in einen „Heck-Hebel“ über.

Insgesamt ist der Steuerschlag nicht so elegant und flüssig im Bewegungsablauf wie der nachfolgend beschriebene J-Schlag, aber dafür ist seine Wirkung für Kurs-Korrekturen größer (Hebel-Wirkung effektiver).
Zudem ist man stets gerüstet, um blitzschnell eine „Flache Paddelstütze“ ausführen zu können.
Im bewegteren Wasser/Wildwasser ist der Steuerschlag in den meisten Fällen dem J-Schlag vorzuziehen. Anfängern würde ich zunächst ebenfalls diesen „Schlag“ empfehlen um das Boot auf geradem Kurs zu halten, da er doch leichter zu erlernen ist.

J-Schlag

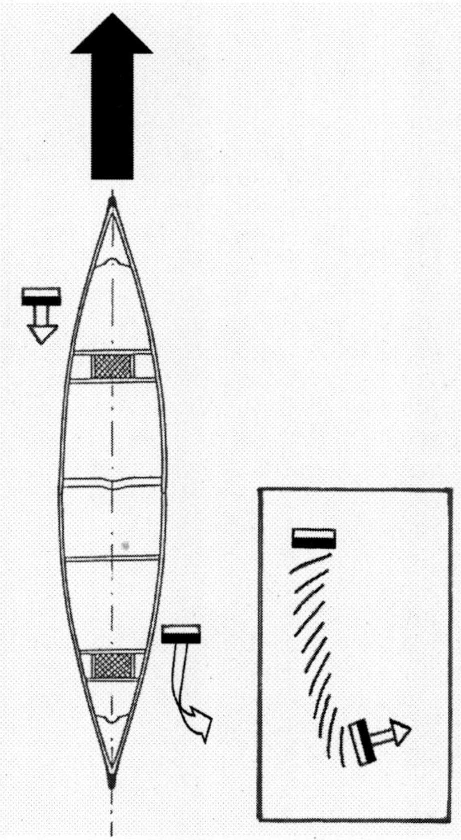

Prinzip-Skizze: J- Schlag

Nur hintere Person im 2er-Canadier bzw. der Solo-Fahrer.

Während vor allem in stärker strömenden Gewässern der Steuerschlag von Vorteil ist, ist auf ruhigen Gewässern/Seen meist dem J-Schlag den Vorzug zu geben. Dieser verursacht nur relativ geringe Bremsverluste.

Während des Grundschlages vorwärts wird etwa ab Hüfthöhe die Griffhand in einer flüssigen Bewegung so weit nach außen gedreht, bis das Blatt parallel zur Außenwand des Bootes steht (aktive Seite des Blattes dem Boot abgewandt), der Daumen zeigt also in Richtung Wasser.
Dies erfordert jedoch, dass die Hand ziemlich überdreht werden muss, das ist am Anfang ungewohnt und eher unangenehm.
Der Schaft kann sich am Süllrand abstützen, und das Blatt kann zur Steuerung dosiert nach außen gedrückt werden.

Gegenüber dem Steuerschlag ist der J-Schlag eleganter und geschmeidiger in der Ausführung und dem Bewegungsablauf, aber die Wirkung für Kurs-Korrekturen bzw. Richtungsänderungen ist nur begrenzt (geringere Hebel-Wirkung).
Grundsätzlich empfiehlt es sich eine leichte Kurs-Korrektur nach jedem „Grundschlag vorwärts“ durchzuführen. Dies ist viel harmonischer und einfacher im Bewegungsablauf, als zu einem späteren Zeitpunkt eine starke Richtungsänderung vornehmen zu müssen. Für den Steuerschlag gilt dies ebenso.
Wie schon erwähnt, verursacht der J-Schlag kaum Bremsverluste.

Ziehen stationär (Ziehschlag)

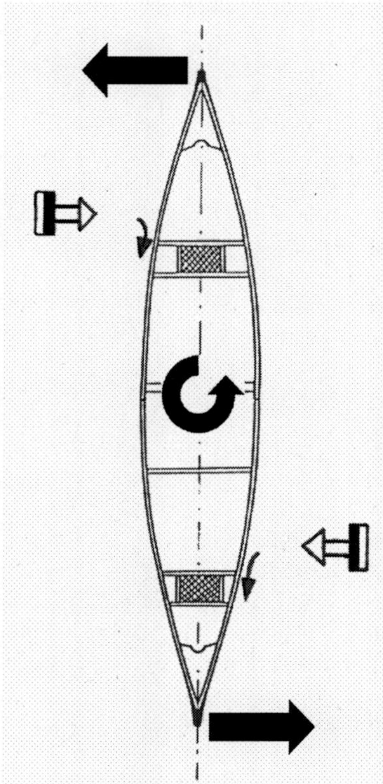

Prinzip-Skizze: Ziehschlag

Für starke Richtungsänderungen zur Paddelseite hin („On-Side").

In Körperhöhe das Paddel weit draußen und möglichst senkrecht einstechen, dabei das Blatt parallel zur Kiellinie des Bootes ausrichten und komplett eintauchen.
Das Paddel rasch und kräftig mit senkrechter Paddelhaltung zum Boot heranziehen („Wasser unters Boot schieben"), und kurz vor dem Erreichen der Bordwand seitlich nach hinten aus dem Wasser schlitzen.

Man kann sich das praktisch so vorstellen, als würde man einen Zaunpfahl senkrecht ins Wasser rammen und sich samt Boot zu diesem heranziehen.
Bei der Ausführung muss „Zug" dahinter sein, sonst hat man keine stützende Wirkung und das Paddel taucht in das Wasser ab.
Führen beide Personen einen Ziehschlag aus dreht sich das Boot auf der Stelle im Kreis (z. B. um das Boot zu wenden).

Nachstehend Bild-Beispiele zu den beiden folgenden Paddel-Schlägen „Hohe Stütze" und „Übergriff":

Hohe Stütze („Duffek")

Hier eine „Hohe Stütze" beim Einfahren in's Kehrwasser, d. h. Drehung in Richtung der Paddelseite des Paddlers im Bug

Übergriff

Hier ein „Übergriff" beim Einfahren in die Strömung, d. h. bei Drehung entgegen der Paddelseite des Paddlers im Bug

Hohe Stütze (Duffek)

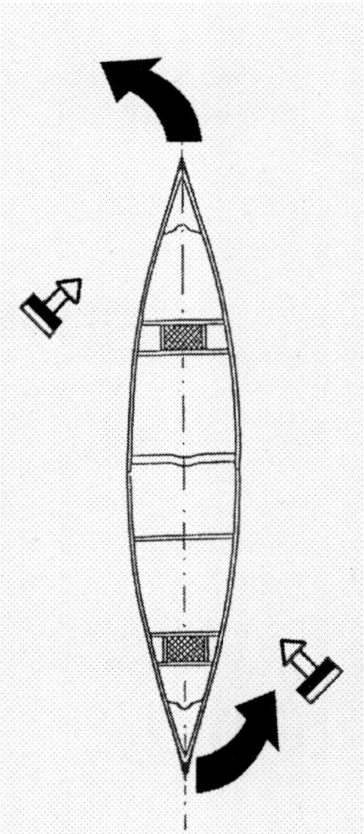

Prinzip-Skizze: Hohe Stütze

Macht das Boot Fahrt bzw. besteht eine Geschwindigkeits-Differenz zwischen Boot und dem Wasser, wird dieses stationäre Ziehen durch die „Hohe Stütze“ abgelöst.
Dabei wird das Paddel mit gestreckten Armen wieder möglichst senkrecht eingestochen, das Blatt ist jedoch nicht parallel zur Kiellinie des Bootes ausgerichtet, sondern in einem Winkel von etwa 15 bis 45° zur Fahrtrichtung angestellt.

Diese Winkelangabe jetzt allerdings nur als groben Anhaltspunkt verstehen, da der Winkel abhängig von der gewünschten Wirkung und den herrschenden Strömungskräften dosiert und ggf. während der Ausführung verändert werden muss.
Es ist praktisch eine Kombination von Stützen und Ziehen.

Ein Heranziehen des Paddels zum Boot ist nur dann erforderlich, falls die stützende Wirkung nachlassen und

nicht mehr ausreichen sollte. Prinzipiell ist es ausreichend, das angewinkelte Paddelblatt mit konstantem Abstand zum Boot im Wasser zu verankern.
Die „Hohe Stütze“ wird beispielsweise für starke Richtungsänderungen zur Paddelseite hin (On-Side) eingesetzt, oder zur Stabilisierung des Bootes in schwerem Wasser.

In der Praxis allerdings abwägen, ob es empfehlenswert bzw. überhaupt erforderlich ist, dass vordere und hintere Person wie in der Abbildung dargestellt gleichzeitig eine Hohe Stütze fahren. Diese soll nur zeigen, dass sie prinzipiell von beiden Paddlern angewendet werden kann.

Von der vorderen Person (Bugpaddler) wird die „Hohe Stütze“ zum Ein- und Ausschlingen aus dem Kehrwasser angewandt (oder allgemein zum Einfahren in die Strömung), wenn die Richtung der Drehung zur On-Side erfolgt.
Beim Ausfahren aus dem Kehrwasser wird das Paddel in einem Winkel von 90° zur Strömung „eingepflanzt“. Dieser Winkel wird in Bezug zur Strömungsrichtung während der gesamten Drehung des Bootes beibehalten.

Im Zusammenhang mit der „Hohen Stütze“ stößt man gelegentlich auch auf den Begriff „Duffek“. Dieser Begriff ist eigentlich in der Kajak-Szene beheimatet bzw. hat dort seinen Ursprung, und beschreibt den gleichen Sachverhalt.

Anmerkung:
Milo Duffek ist ein berühmter tschechischer Kajak-Pionier früherer Zeiten, der die senkrechte Paddelhaltung beim Canadierfahren teilweise auf die Paddeltechnik im Kajak übertragen hat, und damit bis dato ungeahnte neue Möglichkeiten für die Kajaks im Wildwasser eröffnete.

Übergriff

Dieser „Schlag“ wird nur von der vorderen Person (= Bugpaddler) im Tandem eingesetzt oder dem Solo-Fahrer.

Er wird beispielsweise beim Ein- und Ausschlingen aus dem Kehrwasser genutzt (oder allgemein zum Einfahren in die Strömung), wenn die Drehung in Richtung der Off-Side erfolgt.

Der „Übergriff“ ist im Grunde nichts anderes als eine „Hohe Stütze“ auf der, dem Paddel abgewandten Seite (Off-Side). In seichtem Wasser ist er zudem für starke Richtungsänderungen zur Off-Side sehr effektiv (nur Bugpaddler oder Solo-Fahrer).

Sich aber beim Übergriff immer nur kurzzeitig mit dem Paddel auf der „Off-Side“ aufhalten. Dies nur so lange, bis die Drehung eingeleitet ist, dann sofort wieder zur standardmäßigen Paddelseite wechseln.

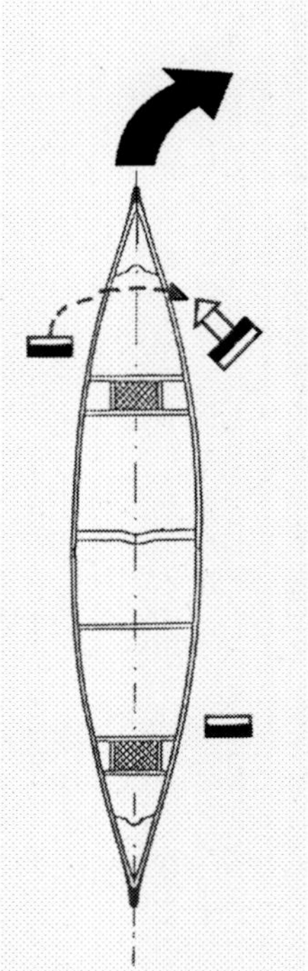

Prinzip-Skizze: Übergriff

Zur Ausführung wird das Paddel nicht von der einen Hand in die andere Hand genommen, sondern unter Beibehaltung der Paddelhaltung nur kurzzeitig die Seite gewechselt.

Hebel stationär

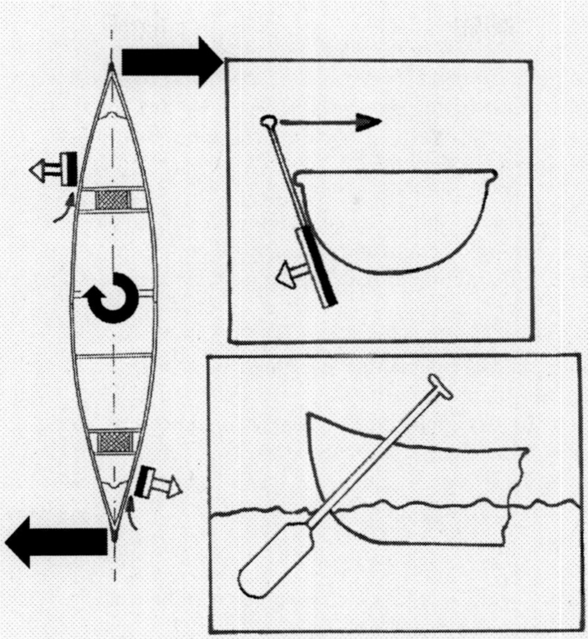

Prinzip-Skizze: Hebel stationär

Für starke Richtungsänderungen entgegen der Paddelseite (zur Off-Side).
Das Paddel von hinten ins Wasser einschlitzen und bis auf Körperhöhe nach vorne führen.
Dabei ist das Blatt parallel zur Kiellinie des Bootes (Bordwand) ausgerichtet, sowie das Blatt ganz eingetaucht und möglichst weit unter's Boot gebracht.

D. h. der Schaft ist dann nicht mehr senkrecht zur Wasseroberfläche, sondern steht etwas vom Boot ab. Siehe hierzu die kleine obere Skizze; damit wird beim Hebeln ein größerer Weg erzielt.
Eventuell muss, je nachdem wo die Schafthand das Paddel umgreift, für den Hebel mit der Schafthand etwas nach oben gerutscht werden. Dies beispielsweise bei der Griffweite für den „Normaleinsatz"; siehe Punkt 3 von „***Grundlagen der Stechpaddel-Technik***".

Zur Schlagausführung den Paddelschaft am Süllrand anlegen und mit der Schafthand fixieren (dient als Lagerpunkt). Die Griffhand (oben) reißt nun kräftig den Griff des Paddels in Richtung Boot.

Während der Bugpaddler wie oben beschrieben den Hebel auf Körperhöhe ausführt, positioniert der Heckpaddler das Blatt des Paddels möglichst weit hinten am Heck, um eine stärkere Wirkung zu erzielen. Der Schaft verläuft also schräg nach hinten zum Boot (siehe Skizze; vergleich auch den Steuerschlag, der Hebel ist in der Wirkung dessen Steigerung).

Führen beide Paddler gleichzeitig einen Hebel aus, dreht sich das Boot auf der Stelle im Kreis.

Hebel unter Fahrt

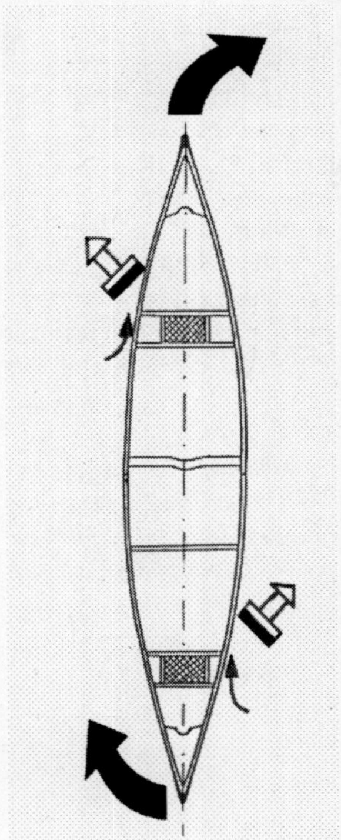

Prinzip-Skizze:
Hebel unter Fahrt

Macht das Boot Fahrt bzw. besteht eine Geschwindigkeits-Differenz zwischen Boot und dem Wasser, wird dieses stationäre Hebeln durch den „Hebel unter Fahrt“ abgelöst.

Die Vorbereitungen sind zunächst wieder gleich, also das Paddel von hinten ins Wasser einschlitzen und bis auf Körperhöhe nach vorne führen, dabei ist das Blatt parallel zur Fahrtrichtung ausgerichtet.

Zur Ausführung den senkrecht stehenden Schaft am Süllrand anlegen und mit der Schafthand fixieren.
Nun vorsichtig und dosiert mit der Griffhand den Knauf des Paddels in sich etwas nach vorne verdrehen (Richtung des Daumens weg vom Boot), also das Blatt in einem moderaten Winkel zwischen Fahrtrichtung und den herrschenden Strömungskräften anstellen.
Das Paddel mit der Griffhand gut festhalten (beide Arme gestreckt), die Kräfte die nun auftreten können sehr groß sein.

In der Praxis allerdings abwägen, ob es empfehlenswert bzw. überhaupt erforderlich ist, dass vordere und hintere Person wie in der Abbildung dargestellt gleichzeitig einen Hebel unter Fahrt ausführen. Diese soll nur zeigen, dass er prinzipiell von beiden Paddlern angewendet werden kann.

Flache Stütze

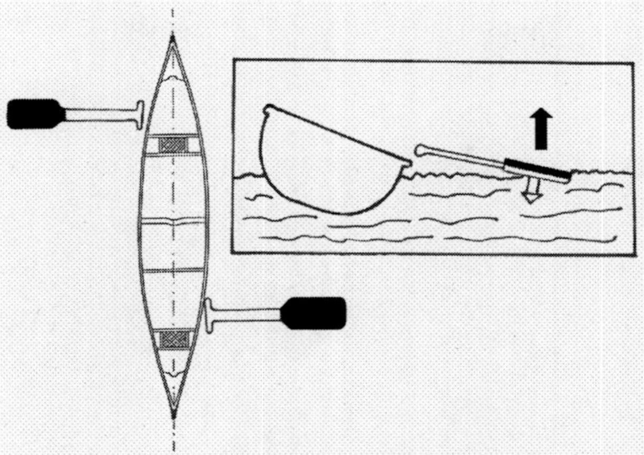

Prinzip-Skizze: Flache Stütze

Die „Flache Paddelstütze" dient v. a. in stärker strömendem, turbulenten Wasser zur Stabilisierung des Bootes und wird sowohl von der vorderen und hinteren Person im Tandem, als auch dem Solo-Paddler eingesetzt.
Sie dient quasi als die „Stützräder" des Paddlers und kann sehr wirkungsvoll eine Kenterung verhindern.
Anwendung findet sie zudem beim Kehrwasserfahren (hintere Person im Tandem, Solo-Fahrer).

Zur Ausführung wird das Paddel weit vom Boot entfernt mit dem Blatt flach auf dem Wasser aufgesetzt (das Paddel ist nahezu parallel zur Wasseroberfläche).
Die Griffhand sollte sich etwa im Bereich des Süllrandes befinden.

Die vordere Kante des Blattes leicht nach oben anwinkeln, damit es nicht unterschneiden kann, also nicht ins Wasser gezogen wird.
Das Gewicht des Oberkörpers über die Schafthand auf das Paddel übertragen.

Beispiel für eine „Flache Stütze“
Zu sehen: Großvolumige Luftsäcke in einem Wildwasser(WW)-Boot mit Sattelsitz

Mit der „Flachen Paddelstütze“ kann die Schräglage des Bootes („das Kanten“) sehr dosiert variiert werden.
In diesem Falle lässt Georg Petz (Canoe-Instructor beim GOC) ganz kontrolliert Wasser über den Süllrand des Bootes in den Canadier laufen.

Einsatz dieser Basis-Schläge in der Praxis

Es gibt schon Situationen in denen es erforderlich ist, das Boot schnell auf der Stelle zu drehen, also dass beide Personen gleichzeitig einen Ziehschlag oder stationären Hebel ausführen.
Den ganz großen Nutzen wird man aus diesen Schlägen aber erst ziehen, wenn sie von der vorderen und hinteren Person differenziert eingesetzt werden, also je nach Situation nur von der vorderen oder nur von der hinteren Person, bzw. vorn und hinten unterschiedliche Schläge in Kombination.

Hierzu ein Beispiel:
Unser Boot hat auf einem schönen Wanderfluss eine gewisse Geschwindigkeit und plötzlich taucht völlig überraschend ein Hindernis auf. Dies kann z. B. ein knapp überspülter Stein sein, der vorher nicht erkennbar war.
Setzt der vordere Paddler eine „Hohe Stütze“ und der Heckpaddler gleichzeitig einen „Hebel unter Fahrt“ ein, wird das Boot zur Seite des Bugpaddlers hin parallel versetzt.

Führt der vordere Paddler in der gleichen Situation dagegen einen „Hebel unter Fahrt“ und die hintere Person gleichzeitig eine „Hohe Stütze“ aus, wird das Boot zur Seite des Heckpaddlers hin parallel versetzt.
In strömendem Wasser ist ein gemütliches „Herumkurven“ um das Hindernis, wie man es mit dem Auto machen würde nicht zu empfehlen, da die Gefahr sehr groß ist, dass das Boot durch die dann seitlich angreifende Kraft der Strömung quer vor das Hindernis getrieben wird. Siehe hierzu die Skizze auf der übernächsten Seite.

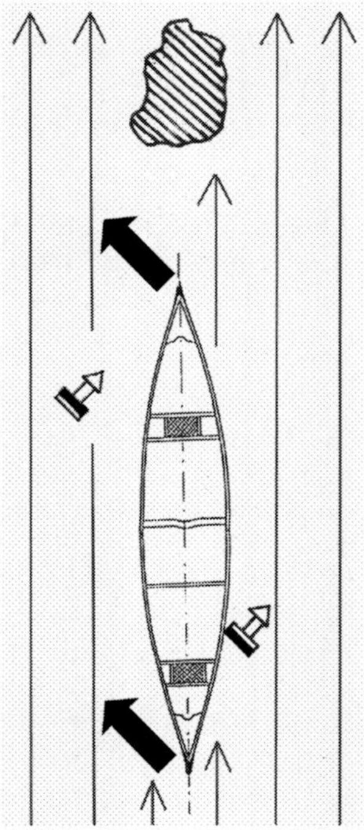

Versetzen zur Paddelseite des Bugpaddlers hin

In diesem Falle:

Bugpaddler: Hohe Stütze
Heckpaddler: Hebel unter Fahrt

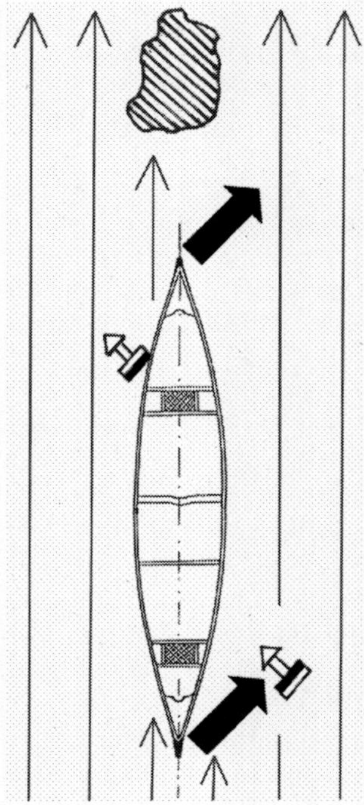

Versetzen zur Paddelseite des Heckpaddlers hin

In diesem Falle:

Bugpaddler: Hebel unter Fahrt
Heckpaddler: Hohe Stütze

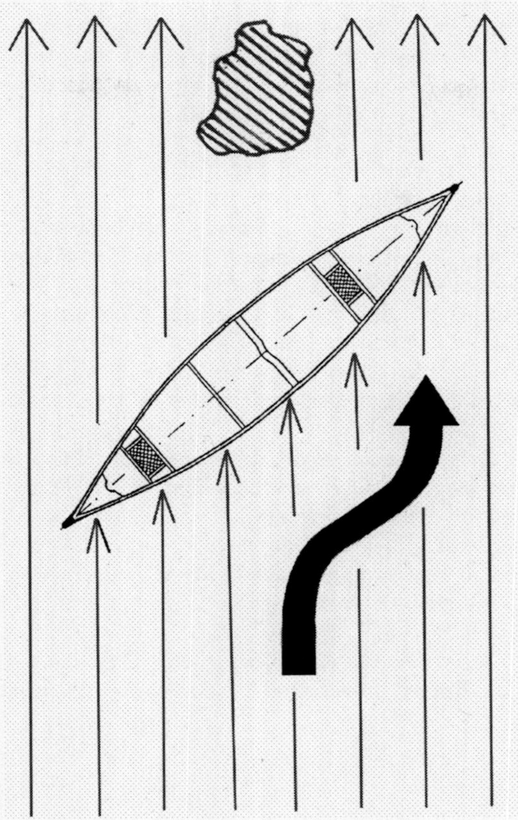

„Autofahren" => Crash
(breitseits vor das Hindernis)

Steuern wie beim Autofahren
ist nur etwas für ruhige, nicht strömende Gewässer

Macht das Boot keine Fahrt, kann dieses seitliche parallele Versetzen durch die Kombination von „stationärem Hebel" und „Ziehschlag" im Tandem ebenfalls nützlich sein, um z. B. zum Anlanden ans Ufer zu gelangen oder sich davon zu entfernen.

Das Paddeln selbst ist in der Praxis eine komplexe Abfolge der einzelnen Schläge.
Häufig werden auch je nach Situation kombinierte Schläge ausgeführt. Beispielsweise kann das Blatt des Paddels in einem Winkel von 45° zur Längsachse des Bootes eingestochen werden, das ist dann eine Kombination von Grund- und Ziehschlag.
Vor allem der Solo-Paddler wendet häufig Schlagkombinationen an, die sich nicht näher beschreiben lassen.

Man kann auch noch soviel darüber schreiben und bunte Bildchen zeigen (egal zu welchem Thema), die Praxis und Übung kann es niemals ersetzen.
Zur Umsetzung in die Tat empfehle ich einen 2-er Canadier Kurs bei dem, weiter unten unter „**Kurse**" aufgeführten, auf das Canadierfahren spezialisierten Verein „German Open Canoe e. V.".
Lieber dort einen Kurs besuchen, als sich selber eine uneffiziente fehlerhafte Paddeltechnik angewöhnen.

Harmonie im 2-er Canadier

Mit der Harmonie der Besatzung im 2-er Canadier ist es oft nicht weit her. Warum?
Eigentlich liegt es im wahrsten Sinne des Wortes auf der Hand – das Paddel.
Jeder der beiden Kanuten hat ein Paddel in der Hand mit dem er, wie oben beschrieben, das Boot vorwärts/ rückwärts/links und rechts hin dirigieren kann. Wenn dies nicht koordiniert abläuft, und zudem die zuvor beschriebenen Grund-Regeln der Stechpaddel-Technik nicht beachtet werden, ist das Chaos und Fiasko schon vorprogrammiert.

Man könnte es auch aus folgender Sicht betrachten: Der Leser dieser Zeilen und ich als Schreiberling derselben, nehmen zusammen in einem Auto Platz.
Einer von uns beiden vorne und der andere auf dem Rücksitz. Aber beide haben wir ein Lenkrad, sowie Gas und Bremse zur Verfügung (=> quasi das Paddel). Ob wir wohl heil an der Einsatzstelle für eine Paddel-Tour ankommen würden?

Wie läuft's denn üblicherweise? ⇒ ein Drama in 5 Akten:

1. Akt:
Ein neues Boot ist gekauft (wie empfohlen ein 17-Fuß Boot, weil es auch für Touren mit Sack und Pack dienen soll) und es geht zum ersten mal auf's Wasser.
Klar – wie üblich nimmt die Frau auf dem vorderen Sitze Platz und der Herr des Hauses hinten.
Nur das Boot fährt überhaupt nicht dorthin, wo es eigentlich hin soll.
Die Ursache ist schnell erkannt – dass Boot ist viel zu lang. War der Verkäufer doch ein Trottel uns so ein langes Boot

aufzuschwätzen, wird jetzt gedacht, das kann ja so nicht gehen.
Auch mit der Frau da vorne wird schon ein wenig gehadert.

2. Akt:
Das neue Boot ist getauscht, man hat jetzt ein kürzeres mit 16-Fuß.
Aber siehe da, auch dieses Boot fährt nicht unbedingt dorthin, wo es eigentlich hin soll.
Die erste Schwallstrecke rauscht verdächtig, vorsichtshalber klammert man sich an den Süllrändern fest und die erste Kenterung ist damit fast unvermeidlich.
Das Boot kann von der schwer zerzausten und blau gefleckten Besatzung gerade noch geborgen werden, aber die Paddel sind weg und ebenso sucht sich zukünftig die nicht festgezurrte Kühltasche ihre eigenen Wege (neben Sonnencreme und Sandalen).

Die Ursache ist jetzt auch wieder schnell gefunden. Die Frau da vorne hat partout nicht das gemacht, was der Herr Kapitän im Heck befohlen hat – die ersten Tränen fließen, und damit ist die Paddel-Karriere der Ärmsten häufig auch schon wieder beendet.
Dass der Kapitän sich beim Paddeln noch ungeschickter anstellt als die arme Ehefrau im Bug – auf die Idee kommt er selbst natürlich nicht, schwingt er sein Paddel doch so behände von einer Bootsseite auf die andere wie ein Samurai-Krieger sein Schwert.

3. Akt
Nachdem der häusliche Frieden jetzt schon schief hängt, muss unser Kapitän also zukünftig alleine Paddeln gehen. Der unfähigen „Mannschaft" entledigt (genauer gesagt

eigentlich „Frauschaft“), will sich der richtige Paddelerfolg aber immer noch nicht so richtig einstellen.
Aber auch hier ist die Ursache wieder rasch ermittelt. Zum Solo Fahren sollte das Boot dann doch noch ein Stückchen kürzer sein.

4. Akt
Das 16-Fuß Boot ist gegen eines mit 13, 14 oder 15 Fuß eingetauscht.
So richtig klappt‘s mit dem Paddeln aber immer noch nicht, und alleine fahren macht auf die Dauer doch nicht so richtig Spaß.
Also wird ein Arbeitskollege zum Paddeln überredet – jetzt aber sitzen zwei schwergewichtige „0,1-Tonner“ in einem putzigen kleinen Schiffchen (eigentlich schon mehr ein U-Boot bei der Beladung) und der Ausflug endet nicht minder tragisch wie im 2. Akt.

5. Akt
Entweder gibt’s wieder günstig einen gebrauchten Canadier zu kaufen, oder unser geknickter Kapitän kommt endlich auf die Idee, dass der Besuch eines Paddelkurses dringend von Nöten wäre.
Klug, wenn er zu diesem Neuanfang noch mal seine Frau zum Mitkommen überreden kann.
Bei der richtigen Institution werden die beiden innerhalb kürzester Zeit feststellen, wie schön und eigentlich einfach das Paddeln im 2-er Canadier sein kann.
Dabei werden sie im wahrsten Sinne des Wortes „erfahren“, dass das 17-Fuß Boot vom 1. Akt genau das richtige gewesen ist, und mit der richtigen Paddeltechnik sogar problemlos solo gefahren werden kann.

Kommt Euch das ganze irgendwie bekannt vor???

Kurse

Welche Kurse sind empfehlenswert?
Lest noch mal die Definition von „Kanu“ im Kapitel „***Der Canadier***“ durch.
Damit erfüllen die meisten Kanu- und Paddelvereine/Clubs unsere Anforderungen nicht, weil sich alles um das Kajak dreht und sehr häufig auch nur um den Leistungssport. Der Canadier wird, bis auf wenige Ausnahmen, bei nahezu allen Vereinen nicht ernst genommen und stiefmütterlich behandelt, entsprechend sieht dann auch das Schulungsangebot aus.
Nehmt auch nicht das Angebot an, mit einem Canadier an einem Kajak-Kurs teilzunehmen. Die Paddeltechnik mit dem Doppelpaddel ist gänzlich anders und der Kajak-Lehrer, so gut er auf seinem Gebiet sein mag, wird Euch nicht viel Verwertbares beibringen können.

Aufgrund dieser allgemeinen Misere (Vernachlässigung des Canadiers in den Vereinen), wurde 1991 der
„German Open Canoe e. V.“
gegründet www.g-o-c.de , um Anlaufstelle für jeden Canadierfahrer zu sein, sei‘s der Wanderfahrer mit seiner Familie, der Liebhaber klassischer Holzboote, oder der Wildwasser Crack im C1.

Dieser Verein ist nicht örtlich oder regional begrenzt, sondern deutschlandweit tätig. Entsprechend ausgerichtet und spezialisiert ist das Touren- und Schulungs-Programm.

Für den Paddler im Wander-Canadier (sei's Solo oder zusammen mit der lieben Holden) ist ganz speziell das Kursprogramm für 2-er Canadier unter dem praxisorientierten Motto:

„Paddeln lernen von Grund auf –
mit wenigen aber effektiven Schlägen"

ausgerichtet.
Ein zentrales Thema nimmt dabei die Harmonie im 2-er Canadier ein.

Falls Ihr noch kein eigenes Boot haben solltet, tätigt keinen übereilten Kauf.
Bei den Kursen sind üblicherweise zahlreiche verschiedene Boots-Typen vertreten und Ihr könnt Euch einen Überblick verschaffen, welches ein geeignetes Boot für Euch wäre und welches vielleicht lieber doch nicht.
Der Kursleiter kann Euch bei der Beschaffung eines geeigneten Leihbootes für den Kurs behilflich sein, und auch beim „Outfitten" Eurer Boote mit Rat und Tat zur Seite stehen.

Interessenten wenden sich am besten direkt an den Organisator der Kurse:

Georg Petz
Battnerstr. 17
D-71701 Schwieberdingen
eMail: georg.petz@web.de

Es ist wahrlich am falschen Platz gespart, zweittausend Euro für ein funkelnagelneues Boot auszugeben, und dann an ein paar Euro Kurs-Kosten zu knausern.
Es ist immer beruhigend und gibt ein sicheres Gefühl, wenn Ihr zu jeder Zeit auf einer Paddeltour Herr der Situation bleibt und nicht hilflos den Kräften der Natur ausgeliefert seit.

Deshalb auch stets etwas mehr Können, als man für die geplante Tour eigentlich braucht, dann kann man auf Sicherheits-Reserven zurückgreifen.

Aus diesem Grund ist es gut, sich schulungsmäßig lieber etwas intensiver mit stärker fließendem Wasser auseinander zu setzen, auch wenn solche Gewässer nicht direkt auf Eurem Touren-Programm stehen.
Auf einzelne Stellen mit „wildwässrigem" Charakter stößt man auf nahezu jedem harmlosen Wanderbach. Es ist dann sehr beruhigend und ein tolles „Feeling", diese Passagen mit Technik sicher meistern zu können.

Vor allem wenn Kinder mit an Bord sind, ist dies ratsam. Die „Kids" merken sehr schnell, ob sie souverän durch die Gegend kutschiert werden, oder ob die Eltern Stress, Angst und Panik überfällt, wenn eine etwas kniffligere Situation kommt. Dies überträgt sich dann auf die Kinder und jäh endet der geplante schöne Familien-Ausflug.

Lieber nicht der Meinung sein, „Kehrwasser", „Seilfähren" etc. sind Begriffe mit denen sich nur der Wildwasser-Fahrer auseinandersetzen muss.
Beispielsweise ein Kehrwasser sicher ansteuern oder in der Strömung anlanden zu können, kann auf einem ansonsten unschwierigen Wanderbach u. U. lebensrettend sein. Dies z. B. bei einem plötzlich auftauchenden Wehr oder einer Sohlschwelle, einem quer liegenden Baum, einer niedrigen Brücke, …

Nicht nur wenn Kinder an Bord sind empfiehlt sich eine sicher Bootsbeherrschung

Grund-Kurs beim GOC
Der Canoe - Instructor Georg Petz beim Vermitteln des „stationären Hebels“

Was ist Freestyle bzw. Canadian Style Paddling?

Ne, ne – falsch gedacht!
Nicht alle Paddelschläge wie sie einem gerade in den „Kram“ passen sind hier erlaubt – genau das Gegenteil ist der Fall. Das „Freestyle“ ist eine Spezialdisziplin des Canadierfahrens, und wird im Flachwasser ausgeübt, d. h. in ruhigem Wasser ohne Strömung.

Es ist quasi eine Art „Ballett“ oder „Eiskunstlauf“ mit dem Boot, bei der bestimmte, klar definierte und vorgeschriebene Figuren absolviert werden. Dies erfordert ein hohes Maß an Körperbeherrschung und Bootsgefühl.
Im bewegten Wasser allerdings würde man sich mit dieser zarten und filigranen Paddel-Handhabung nicht lange im Boot halten können.
In die gleiche Richtung geht das „Canadian Style Paddling“. Dies geschieht nach den Richtlinien der CRCA, der Canadian Recreational Canoeing-Association.

Wer sich ganz speziell für das Freestyle und CRCA Style Paddling interessiert, dem sei ein Kurs bei dem Spezialisten hierfür empfohlen:

Jörg Wagner (Wooden-Boat)
Taunusstraße 92
D-61191 Rosbach
Tel.: +49 (0) 6003 - 6022 · Fax: +49 (0) 6003-3716
Mobil: +49 (0) 171- 4684609
eMail: info@wooden-boat.de
Internet: www.wooden-boat.de

Jörg Wagner und sein Co-Trainer Martin Lambert sind die beiden einzigen vom „ACA“ lizenzierten Freestyle-

Instruktoren in Europa (ACA = American Canoe Association).

Rolf Kraiker, Canoe Instructor Trainer beim CRCA, bei der Demonstration des „Canadian Style Paddling“ in einem Falt-Canadier

Tipps und Hinweise

Die hier aufgeführten, hoffentlich nützlichen Tipps sind übrigens in dem Kapitel „***Tipps und Hinweise***“ alle noch einmal zusammengefasst.

- Beginnt Eure Paddel-Karriere mit einfach und problemlos zu befahrenden Bächen und steigert den Schwierigkeitsgrad erst langsam mit zunehmender Paddelkunst. So mancher Paddler oder Paddlerin die unvorbereitet und

nicht korrekt ausgerüstet vorzeitig im Wildwasser ihr Glück versucht haben, haben durch das negative Erleben von Kälte und Wasserwucht einen Schock fürs Leben bekommen und rühren kein Paddel mehr an oder es ist zumindest das Thema WW tabu.
In diesem Zusammenhang ist es für mich unverständlich, wie man absolute Laien mit miserablem Boots-Material tagtäglich auf der Ardeche auf die Reise schicken kann – dies würde ich als „Einstieg“ in die Paddelei niemandem empfehlen.

- Bei einer **Kenterung** lässt man Boot und Paddel nicht einfach davonschwimmen, sondern man behält beides fest im Griff – es sei denn, es droht eine besondere Gefahr (Wasserfall o. ä.).
  Dieses Verhalten wird man in der Regel als Anfänger nicht an den Tag legen und muss trainiert werden. Deshalb nach dem ersten Schock der Kenterung sofort nach Boot und Paddel umschauen und danach greifen. Selbst in schwerem Wildwasser ist alles noch in Griffweite.
- Bei größeren Unternehmungen auf jeden Fall immer ein **Reserve-Paddel** mitführen (besonders auf großen Gewässern/Seen) und gegen Verlust im Boot sichern (festbinden).

- **Namen, Adresse und Telefon-Nummer** auf das Paddelblatt schreiben (z. B. mit wasserfestem „Edding“ Filzschreiber).
  Ebenso ins Boot und auf den Wurfsack etc. Dies hilft bei Verlust am Bach und erschwert den Diebstahl.

Tipps und Hinweise

Ein Teil der nachfolgend aufgeführten Tipps und Hinweise werden auch in anderen Kapiteln erwähnt, sie sind hier aber nochmals alle zusammengefasst:

Schwimmwesten/Rettungswesten bei Kindern

Kinder sollten unbedingt eine Rettungsweste tragen. Das Kennzeichen der Rettungsweste ist der Kragen; siehe dazu das Kapitel „***Schwimmweste***“.
Bei einer Kenterung dreht sie den Schwimmenden automatisch auf den Rücken, so dass der Kopf, gestützt durch den Kragen, aus dem Wasser herausragt und auch dem Nichtschwimmer/Erschöpften/Ohnmächtigen noch das Atmen ermöglicht.
Auf jeden Fall eine Weste mit Bein-/Schrittgurten verwenden, und diese auch immer konsequent schließen!!! Sonst können die Kinder im Wasser sehr leicht aus der, ansonsten geschlossenen Rettungsweste, nach unten herausrutschen – zumal man bei Kindern oft geneigt ist, die Ausrüstung etwas größer zu wählen.

Bei Kleinkindern keine „Pampers“, sondern Stoffwindeln verwenden, da das in den „Pampers“ eingeschlossene Luftvolumen so groß ist, dass das Hinterteil oben schwimmt und der stützende Halskragen nicht mehr wirken kann, d. h. um den Kopf über Wasser zu halten und ein Ertrinken zu verhindern.
Andererseits kann eine „Pampers“ durch aufgenommenes Wasser wieder so schwer werden, dass der erforderliche Auftrieb der Rettungsweste in Frage gestellt ist.

Fangschlaufen an Bug und Heck

Fangschlaufen vorn/hinten gehören zur unbedingt notwendigen Ausrüstung eines Bootes.
Sie sollten so groß sein, dass man nach einer Kenterung als Schwimmer bequem mit der Hand hineingreifen kann. Falls sich das gekenterte Boot unvermittelt drehen sollte, darf die Hand nicht eingequetscht werden.
Sie müssen aus hochfestem Material gefertigt sein und sollten zudem einen großen Querschnitt von mindestens 7 mm, besser jedoch 9 bis 10 mm haben.

Sie sind zudem nützlich, um das Boot beim Dachtransport zu den Stoßstangen/Abschleppösen abzuspannen.
An Tragegriffen, dem Oberdeck des Bootes o. ä. dürfen die Fangschlaufen jedoch nicht befestigt werden. In der Regel haben diese Bauteile eine unzureichende Festigkeit; siehe auch nächster Punkt.

Kurze Bootsleine

An Bug und Heck sollte jeweils eine kurze Bootsleine angebracht werden, die an den Fangschlaufen befestigt wird; nicht jedoch am Oberdeck oder Tragegriffen, da diese Teile in der Regel nicht für derart hohe Beanspruchung geeignet sind. Ich finde es einfach praktisch an Bug und Heck jeweils eine zu haben.
Länge: ca. 4 bis 5 m (max. Bootslänge), Ø ca. 7 bis 9 mm, mögl. Schwimmleine. Sie sind nützlich, um das Boot beim Einbooten festzuhalten, zum Vertäuen, Treideln oder um das Boot nach einer Kenterung an Land zu ziehen.
Zudem können sie für allerlei Rettungs- und Bergezwecke eingesetzt werden. Siehe dazu das Kapitel „***Knotentechnik***".

Auf keinen Fall am losen Ende der Bootsleine einen Knoten machen, da dieser sich sehr leicht an Steinen etc. verklemmen kann, falls die Leine versehentlich im Wasser schwimmen sollte oder natürlich im Falle einer Kenterung. Das kann sehr unangenehm und auch gefährlich werden.

Bohrt in das Oberdeck Eurer Boote jeweils 2 kleine Löchlein und zieht eine Gummischnur von 5 bis 6 mm Stärke ein. Diese gibt es z. B. im Baumarkt oder Camping-Fachhandel. Dann könnt Ihr die Bootsleinen zwischen Oberdeck und Gummischnur klemmen. So bleiben sie trocken und sauber, sind stets aufgeräumt und schnell zur Hand. Dies ebenso für den Wurfsack.

Im Boot sollten auf keinen Fall längere offene/lose Leinen verwendet werden!!
Die Gefahr, sich bei einer Kenterung mit den Beinen darin zu verwickeln, ist einfach zu groß – Lebensgefahr!!!
Wenn eine längere Leine benötigt wird (z. B. beim Treideln oder zum Festmachen) besser einen Wurfsack verwenden.
Im Wildwasser ist der Wurfsack ein wichtiges und universell einsetzbares Rettungsgerät, er sollte aber auch in keinem Boot auf Wanderfahrt fehlen.

Wurfsack

Der Wurfsack in Verbindung mit einem Karabiner ist das wichtigste und universellste Rettungsgerät/Hilfsmittel eines Paddlers.
Im Bereich Wildwasser ist er absolut obligatorisch, sollte aber zur Grund-Ausstattung eines jeden Bootes gehören, auch wenn man im Wander-Canadier nur mal kurz auf sonntäglicher Kaffeefahrt ist.
Für eine ausführliche Beschreibung und zu dessen Handhabung siehe das gesonderte Kapitel „***Der Wurfsack***".

Auftriebskörper

Bei Auftriebskörpern muss unterschieden werden zwischen:

- Unbedingt notwendigen Auftriebskörpern, um ein Boot unsinkbar zu machen.

- Großvolumige Auftriebskörper, um ein Boot für bewegtes Wasser bzw. Wildwasser-Einsatz tauglich zu machen.

Eine ausführliche Beschreibung zu diesen beiden Punkten siehe im Kapitel *„**Der Canadier**“*.

Übrigens gibt es im Kraftfahrzeug-Zubehörhandel bei „Auto Teile Unger“ (ATU) für ca. 7 Euro eine sehr praktische kleine 12 Volt Luftpumpe, die über die Zigarettenanzünder-Steckdose betrieben wird und sich hervorragend zum Aufblasen der großen Auftriebskörper oder auch von Schlauch-Canadiern bzw. allgemein Luftbooten eignet.

Zuladung

Der Canadier bietet die Möglichkeit, alles Notwendige für eine längere Tour zu verstauen.
Dafür ist ein Boot mit hoher Zuladung notwendig. Diese wird bestimmt von der Länge und Breite, sowie der Höhe der Seitenwand, d. h. von der Wasserverdrängung und ist außerdem abhängig vom Eigengewicht des Bootes. Die maximale Zuladung ist bei 15 cm Freibord erreicht. Dieses Maß sollte beim Vergleich verschiedener Boote herangezogen werden.
Besonders im bewegten Wasser/Wildwasser sind hohe Seitenwände erforderlich (mind. 36 cm; besser noch 38 cm). Auch ist dann ein hoher voluminöser Bug/Heck vorteilhaft.

Nachteil ist die erhöhte Seitenwindempfindlichkeit auf Seen.

Zudem sollte man beachten, dass ein Boot seine Fahreigenschaften bei hoher Beladung erheblich verändert, es wird in der Regel deutlich träger und schwerfälliger reagieren. Wenn Fahrten mit Gepäck geplant sind oder schwergewichtige Personen damit reisen möchten, sollte deshalb ein Boot mit hohen Zuladungsreserven und im Zweifelsfall lieber eine Nummer größer gewählt werden. Dies bezogen auf die Länge. Siehe hierzu ebenfalls das Kapitel „***Der Canadier***“.
Zudem die Trimmung des Bootes beachten, d. h. wie es im Wasser liegt und diese ggf. korrigieren.
Siehe dazu den extra Punkt „***Trimmung***“ weiter unten.

Hochgezogene Spitzen

Extrem hochgezogene Spitzen wie es manche Hersteller bevorzugen, können zwar sehr elegant und originell aussehen (eben richtig „indianermäßig“), einen praktischen Nutzen haben sie aber nicht.
Die Spitzen können das Eindringen von Wasser nicht verhindern, da bei etwas höheren Wellen das Wasser im ersten Drittel des Canadiers eintritt. Zudem stellen sie eine unnötige zusätzliche Angriffs-Fläche für den Wind dar.
Der Süllrand eines Bootes sollte vielmehr von der Mitte zu den Enden hin harmonisch und moderat ansteigen. Im englischen wird dieser Verlauf übrigens „Sheerline“ genannt.

Gepäck

Gepäck immer in wasserdichten Wickelsäcken oder Kunststoff-Tonnen verstauen und alles im Boot gegen Verlust bei einer eventuellen Kenterung fest verzurren. Ist es fest verzurrt, dient es bei einer eventuellen Kenterung als Auftriebskörper. Das Mindeste was jedoch gemacht werden muss ist, jedes Gepäckstück am Boot festzubinden.
Die Wickelsäcke mit dem Rollverschluss werden in Paddelläden oder im Outdoor-Fachhandel in allen möglichen Größen und Materialstärken angeboten (Hersteller z. B. Ortlieb, Zölzer usw.). Die ganz großen Ausführungen haben auch Schultergurte wie bei einem Rucksack.
Um wirklich wasserdicht zu sein auf faltenfreies Rollen achten. Es sind mindestens drei Rollungen erforderlich.

Solide Kunststoff-Gepäcktonnen bzw. Fässer mit Schraub-Verschluss (Hersteller Curver/Curtec) in verschiedenen Größen sind dort ebenfalls erhältlich. Sie sind meist in weißer Farbe und haben einen roten Schraubdeckel.
Wenn Ihr mal irgendwo Fässer geliehen bekommt, achtet auf guten Zustand der eingelegten Gummi-Dichtung.
Eine billigere Alternative sind Industrie-Fässer mit Klemmbügel-Verschluss. Sie sind meist in blauer Farbe mit schwarzem Deckel und es gibt sie in unterschiedlichen Größen.
Weitere günstige Alternativen sind u. U. in Baumärkten oder Raiffeisen-Märkten (BayWa) zu finden, wie z. B. „Maische-Fässer". Ich persönlich vertraue allerdings meinen Schlafsack, Kleidung und Verpflegung nur den oben genannten Fässern mit solidem Schraub-Verschluss an.

Wertsachen (Geldbeutel, Ausweise, Führerschein, Auto- und Haus-Schlüssel) immer konsequent in einem Fass oder Wickelsack deponieren und diesen im Boot gegen Verlust sichern (festbinden). Nie lose in der Hosen- oder Hemdtasche mitführen, der Verlust bei einer Kenterung ist sonst beschlossene Sache.

Gepäckplane

Das sorgfältige, feste Verzurren des Gepäcks ist ganz schön lästig und mühsam, vor allem wenn viele Umtragestellen die Tour unterbrechen (= Portagen).
Das gleiche gilt für das feste Einbinden von großvolumigen Auftriebskörpern (Luftsäcken), wenn der Wander-Canadier für den Wildwasser-Einsatz vorbereitet wird (siehe Punkt „***Auftriebskörper***“ weiter oben).

Um mit einem Schlag schnell und einfach das ganze Gepäck oder den Auftriebskörper fest im Boot zu verzurren, hat sich bei uns eine Plane, die über den ganzen „Frachtraum“ des Canadiers zwischen den beiden Sitze reicht, gut bewährt. Eine Plane aus robustem Baumwollgewebe o. ä. ist in gewissen Abständen mit aufgenähten Gurten versehen, die über die ganze Plane reichen.
Letztendlich wird das Gepäck also nicht durch den Stoff, sondern durch die durchgehend aufgenähten Gurte gehalten. Die Enden der Gurte werden am Boot an Krampen umgelenkt und dann mit Schnallen verschlossen. Diese Schnallen sind an der Plane fest vernäht. Die Krampen wiederum sind fest am Süllrand verschraubt oder vernietet.

Vorher ist also einiges an Bastelarbeit erforderlich, später aber das Gepäck umso schneller und sicherer verstaut. Zudem ist das Gepäck oder der Auftriebskörper(!!) durch die Plane geschützt.
Allerdings könnte es großen Ärger mit der häuslichen Regierung geben, wenn Ihr die Nähmaschine Eurer Paddelpartnerin dazu missbraucht, Gurt-Bänder auf den dicken steifen Stoff zu nähen.

Ihr könnt aber auch bei Georg Petz anfragen, ob er es für Euch macht :

Georg Petz, Battnerstr. 17; D-71701 Schwieberdingen
eMail: georg.petz@web.de

Das Boot muss allerdings für die notwendigen Anpassungs-Arbeiten einige Zeit zu ihm (Raum Stuttgart/Ludwigsburg). Er kann es dann zudem mit Kniegurten ausstatten (siehe Punkt weiter unten „***Kniepolster, Kniegurte***“).

Trimmung Tandem- und Solo-Boot

Bei all der Packerei nicht die Trimmung des Bootes außer Acht lassen, d. h. wie das fix und fertig beladene Boot inklusiv seiner Besatzung im Wasser liegt.
Die beste Trimmung ist erreicht, wenn das Boot von der Breitseite aus gesehen waagrecht im Wasser liegt, also weder Bug noch Heck höher aus dem Wasser herausragen. Auch von vorne bzw. hinten betrachtet sollte das Boot nicht einseitig schief im Wasser hängen. Ggf. muss die Verteilung des Gepäcks nochmals verändert werden.
Der Solo-Fahrer kann einfach mit einem gefüllten Wasserkanister je nach Situation erforderliche Korrekturen vornehmen.
Bei stärkerem Wind muss/kann die Trimmung verändert werden (egal ob Tandem oder Solo). Sie hierzu den extra Punkt „**Seen/Windempfindlichkei**t“.

Überhaupt sollte der Solo-Fahrer seine Position zum Paddeln in Richtung der Mitte des Bootes hin verlegen. Bei reinen Solo-Booten ist der Sitz schon vom Hersteller entsprechend angebracht, d. h. der Sitz befindet sich knapp hinter der Mitte und der Bauchnabel des Paddlers etwa in Höhe der Boots-Mitte.

Die mittige Anordnung ist beispielsweise bei Solo-Wildwasser-Booten konsequent umgesetzt und dort gut zu sehen.

Wird ein 2-er Wander-Canadier solo gepaddelt auf jeden Fall im Boot weiter nach vorne rücken, und sich z. B. zum Knien an der hinteren Querstrebe (= Ducht) des Bootes abstützen. Als Notlösung kann man sich auf ruhigen(!) Gewässern auch umgekehrt auf den vorderen Sitz (=> Bug) platzieren. Es ist überhaupt nicht empfehlenswert, auf der hinteren Sitz-Position zu verbleiben.
Bei Fahrten mit Gepäck sitzt der Solo-Paddler möglichst in der Mitte und das Gepäck wird vor und hinter ihm gewichtsmäßig gleichmäßig verteilt.

Knien/Beinfreiheit/Kniepolster/Kniegurte

Die kniende Haltung im Canadier bietet folgende Vorteile: Schwerpunkt tiefer, größere Paddelreichweite (d. h. man kann sich weiter aus dem Boot lehnen), engerer Boots-Kontakt/direktere Boots-Führung und besserer Halt durch solide 3-Punkt Auflage – Gesäß ist am Sitz abgestützt und die beiden Knie sind im Boot verspreizt.
Im Sitzen wird man nie einen effektiven und sauberen Paddelstil entwickeln und einen Wander-Canadier in allen Lagen sicher beherrschen können. Siehe hierzu das Kapitel „***Paddeltechnik***".

Aber Achtung:
Darauf achten, dass Ihr unter dem Sitz genügend Platz für Eure Füße habt; legt ggf. Eure Sitze höher. Dies ist je nach Boot/Sitzausführung/Befestigung mehr oder weniger leicht umsetzbar – Bastelarbeit.

Ein problemloses und schnelles Aussteigen muss(!!!) gewährleistet sein, bzw. bei einer Kenterung muss man problemlos „rausflutschen“ können bzw. automatisch aus dem Boot fallen – sonst besteht akute Lebensgefahr!!!

Für ein bequemeres Knien im Boot und damit man nicht ständig in Kontakt zum feuchten Boots-Boden ist, sind **Kniepolster** empfehlenswert.
Eine zwar preisgünstige Variante sind die in Bau- und Heimwerker-Märkten erhältlichen Kniepolster für Fließenleger-Arbeiten, durch ihre runde Form bieten sie aber relativ schlechten Halt. Sie sind für diesen Zweck wirklich nicht zu empfehlen.

Einen sehr guten Halt im Boot und wirklich bequemes Knien vermitteln dagegen spezielle Kniepolster, die manchmal in Paddelläden angeboten werden. Bei Georg Petz sind diese ebenfalls erhältlich.
Ihre Unterseite ist ganz flach und wabenförmig strukturiert. Nachteil ist, dass sie mit der Zeit Wasser aufnehmen und schwerer werden (trocknen aber wieder) und sind natürlich auch teurer.
Gegen Verlust beim Paddeln und beim Laufen mit ihnen, hilft ein Stück Gummi-Schnur von ca. 5 bis 6 mm ∅, die an die beiden Ösen eingeknotet wird. Dies muss man selber machen – sie gehört nicht im Lieferumfang bei den Paddelläden dazu, bei Georg Petz dagegen schon.

Manche Paddler bevorzugen dagegen eine Schaumstoffmatte auf dem Boden. Diese gibt's in gut sortierten Paddelläden speziell für diesen Zweck zu kaufen, oder alternativ ein Stück Isomatte/Evazotte-Matte/x-trem Isolator verwenden. Weitere Möglichkeit: Geschlossenzellige Schaumstoffstücke fest ins Boot einkleben (= Knie-Pads).
Ich persönlich bevorzuge für mein Wanderboot die erwähnten speziellen Kniepolster.

Stößt man in Regionen bewegteren Wassers/Wildwasser vor, sind **Kniegurte** für einen guten Boots-Kontakt bei stärkerer Strömung sehr hilfreich.
Die beiden oberen Befestigungspunkte können meist an der Sitz-Verschraubung befestigt werden, die Umlenkung am Boden des Bootes muss jedoch eingeklebt werden (Ankerplatte mit D-Ring).
Bei Royalex-Booten ist dies völlig unproblematisch. Wie man dabei vorgeht, siehe weiter unten.

Aber Achtung:
Ich gehe davon aus, dass keiner von Euch mit einem 2-er Wander-Canadier nach einer Kenterung „aufdrehen" möchte, d. h. mit einer „Eskimo-Rolle" wie bei den Kajak-Fahrern. Deshalb sollte man bei einer nicht mehr zu vermeidenden Kenterung ohne Probleme aus den Kniegurten „herausfallen" können.
Dies bedeutet, dass der Umlenkpunkt der Kniegurte am Boden nicht unmittelbar unter dem Sitz/dem Schritt liegen sollte. Man hätte dann zwar einen bombenfesten Halt im Boot, müsste aber dann im Falle einer Kenterung in allen Situationen erst mal unter Wasser einen Panik-Verschluss lösen – kein Problem für einen routinierten C1 Fahrer, aber nicht unbedingt für uns 2-er Wanderfahrer, auch nicht im Wildwasser.

Empfehlung für einen Kompromiss zwischen gutem Halt und der Sicherheit:
Positionierung der Umlenkung in Höhe des Oberschenkels etwa in der Mitte zwischen Schritt und Knie. Trotzdem müssen die Kniegurte zur Sicherheit mit einem Panik-Verschluss mit Griffkugel ausgerüstet sein!!!
Wenn Ihr selbst keine Möglichkeit habt, die entsprechenden Gurte zu basteln oder in Eurem Paddelladen fündig werdet, könnt Ihr Euch an Georg Petz wenden. Dies ebenso für die erwähnten speziellen Kniepolster:

Georg Petz, Battnerstr. 17; D-71701 Schwieberdingen
eMail: georg.petz@web.de

Einkleben von Ankerplatten mit D-Ringen in Royalex-Boote

In Royalex-Boote können problemlos Halterungen (Ankerplatten mit D-Ringen) z. B. für Kniegurte, zur Befestigung von Gepäck oder zusätzlichen Auftriebs-Körpern etc. eingeklebt werden.
Das gleiche gilt in der Regel ebenso für die „Light"-Ausführungen von Royalex (R-84 Royalite, R-Light, Royalex Light etc.; Abschluss-Schicht innen ebenfalls aus Vinyl). Bei anderen Boots-Materialien, wie z. B. bei Booten aus PE/Olthylen, ist das nicht gegeben.

Für das Einkleben würde ich folgende Vorgehensweise empfehlen:
Boot innen, dort wo die Platte mit dem D-Ring positioniert werden soll, mit grobem Schleifpapier aufrauen bis die Deck-Schicht wirklich matt ist. Das gleiche gilt bei der Platte des D-Ringes. Diese ebenfalls mit grobem Schleifpapier stark aufrauen.
Bei Boot und D-Ringplatte muss also die glatte, speckig glänzende Oberfläche gänzlich weg sein und anschließend vorsichtshalber entfettet werden (wegen Finger-Tapper; z. B. mit Aceton) – schweißtreibende Arbeit, wenn man's sorgfältig macht.

Den Kleber gut ablüften lassen. Dies zumindest beim PVC/Vinyl-Kleber für Royalex, aber letztendlich auch abhängig was für „Zeug" man benutzt – Kleber ist häufig bei den Ankerplatten gleich dabei, wie z. B. „Vynabond".
Je nach Klebstoff hat man nur einen Versuch, d. h. die D-Ringplatte muss gleich beim Ansetzen in die richtige

Position gebracht werden und das möglichst so, dass hinterher keine Lufteinschlüsse drin sind, eine nachträgliche Korrektur/Verschieben ist meist nicht möglich.
Anschließend Klebestelle sofort fest anpressen/andrücken. Dazu beispielsweise punktförmig auf die Ankerplatte treten.

Für die Arbeit würde ich mir einen warmen trockenen Tag aussuchen, bei nasskaltem Wetter könnte das Ergebnis der Kleberei unter Umständen enttäuschend ausfallen – oder man macht es in einer entsprechend temperierten Garage.

Anmerkung:
Wie oben schon erwähnt, funktioniert die beschriebene Vorgehensweise in der Regel auch bei den „Light"-Ausführungen von Royalex (R84-Royalite, R-Light, Royalex-Light etc.), da die Hersteller innen ebenfalls meistens eine Abschluss-Schicht aus Vinyl aufbringen, um ein „Outfitten" der Boote zu ermöglichen. Speziell bei „Royalex-Light" ist dies generell gewährleistet.

Hilfe beim Ausrüsten des Bootes mit Zubehör/ Bezugs-Quelle für spezielle Ausrüstung

In den letzten Abschnitten war mehrfach von speziellen Ausrüstungs-Gegenständen die Rede, die sich in der Praxis als sehr nützlich erweisen, aber nicht oder nur schwer in den Paddel- und Outdoor-Läden erhältlich sind.
Nicht jeder hat die Möglichkeiten oder das Know-how diese Gegenstände selbst herzustellen und dann fachgerecht ins Boot einzubauen.

Hierzu zählen z. B. die erwähnte Abdeckplane für's Gepäck, Kniepolster, Kniegurte, Veränderungen an den Sitzen für ausreichend Beinfreiheit, das Einkleben von D-Ringen, Befestigung von Fangschlaufen, Halterungen für Gepäcktonnen u. v. m.

Selten ist ein Boot ab Hersteller/Händler wirklich perfekt „outgefittet“ (=> Tragejoch, Position/Lage Sitze, nützliche Kleinigkeiten wie Gummischnur auf den Oberdecks im Bug/Heck, …).

In all diesen Fällen kann Euch folgende Adresse wei-ter-helfen:

Georg Petz
Battnerstr. 17
D-71701 Schwieberdingen
eMail: georg.petz@web.de

Georg's Logo

Er rüstet Euer Boot ganz nach Euren Wünschen und Bedürfnissen individuell aus oder um.

Sollte Euch der Kunststoff-Süllrand Eures Bootes nicht mehr gefallen, kann er ihn durch einen edlen Holz-Süllrand ersetzen.

Bei manchen Dingen muss natürlich für Anpassungsarbeiten das Boot zu ihm in den Raum Stuttgart/Ludwigsburg. Transport-Probleme lassen sich eventuell in Verbindung mit einem Paddel-Kurs bei ihm lösen.

Nützliche Ausrüstungs-Gegenstände:

Fangschlaufe + Bootsleine

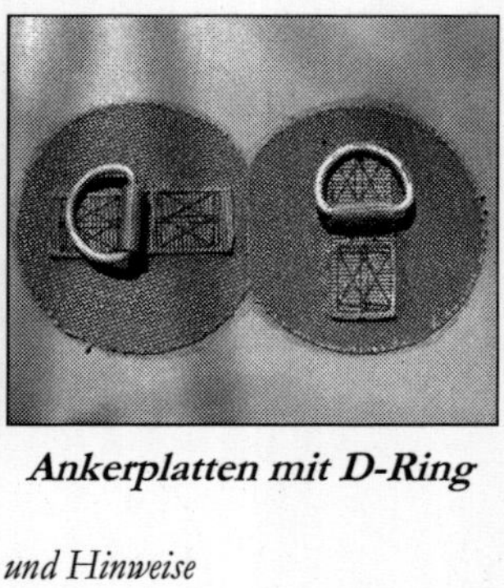

Ankerplatten mit D-Ring

Weitere nützliche Ausrüstungs-Gegenstände:

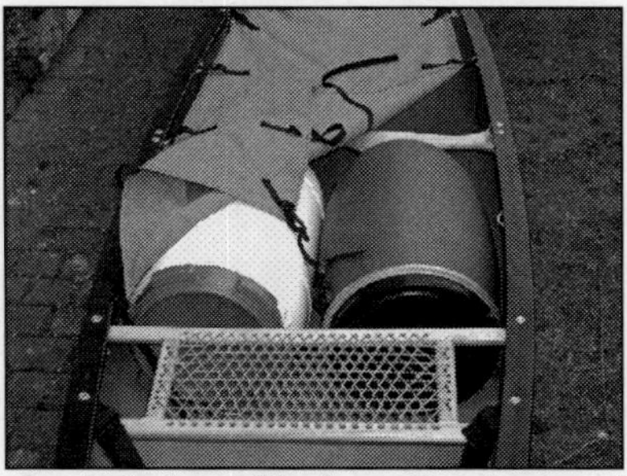

Gepäckplane für den „Frachtraum"

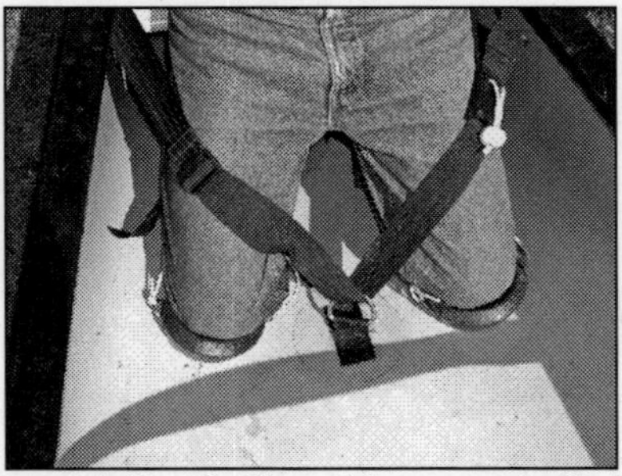

Kniegurte mit Panik-Verschluss, sowie Kniepolster

Befestigung Gepäcktonne vorne im Bug

Weitere Dinge aus dem Bastelkeller von Georg sind z. B. der schon legendäre universelle und praktische „Outdoor-Ofen“ für Holzfeuerung. Siehe hierzu das extra Kapitel „***Outdoor-Holzofen***“.

Kenterung – typische Ursache

Hände weg vom Süllrand!!!
Kommt eine etwas schwierigere, anspruchsvollere Passage in Sicht (Stromschnelle), sich nicht vor lauter Angst und Ehrfurcht am Süllrand festhalten (auch wenn einem der Instinkt dazu rät), sondern die Hände gehören immer ans Paddel und das Paddel ins Wasser. Auch wenn der angewandte Paddelschlag dann nicht unbedingt der richtige sein sollte.
Hält man sich dagegen am Süllrand fest, ist eine Kenterung fast unvermeidlich und hat nur riesiges Glück, wenn es nicht passiert. Man zieht sich nämlich dabei das Boot quasi wie eine Bettdecke über den Kopf.
Nur zum Einsteigen mit Hilfe der Paddelbrücke sollte man sich am Süllrand festhalten. Siehe hierzu das Kapitel „***Das Stechpaddel***“.

Verhalten bei Kenterung

Bei einer Kenterung Boot und Paddel nicht einfach davon schwimmen lassen, sondern beides fest im Griff behalten – es sei denn, es droht eine besondere Gefahr (Wasserfall o. ä.). Dieses Verhalten wird man in der Regel als Anfänger nicht an den Tag legen und muss trainiert werden.

Deshalb nach dem ersten Schock der Kenterung sofort nach Boot und Paddel umschauen und danach greifen. Selbst in schwerem Wildwasser ist alles noch in Griffweite.

Boot immer voraus schwimmen lassen und sich an der hinteren Fangschlaufe festhalten (in Fließrichtung des Gewässers gesehen). Droht ein Aufprall auf Felsblöcke oder Steine wirkt das Boot als Prellbock.
Wegen Verletzungs- und Einklemm-Gefahr nie vorne(!!!) am Boot festhalten. Näheres hierzu in den Kapiteln „***Schwimmen im Wildwasser***" und „***Der Wurfsack***".

Auf keinen Fall das Paddel über eine Schnur mit dem Körper oder dem Boot verbinden/sichern.
Beim Kajak-Fahren auf Küstengewässern ist dies übliche Praxis und dort auch o. k., aber nicht beim Canadier-Fahren auf Bächen/Flüssen oder gar im Wildwasser.

Falls eine Kollision mit einem großen Stein/Fels nicht mehr zu vermeiden ist und Ihr quer zur Strömung davor zu liegen kommt, sich nicht stromaufwärts von dem Hindernis abwenden. Dies wird man wohl instinktiv machen wollen, ist aber **falsch!!!**
Kantet Ihr nämlich das Boot flussaufwärts, flutet die Strömung sofort das Boot und wickelt es in Bruchteilen von Sekunden durch den ungeheuren Strömungsdruck um das Hindernis. Euer schöner Canadier ist hinterher nur noch Schrott und Ihr werdet u. U. im Boot eingeklemmt und unter Wasser gezogen. Das ist extrem gefährlich – Lebensgefahr!!!

Das gleiche gilt auch, wenn man quer vor einen im Stromzug liegenden Baum oder Holzverhau gerät. Kantet man das Boot flussaufwärts, wird es geflutet, umgerissen und zusammen mit Euch unter den Baum oder Holzverhau gezogen.

Darum in solchen Fällen immer flussabwärts(!!!) kanten und das Hindernis quasi „umarmen". Die Strömung gleitet so links/rechts am Rumpf Eures Bootes vorbei und Ihr habt Zeit zu überlegen, wie Ihr Euch aus der misslichen Situation befreien könnt oder die Kameraden zur Hilfe eilen.

Übrigens nebenbei bemerkt: „Blue Jeans“ sind als Paddler-Kleidung überhaupt nicht zu empfehlen, da sie nur sehr widerwillig trocknen, falls sie nass geworden sind.
Gut bewährt hat sich beispielsweise Baumwoll-Polyester Mischgewebe (40/60%), das sehr schnell trocknet, wie z. B. das G-1000 Gewebe von Fjällräven, bzw. andere Firmen haben vergleichbare Materialien im Angebot.

Ausleeren Boot

Nach einer Kenterung wird man üblicherweise versuchen, das Boot und die Besatzung am Ufer wieder startklar zu machen.
Ist das Boot mit Wasser vollgelaufen, nicht versuchen, es zum Ausleeren an Land zu zerren. Dies ist kaum zu schaffen, da ein voller Wander-Canadier ca. gute 800 bis 1000kg wiegt. Zudem wäre das anschließende Umkippen über den Süllrand zum Leeren auch für das robusteste Material eine Tortur.

Daher das vollgelaufene Boot ggf. im Wasser drehen, so dass es kieloben schwimmt, wie eine Kuchen-Form nach oben anheben und möglichst erst oberhalb der Wasser-Linie wieder drehen. Rest-Wasser kann dann ggf. an Land ausgeschüttet werden.
Es gibt auch verschiedene Methoden ein Boot mitten im Wasser auszuleeren und wieder einzusteigen (z. B. auf Seen). Siehe hierzu das Kapitel „***Kenterung auf Flachwasser***“.

Namen und Adresse

Namen, Adresse und Telefon-Nummer ins Boot, auf das Paddelblatt und den Wurfsack schreiben (z. B. mit wasserfestem „Edding" Filzschreiber).
Dies hilft bei Verlust am Bach und erschwert den Diebstahl.

Reserve-Paddel

Bei größeren Unternehmungen immer ein Reserve-Paddel mitführen (besonders auf großen Gewässern/Seen) und im Boot gegen Verlust sichern (festbinden).

Schwamm/Schöpfkelle

Ein Schwamm leistet zum Sauber- und Trockenhalten des Bootes gute Dienste.
Diesen ggf. an einer dünnen Schnur befestigen. Die Schnur sollte aber wirklich dünn sein und wegen der Gefahr des Hängenbleibens bei einer Kenterung notfalls reißen können.
Im Wildwasser wird auch eine Schöpfkelle zum Entleeren überflüssigen Wassers während der Fahrt nützlich sein.

Brillenband

Brillenträgern wird dringend ein Brillenband gegen den Verlust des Nasen-Fahrrades empfohlen.
Schon manchem Paddler bzw. Paddlerin hat der Verlust der Brille bei einer Kenterung, oder durch Bäume/Büsche/Zweige etc. im Flusslauf, viel Geld gekostet.

Sonnenschutz

Zur Vermeidung von Sonnenstich und Sonnenbrand auf dem Wasser durch die besonders intensive Sonneneinwirkung und UV-Bestrahlung (Reflexion durch das Wassers), ist ein Hut/Mütze und eine Sonnenbrille kein Luxus – und zum Schutz vor Zecken. Siehe hierzu auch das Kapitel „***Kopfschutz***“.

Schutz vor Stechmücken (Moskitos und Black Flies (Kriebelmücken))

Manch einen von Euch wird es zu Paddel-Touren in den Norden ziehen – egal ob der Norden Europas oder Nord-Amerikas. Dann gewinnt das Thema Mückenschutz ganz schnell an Bedeutung.
Der Schutz vor den fliegenden Plage-Geistern muss allerdings etwas differenziert betrachtet werden.

Die „normalen“ Stechmücken (Moskitos; in Skandinavien unter „Mygg“ bekannt) sind langbeinige zarte Geschöpfe. Sie setzen sich einfach oberflächlich auf den menschlichen Körper und versuchen dann mit ihrem langen Rüssel zu stechen.
Trägt man darunter eng gewebte Kleidung, durch die der Rüssel nicht passt, ist das kein Problem. Dies z. B. bei dem G-1000 Gewebe von Fjällräven, andere Hersteller haben vergleichbare Materialien im Programm.
Ist das Gewebe nicht eng genug gewebt (z. B. Strümpfe), oder eben direkt auf der nackten Haut, haben die „Rüssel-Viecher“ leichtes Spiel.
Unter die Kleidung kriechen die Moskitos jedoch nicht.

Die Black-Flies (Kriebelmücken; in Skandinavien unter „Knott“ bekannt) dagegen sind winzig klein, einzeln fast

nicht zu sehen. In Relation zur ihrer Größe verfügen sie über einen mächtigen Kiefer.
Sie stechen nicht durch die Kleidung (egal ob grob oder eng gewebt), dafür kriechen sie unter die Kleidung und beißen dann recht unangenehm.
Um dieses „Hineinkriechen“ zu verhindern (auch Nase/ Ohren sind da nicht sicher), muss die Kleidung ganz eng anliegen und darf keine Schlupflöcher haben (=> z. B. keine Hosentaschen mit Netzgewebe, Hemden-Ärmel abdichten).

Bei der Wahl der Kleidung müssen also beide(!) Aspekte berücksichtigt werden.
Ein Moskito-Netz (z. B. zum Schutz des Kopfes) muss entsprechend ebenfalls sehr eng gewebt sein (Maschenweite).
Die Moskito-Netze der Zelte entsprechen üblicherweise diesen Anforderungen.
Zum Schutz der Hände kann beispielsweise preiswert auf Gummi-Handschuhe zurückgegriffen werden.

Sehr guten Schutz vor lästigen Mücken bieten Plätze an denen ein leichter Wind weht. Ein rauchendes Lagerfeuer beeindruckt die blutrünstigen Viecher allerdings weniger.

Hervorragende Dienste leisten spezielle „Bug-Shirts“ (Mückenhemd)

Ein Paddel-Kamerad gut geschützt beim Salat „schnippeln“

Duct Tabe/Reparatur-Material allgemein

Für behelfsmäßige Reparaturen unterwegs (egal ob Boot, Paddel oder Camping-Ausrüstung) empfiehlt sich die Mitnahme des legendären „Duct Tape“ Gewebe-Klebebandes („Panzerband“; hat meist silbrige Farbe).
Aber Achtung: Nicht zum behelfsmäßigen Verschließen von Löchern/Rissen bei Falt-Canadiern (Ally oder Pakboat) und Schlauch-/Luft-Canadiern verwenden.
Die Klebstoff-Reste erschweren eine spätere fachgerechte Reparatur mit Reparatur-Flicken, bzw. können das Ergebnis in Frage stellen.

Ebenfalls nützlich können Kabel-Binder sein, sowie das schon mehrfach erwähnte „Seam-Grip“. Letzteres zum verschließen von Löchern in Zelt, Tarp, selbstaufblasenden Iso-Matten (z. B. Therma-Rest), Neopren-Anzug, …
Ein universell einsetzbares Schweizer-Offiziersmesser und/oder ein Multifunktions-Werkzeug (z. B. „Leatherman“-Tool), runden die Notfall-Ausrüstung ab.

Begegnung mit Anglern

Wir Paddler sind bei vielen Anglern nicht besonders gut angesehen. Deshalb jede unnötige Provokation vermeiden und höflich miteinander umgehen.
Wenn erkennbar ein Angler am Ufer steht, auf die andere Uferseite wechseln und leise und ohne unnötige „Paddelplanscherei“ passieren. Ein höflicher Gruß „Petri heil“ wird auch nicht schaden.
Ist der Angler vorher nicht zu sehen gewesen, so gut es geht seiner Angelschnur ausweichen und sich bei ihm entschuldigen. Ihr könnt zwar nichts dafür, nehmt aber die Luft aus einer möglichen verbalen Auseinandersetzung.

Öffentliche Wasserstraßen – Kennzeichnung des Bootes/Wellengang

Auf öffentlichen Wasserstraßen (z. B. Rhein, Main, Mosel, Neckar, Weser usw.), also Flüsse auf denen Binnenschifffahrt betrieben wird, ist die Kennzeichnung von Kleinfahrzeugen vorgeschrieben.
Zudem beim Paddeln die Binnenschifffahrtsstraßenordnung und die Schifffahrtspolizeiverordnungen beachten. Bei Unsicherheit ggf. die Wasserschutzpolizei um Rat fragen. Kajaks und Canadier sind Klein(st)fahrzeuge, sie zählen nicht zu den Sportbooten.

Seit Februar 1995 ist die amtliche Kennzeichnungspflicht für Kleinfahrzeuge neu geregelt. Sie schreibt nun vor:

- Außen: Bootsname (in ca. 10 cm hohen Buchstaben)
- Innen: Name und Anschrift des Eigentümers
- Freiwillig: Vereins-/Verbandsbezeichnung

In der Zeit von Sonnenunter- bis Sonnenaufgang und bei schlechten Sichtverhältnissen, z. B. Nebel, starker Regen etc., ist bei Kleinfahrzeugen ohne Motorantrieb ein weißes Rundumlicht einzuschalten (bei Annäherung anderer Fahrzeuge).

Nicht unterschätzen(!!), dass die Binnenschiffe (Frachter, Personendampfer) und Motorboote recht unangenehmen Wellengang verursachen können.
Die Wellen dann immer im rechten Winkel „nehmen", auch wenn das Boot dabei in die Wellen einstechen und etwas Wasser den Weg ins Boot finden sollte.
Kommen die Wellen parallel zum Boot oder durchfahrt Ihr die Wellen in schrägem Winkel, können diese Euch sehr leicht umwerfen und kentern lassen.
Und immer daran denken: Hände weg vom Süllrand wenn's etwas knifflig wird!!!

Befahrungs-Regelungen auf Gewässern

Leider sind die Zeiten längst vorbei, in denen man nach Herzens-Lust sein Boot nehmen und es nach Lust und Laune auf einem beliebigen Bach zu Wasser lassen konnte. Aus Gründen des Naturschutzes, wegen Massen-Tourismus (Problem v. a. die großen Vermietboot-Flotten), Interessen-konflikten mit Anglern etc., sind sehr viele unserer heimischen Bäche, egal ob in Deutschland, Österreich, Schweiz, Frankreich, …, mit Befahrungs-Reglementierungen bzw. Befahrungs-Verboten belegt.

Die einzelnen Vorschriften sind zum Teil recht kompliziert, zum Teil schon als schikanös zu bezeichnen, wie beispielsweise Befahrung abhängig von Jahreszeit und/oder Wasserstand, Wochentag, Uhrzeiten, nur bestimmte Einsatz-Stellen, bestimmte Fluss-Abschnitte, Art und Anzahl der Wasserfahrzeuge, Vorab-Genehmigungen, Entrichtung von Gebühren usw.
Um nicht in Konflikt mit diversen Behörden oder Anglern zu geraten empfiehlt es sich, bei der Touren-Planung sorgfältig die jeweils aktuellen Befahrungs-Regelungen zu recherchieren. Infos beispielsweise auf der Internet-Seite des „Deutschen Kanu-Verbandes“ (= DKV; www.kanu.de) oder sich vor Ort zu informieren.

Wenn Herbst und Winter Einzug halten, ist es auf den Flüssen und Bächen am beschaulichsten

ALLGEMEINE GEFAHRENHINWEISE !!!

Größte Vorsicht ist geboten an:

Wehranlagen, Sohlschwellen, Mühlenkanälen, niederen Brücken, überhängenden oder umgestürzten Bäumen, Unterspülungen, bei Dunkelheit, bei Hochwasser, auf Seen etc. Bei Fehleinschätzung können dies tödliche Fallen sein.

Besonders ansonsten harmlose heimische Wald- und Wiesen-Bäche sind bei Hoch-Wasser kein Terrain für „Pseudo"-Wildwasser-Fahrten, sondern bergen besonders viele Gefahren, wie beispielsweise Stromzug über die gesamte Flussbreite, keine beruhigten Zonen/keine Kehrwasser, unterspülte Bäume und Sträucher, niedrige Stege und Brücken, tödliche Sohlschwellen und Wehre, ... – gefährlicher als mancher Wildbach in den Alpen.

⇒ Im Zweifelsfalle immer auf eine Befahrung verzichten!!

⇒ Grundsätzlich immer eine Schwimmweste tragen!!

Gefährliche/unbekannte Stellen vorher erkunden

Auf Fließgewässern, also auf Flüssen und Bächen mit Strömung, sich alle gefährlichen und unbekannten Stellen vor der Befahrung genau ansehen und dann erst fahren. Dazu rechtzeitig vor der Gefahrenstelle gegen die Strömung am Ufer anlegen, das Boot gut vertäuen und sich die Sache erst mal zu Fuß anschauen, ob eine gefahrlose Befahrung überhaupt möglich ist und wie – sich also nicht unschlüssig weitertreiben lassen und am Süllrand Schutz suchen. Übrigens grundsätzlich immer gegen die Strömung An- und Ablegen.

Was sind potentielle Gefahrenstellen? – von Anfängern werden sie häufig gar nicht als solche erkannt.

Dies sind:

- Generell alle Stellen, bei denen der weitere Fluss-Verlauf nicht mehr einzusehen ist oder der weitere Verlauf des fließenden Wassers.

- Beispielsweise bei engen Kurven oder Biegungen, der weitere Fluss-Verlauf ist dann nicht mehr einzusehen. Dahinter kann ein umgestürzter Baum oder Holzverhau lauern – das ist überaus gefährlich.

- Beispielsweise an Stufen o. ä., wenn keine ersichtliche Strom-Zunge durchzieht. Da ist dann der weitere Verlauf des fließenden Wassers nicht zu sehen.

- Passagen mit plötzlich weißem und „hüpfendem" Wasser.

- Ggf. Schwall-Strecken: Ist beispielsweise die Strecke zu heftig für den Beladungszustand des offenen Canadiers, d. h. besteht die Gefahr des „Abfüllens".

- Stellen, die man schon von weitem rauschen hört, aber nicht einordnen kann:
  Ist es eine Stufe oder Absatz?, ein Wehr?, ein Schwall?, ein Wasserfall?, eine Sohlschwelle?, ein quer liegender Baum?, ein Verhau aus Baumstämmen?, ...

- Passagen mit umgestürzten Bäumen im Flussbett (engl. Sweeper) oder Holzverhauen (engl. Log Pile). Umgestürzte oder halb umgestürzte Bäume deren Äste wie ein Rechen im Wasser hängen, sind sehr gefährlich.

Besonders bei Touren in Nord-Amerika stellen die „Sweepers“ und die „Log-Piles“ eine zusätzliche große Gefahr dar.

- Wenn allgemein eine freie Durchfahrt nicht gegeben ist: Erst die Stelle anschauen, dann Fahr-Taktik überlegen und mit dem Paddel-Partner genau absprechen, damit es später beim Paddeln dieser Passage zu keinen Missverständnissen kommt, z. B. wo sind Steine?, wo ein Kehrwasser?, muss eine Seilfähre gefahren werden?, usw. Im Zweifelsfalle ist es sicherer zu umtragen, dies ist keine Schande – lieber einmal mehr, als einmal zu wenig.

- Im Wildwasser-Bereich generell alle unbekannten Stellen vorher erkunden.

- Generell alle Wehranlagen/Staustufen/Sohlschwellen etc. Anfänger erkennen die tödlichen Rückläufe an Staustufen und Sohlschwellen in der Regel nicht oder halten diese für harmlos.
  Um sich nicht aus Unkenntnis einer großen Gefahr auszusetzen, am besten alle diese künstlichen Verbauungen umtragen, auch wenn diese „läppisch“ aussehen mögen.

Und immer bedenken, dass wir in einem über 5 m langen, satt beladenen Boot zu zweit unterwegs sind – nicht solo in einem kleinen wendigen und robusten Kajak aus „Plastik“.

Zweifelsfälle immer umtragen!!

Befahren von Wehren

Mit einem Canadier sollten, wenn überhaupt, nur Wehre mit einer Boots-Gasse bzw. Boots-Rutsche befahren werden. Wenn eine Gruppe Kajakfahrer (oder auch andere Canadierfahrer/Paddler) ein Wehr befahren, nicht einfach blindlings nachfolgen weil:

- Das können unerfahrene Gelegenheits-Paddler sein, die sich der Gefahr in die sie sich begeben, gar nicht bewusst sind, auch wenn die Boote und ihre Fahrer in Ehren ergraut aussehen.

- Das können Experten sein, die sich das aufgrund ihres fahrerischen Könnens und ihrer Erfahrung zutrauen können, aber nicht „Du".
  Bei der Durchfahrt eines Wehres können beispielsweise ein paar Zentimeter weiter links oder rechts bezüglich tödlicher Rücklauf oder Strom-Zunge entscheidend sein.

- Anfänger erkennen die tödlichen Rückläufe an Staustufen und Sohlschwellen in der Regel nicht, oder schätzen diese zu harmlos ein.

- Ein Canadier ist kein Kajak!!!

Wo ein Kajak laut rumpelnd runterschruppt, ist das für einen Canadier aufgrund seiner Länge, des Gewichts und anderer Boots-Materialien eine einzige Material-Schlacht und Tortur. Dies auch für die hochwertigsten und teuersten Materialien.

Zudem ist die Gefahr des Kenterns enorm groß, wenn das Unterwasser nicht sehr tief ist. Wegen der Länge des Canadiers sitzt er mit dem Bug auf dem Grund des Unterwassers auf, und mit dem Heck an der Schräge des Wehres – das Boot hat dann nur noch an zwei Stellen eine punkt-

förmige Auflage. Die Kipp-Gefahr ist in dieser Lage sehr groß und ein Stützen kaum möglich.
Übrigens gibt es in Paddler-Läden spezielle Bootswagen in verschiedenen Größen und Ausführungen, die bei den lästigen Umtragungen in vielen Fällen hilfreich sein können.

Ist eine Befahrung unumgänglich (z. B. keine Möglichkeit zum Umtragen oder wegen Privatbesitz), ist dies in der Regel nur an einem Schrägwehr möglich (aber vorher unbedingt anschauen!!).
Die Wehrkrone zügig überfahren, damit man nicht an ihr hängen bleibt und sich die Material-Belastung für den Canadier an dieser Stelle in Grenzen hält (=> sehr lange Hebelarme – schließlich sitzt man zu zweit im Boot; ein GFK-Boot kann dabei schon mal brechen).
Das Wehr immer im rechten Winkel befahren, nie quer herunter rutschen.
Zum Thema Wehr und ggf. erforderlichen Rettungsmaßnahmen dort siehe das Kapitel „***Wehre***“.

Größte Vorsicht aber auch bei Boots-Gassen bzw. Boots-Rutschen. Diese Anlagen sind nicht von Paddlern konstruiert. Teilweise sind sie absolut unbrauchbar oder sogar sehr gefährlich. Deshalb vor der Benutzung genauestens anschauen und ggf. auf eine Befahrung verzichten. Eventuell sind sie wenigstens zum Treideln geeignet.

Seen/Windempfindlichkeit

Ein Canadier ist leider grundsätzlich ein sehr windempfindliches Gefährt. Schon relativ geringer Wind von vorne oder der Seite ist auf Bächen/Flüssen bereits überaus unangenehm, auf Seen kann dies jedoch sehr gefährlich werden.

Unterschätzt nicht die Gefahr schlagartig auftretender hoher Wellen auf Seen, oder starker Dünung in Ufer-Nähe. Still daliegende Seen können von einer Minute auf die andere zum tosenden Meer werden und ein Canadier wird dann zum Spielball des Windes. Mit der Größe des Sees nimmt diese Gefahr ebenfalls immer mehr zu.
Deshalb auf Seen stets in Ufer-Nähe bleiben, auch wenn dies mit einem erheblichen Umweg verbunden sein sollte, sowie bei der Touren-Planung möglichst große offene Wasser-Flächen/große Seen meiden.

Bei Wind auf Seen, aber auch auf Fließ-Gewässern, den Schwerpunkt des Gewichtes (Gepäck/Personen) verlagern, also die Trimmung des Bootes verändern (Wetterfahnen-Effekt ausnutzen) und wie ein Segelschiff gegen den Wind und die Wellen kreuzen, also quasi das Prinzip der Seilfähre nutzen. Konkret bedeutet dies:

Kein Wind:
Boot waagrecht im Wasser, d. h. Gewicht des Gepäcks gleichmäßig verteilt, also Schwerpunkt in der Mitte.

Wind von vorn:
Schwerpunkt nach vorne verlagern, also mehr Gepäck in den Bug-Bereich.

Wind von hinten:
Schwerpunkt nach hinten verlagern, also mehr Gepäck in den Heck-Bereich.
=> Immer an den Wetterfahnen-Effekt denken.

Wind von der Seite:
Trimmung unverändert lassen, bzw. eventuell etwas nach hinten verlagern (aber nur sehr moderat).
Unter Umständen ausnahmsweise(!!!) beide Paddler auf der gleichen Seite paddeln. Aber nur sehr versierte Fahrer, größte Vorsicht dabei; dies ist eine große Ausnahme von der an sich eisernen Regel, dies nie zu tun!!

Auf großen Wasser-Flächen/Seen kann eine Persenning/ Spritzdecke hilfreich und empfehlenswert sein, um die Angriffsmöglichkeiten des Windes am Boot stark zu reduzieren, da der Wind dann nicht mehr im Boot angreifen kann.

Stehen überwiegend Touren über große Seen oder gar im Küsten-Bereich (Salzwasser-Paddeln) auf dem Programm, würde ich mich persönlich eher mit der Materie See-Kajak oder alternativ dem klassischen Faltboot auseinandersetzen. Ein Canadier ist dafür doch nur sehr bedingt geeignet.

Einschätzung der Schwierigkeiten auf Fließgewässern/Bewertungsskala

Die Angaben zur Schwierigkeit von Paddel-Touren in Führern, Büchern, Berichten etc. immer nur als groben Anhaltspunkt betrachten.
Üblicherweise beziehen sich die Schwierigkeitsangaben in guten Flussführern auf einen sogenannten „Mittelwasser"-Stand, und basieren auf der international üblichen 6-stufigen Bewertungs-Skala.
Ein höherer oder niedrigerer Wasserstand kann allerdings das Gesicht eines Flusses stark verändern und zu erheblich anderem Schwierigkeitsgrad führen – also größte Vorsicht!!

Fragt sich nur, wo ich den jeweiligen Wasserstand abrufen kann (Pegel) und wie denn der normale „mittlere" Wasserstand eines bestimmten Flusses überhaupt definiert ist. Auf der Internet-Seite des „Deutschen Kanu-Verbandes" (= DKV; www.kanu.de) können Pegel-Infos abgerufen werden.
Die Bewertungen zur Schwierigkeit in Touren- und Reiseberichten etc. basieren dagegen häufig auf dem Wasserstand, den der betreffende Autor vor Ort erlebt hat. Da können je nach vorgefundenen Bedingungen schon erhebliche

Differenzen auftreten.
Seit wachsam, wenn Ihr Euch mit Kajakern über die zu erwartenden Schwierigkeiten auf einem Fluss unterhaltet. Ein Kajaker kann sich nicht in einen 5 Meter langen offenen Wander-Canadier hineinversetzen. Immer daran denken, dass ein offener Canadier einfach nicht mit einem Kajak verglichen werden kann.
Manch ein Kajaker wird auch aus Überheblichkeit und falschem Paddler-Stolz angesichts unserer milde belächelten „Badewannen" kritische Stellen im Fluss als „läppisch" und „nicht der Rede Wert" abtun. Bitte dies jetzt aber nicht als generelle Unterstellung auffassen.

Deshalb den Angaben von fremden Leuten, die nicht die gleiche Kategorie von Boot fahren wie wir, bzw. die generell Laien in diesem Metier sind (z. B. hilfsbereite Einheimische, aber ansonsten paddeltechnisch unerfahrene Personen), nicht blindlings vertrauen.
Stets kritische Stellen auf einem Fluss vor der Befahrung selbst vorher zu Fuß erkunden und sich eine eigene Meinung und Einschätzung bilden.

Bei der offiziellen Einschätzung von Schwierigkeiten müsste für unsere Belange eigentlich noch stärker differenziert werden zwischen Wasserwucht (starke Strömung und viel Wasservolumen mit den damit verbunden Gefahren und Schwierigkeiten) und technischer Paddelei (z. B. Verblockung des Flusses durch Hindernisse wie Steine und den damit verbundenen Anforderungen).
Die derzeit noch gültige 6-stufige Schwierigkeitsbewertung wird in absehbarer Zeit v. a. in den oberen beiden Einstufungen V und VI Änderungen erfahren, in den unteren Bereichen in den wir uns aufhalten aber vermutlich unverändert bleiben.
Für „normalsterbliche" Leute in einem offenen Canadier liegt die Grenze des Machbaren in der Regel bei WW III.

Ein „X“ bedeutet in Fluss-Führern übrigens generell unfahrbar (für alle Boots-Typen).
Im Gegensatz dazu ist „Zahmwasser“ unschwieriges und ungefährliches stehendes, oder sanft strömendes Wasser.

Schwierigkeitsgrade im Wildwasser (WW):

Klasse I: Unschwierig
Regelmäßiger Stromzug, regelmäßige kleinere Wellen (ca. bis 30 cm), kleine Schwälle. Einfache Hindernisse im Flussbett. Die Durchfahrt ist ohne vorherige Besichtigung vom Boot aus erkennbar.

Klasse II: Mäßig schwierig
Unregelmäßiger Stromzug, unregelmäßige Wellen (ca. bis 1 m), mittlere Schwälle. Schwache Walzen, Wirbel und Presswasser. Einfache Hindernisse im Stromzug, kleinere Stufen.
Freie Durchfahrten, Route leicht zu erkennen.
Die Strömungsgeschwindigkeit erfordert u. U. bei einem Wander-Canadier stärkeres Rückwärtspaddeln

Klasse III: Schwierig
Zahlreiche hohe unregelmäßige Wellen, größere Schwälle, Walzen, Wirbel und Presswasser. Einzelne Blöcke und Stufen im Flussbett. Diverse Hindernisse im Stromzug. Route u. U. schwierig zu erkennen, die Stromschnellen erfordern in der Regel genaue vorherige Erkundung/ Besichtigung vor der Befahrung („Scouten“).
Teilweise sind aufwendige komplexe Fahr-Manöver erforderlich.
Im Normalfall die Grenze des Machbaren für einen offenen Canadier.

Klasse IV: Sehr schwierig
Hohe lang andauernde Schwälle, kräftige Walzen, Wirbel und Presswasser. Blöcke versetzt im Stromzug, höhere Stufen mit Rücksog. Kraftvolle und exakte Boots-Beherrschung erforderlich.
In der Regel kein Tummelplatz für einen offenen Canadier.

Klasse V: Äußerst schwierig
Extreme Schwälle, Walzen, Wirbel und Presswasser. Enge Verblockungen, hohe Gefäll-Stufen mit schwierigen Ein- oder Ausfahrten. Erkundung unerlässlich.
Nur etwas für Experten im C1 oder Kajak.

Klasse VI: Grenze der Befahrbarkeit
Im Allgemeinen unmöglich, auf jeden Fall extrem gefährlich.

Was ist ein Kehrwasser?

Schon des Öfteren ist der Begriff „Kehrwasser" gefallen. Was ist dies, und warum hat es für den Paddler auf Fließ-Gewässern eine so große Bedeutung?
Ein strömender Fluss mit geradlinigen Ufer-Rändern und ohne Hindernisse darin (also praktisch ein kanalähnlicher Lauf) hat eine weitgehend homogene Strömung. Dass die Strömung in der Mitte am stärksten ist und zu den Ufer-Rändern hin abnimmt, einmal außer acht gelassen.

Das Bild der Strömung ändert sich, wenn Hindernisse aus dem Wasser herausragen (z. B. große Steine/Felsbrocken, Brückenpfeiler, …), oder das Ufer Vorsprünge und Einbuchtungen aufweist.
Hinter diesen Hindernissen bzw. Vorsprüngen ist absolut ruhiges Wasser ohne jegliche Strömung, oder eine flussaufwärts gerichtete Strömung, das Wasser fließt also in umgekehrter Richtung => „Kehrwasser".

Die relativ scharfe Grenze zwischen der Strömung des Flusses und dem Kehrwasser ist die „Scherlinie“.

Der Paddler steuert Kehrwasser sehr gerne an, weil er sich in ihnen ausruhen kann, zum Warten auf nachfolgende Kameraden, zur weiteren Erkundung des Flusses, zum Ein- und Aussetzen, um eine komplizierte Stromschnelle Schritt für Schritt zu befahren usw.

Weitere Erklärungen zu speziellen Begriffen findet Ihr auf der Internet Seite „Kanu-Info-Isar“ von Christian Löhnert unter www.kanu-info-isar.de (=> „Begriffe“).

Als Laie in‘s Wildwasser?

Beginnt Eure Paddel-Karriere mit einfach und problemlos zu befahrenden Bächen und steigert den Schwierigkeitsgrad erst langsam mit zunehmender Paddelkunst.
So mancher Paddler oder Paddlerin die unvorbereitet und nicht korrekt ausgerüstet im Wildwasser ihr Glück versucht haben, haben durch das negative Erleben von Kälte und Wasserwucht einen Schock fürs Leben bekommen und rühren kein Paddel mehr an oder es ist zumindest das Thema WW tabu.

Dies sollte man auch im Hinterkopf behalten, wenn man im 2-er Canadier mit mangelnden Paddel-Kenntnissen den Paddelpartner- oder Partnerin ins WW überredet, obwohl diese von bewegterem Wasser gar nicht so angetan sind. In diesem Zusammenhang ist es für mich unverständlich, wie man absolute Laien mit miserablem Boots-Material tagtäglich auf der Ardeche in Frankreich auf die Reise schickt – dies würde ich als „Einstieg“ in die Paddelei niemandem empfehlen.

Neopren-Anzüge (Maßanfertigung/Reparatur)

Da wir im Canadier knien, ist eine dicke Polsterung bzw. robuste Ausführung im Kniebereich des Neopren-Anzuges ganz angenehm und praktisch.
Im Bereich der Knie-Kehlen ist dagegen wegen der lästigen, kneifenden Falten-Bildung eine möglichst dünne Materialstärke vorteilhaft.
Bei Anzügen von der Stange wird man das aber kaum vorfinden. Es gibt jedoch auch Neopren-Schneider, die für medizinische Anwendungen oder Taucher Anzüge auf Maß anfertigen.

Diese Anzüge sind häufig kaum teurer und derartige Sonder-Wünsche können berücksichtigt werden. Zudem kann Material-Qualität- und Stärke, sowie die Farbe weitgehend individuell ausgesucht werden. Am robustesten scheint mir das Material Lycra zu sein.
Maßanzüge sind ebenfalls empfehlenswert, wenn man nicht gerade über eine „Designer"-Figur verfügt.

Erhältlich z. B. bei:

Hans-Dieter Buse – Wasser-Sport-Freizeit
Im Reutle 12
D-71573 Allmersbach im Tal
(bei Ludwigsburg/Stuttgart)
Tel. 07191 / 52178 - Fax. 07191 / 59278
Internet: www.buse-neopren.de

Dort können außerdem Reparaturen durchgeführt werden (auch an Fremdfabrikaten).

Übrigens lassen sich Löcher, Anrisse etc. im Neopren dauerhaft und wirkungsvoll mit „Seam Grip" verschließen. Erhältlich z. B. im Outdoor-Fachhandel, Wasser- und Bergsport-Läden etc.

Rettungsdecke

Im Wildwasser trägt man üblicherweise immer einen Helm. Wenn man eine, in Folie wasserdicht eingeschweißte Rettungsdecke in den Helm zwischen den abfedernden Gurten und der Außenschale klemmt, hat man im Notfall immer sofort eine Rettungsdecke zur Hand.

Seile/Reepschnüre/Karabiner

Seile, Reepschnüre und Karabiner sollten aus Gründen der Sicherheit nicht einfach irgendwo gekauft werden (Baumarkt, Campinghandel), sondern nur in den Bergsport-Abteilungen der Sportgeschäfte oder den Spezialgeschäften für Skipper und Boote (z. B. Schwimmleinen).
Wurfsäcke gibt's natürlich nur in den Kanu-Fachgeschäften/Paddel-Läden. Jeder Wurfsack sollte mindestens mit einem Karabiner bestückt sein.

Die Karabiner für den Bergsport sind aus hochfestem Aluminium (= günstiges Gewicht) und sollten ein Prüfzeichen aufweisen (UIAA oder CE).
Karabiner, die in Paddel-Läden angeboten werden, entsprechen den Karabinern aus der Bergsteigerei. Von Karabinern aus dem Baumarkt sollte man dagegen die Finger lassen.

Beim Zuschneiden von Seilen/Reepschnüren etc. empfiehlt es sich, die Enden über einer offenen Flamme (Kerze, Feuerzeug o. ä.) zu verschmelzen, um ein Ausfransen zu verhindern.

Literatur

Eine empfehlenswerte Bett-Lektüre ist das Buch:

„Die Kunst des Kanufahrens – Der Canadier"
von Bill Mason
(bzw. Arno Gatz und Elmar Engel (deutsche Bearbeitung)). Es ist schlechthin „die Bibel" eines jeden Canadierfahrers vom „Stechpaddelpapst" Bill Mason, ein richtiger „Klassiker". Gatz Verlag; ISBN: 3-9803812-0-X; ca. 22,50 Euro.

Modernere und teilweise aktuellere Stechpaddel-Technik vermittelt jedoch inzwischen das Buch:

„Faszination Kanusport" von Garry & Joane McGuffin aus dem HEEL-Verlag (Text etc. in Deutsch).
ISBN 3-89365-849-1; ca. 35 Euro.

Eigentlich sollte man beide Bücher besitzen. Der „Klassiker" vermittelt nach wie vor sehr viele Informationen zum Thema „Wasser-Lesen", zur Strömungs-Lehre, zu Fahr-Taktiken bei komplexen Stromschnellen, u. v. m.

Kurse

Unerfahrenen Paddlern und Neueinsteigern sei dringend ein entsprechender Kurs bei einer dafür geeigneten Organisation empfohlen. Siehe dazu noch einmal die Definition von „Kanu" und „Canadier" in dem Kapitel „***Der Canadier***".
Es ist wahrlich am falschen Platz gespart, zweitausend Euro für ein funkelnagelneues Boot auszugeben und dann an ein paar Euro Kurskosten zu knausern.
Aber wie gesagt, nur bei einer dafür spezialisierten Institution. Ein Canadier erfordert eine gänzlich andere Paddeltechnik als ein Kajak, von der erforderlichen Harmonie im 2-er Canadier ganz zu schweigen.

Siehe hierzu ebenfalls das Kapitel „***Paddeltechnik***“.

In diesem Zusammenhang sind die Kurse für 2-er Canadier bei dem Verein
German Open Canoe e. V.
www.g-o-c.de empfehlenswert, die unter dem praxisorientierten Motto:

„***Paddeln lernen von Grund auf –***
mit wenigen aber effektiven Schlägen“
angeboten werden.

Ein zentrales Thema nimmt dabei die Harmonie im 2-er Canadier ein.
Dort kann auch erlernt werden, wie man im großen Wander-Canadier solo zurechtkommt.

Falls Ihr noch kein eigenes Boot haben solltet, tätigt keinen übereilten Kauf.
Bei den Kursen sind üblicherweise zahlreiche verschiedene Boots-Typen vertreten und Ihr könnt Euch einen Überblick verschaffen, welches Boot für Euch geeignet wäre und welches vielleicht lieber doch nicht.
Der Kursleiter kann Euch bei der Beschaffung eines geeigneten Leihbootes für den Kurs behilflich sein und auch beim „Outfitten“ Eurer Boote mit Rat und Tat zur Seite stehen.

Interessenten wenden sich am besten direkt an den Organisator der Kurse:

Georg Petz
Battnerstr. 17
D-71701 Schwieberdingen
eMail: georg.petz@web.de

Beim Wildwasser-Kurs für 2-er Wander-Canadier des GOC auf dem Lech

Fleißig wird beim Kehrwasserfahren die „Hohe Paddelstütze“ (Bild unten) und der „Übergriff“ (Bild oben auf nächster Seite) geübt und geduldig instruiert, bis die Paddel-Haltung, kanten und die Stellung des Bootes, Zeitpunkt und Ort des Paddel-Einsatzes, sowie viele weitere Faktoren perfekt in Harmonie mit dem Paddel-Partner ablaufen und „sitzen“.

„Hohe Paddelstütze“ beim Einfahren in die Strömung

„Übergriff " beim Einfahren ins Kehrwasser

Unterwegs im bewegteren Wasser

Übrigens gibt's einen Video von der WW-Schulung des GOC am Lech (kein Lehrfilm) von der Fa. SMP (Self Made Production) Foto- und Videoservice; Martin Schilasky; Am Teil 1; D-86949 Windach; Tel. und Fax 08193 - 371; eMail: martin_Schilasky@web.de

Passive Sicherheitsausrüstung

Schwimmweste

Definition

Unter dem landläufigen Begriff „Schwimmweste“ wird prinzipiell unterschieden zwischen:

- Rettungswesten und
- Schwimmhilfen

Rettungsweste

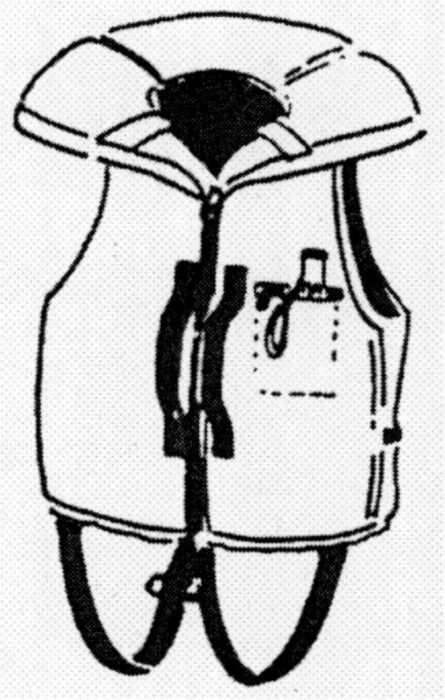

Rettungsweste

Kennzeichen der Rettungsweste ist der Kragen.
Bei einer Kenterung dreht sie den Schwimmenden automatisch auf den Rücken, so dass der Kopf, gestützt durch den Kragen, aus dem Wasser herausragt und auch dem Ohnmächtigen noch das Atmen ermöglicht.
Sie werden deshalb auch als „ohnmachtsichere“ Westen bezeichnet.
Die Rettungsweste hat vor der Brust Griffe, die ein schnelles Bergen ermöglichen sollen.

Rettungswesten unterliegen bestimmten DIN bzw. CE Vorschriften. Vorgeschrieben sind Halte- oder Berge-Griffe, Bein- oder Bauchgurt, Notsignalpfeife und Leuchtfarbe. Diese Art Weste ist üblicherweise in der Seefahrt verbreitet.

Für den Paddler sind sie nur bedingt geeignet, weil sie die Bewegungsfreiheit zu sehr einschränken. Vorteile mag sie eventuell bei der Überquerung großer Gewässer, also bei Touren über Seen bieten.
Kinder und auch Erwachsene die nicht schwimmen können, sollten allerdings unbedingt eine Rettungsweste tragen.

Bei Kindern auf jeden Fall eine Weste mit Bein-/ Schrittgurten verwenden und diese auch immer konsequent schließen!!!
Sonst können die Kinder im Wasser sehr leicht aus der, ansonsten geschlossenen Rettungsweste, nach unten herausrutschen – zumal man bei Kindern oft geneigt ist, die Ausrüstung etwas größer zu wählen.
Es nützt ja nichts, wenn die Schwimmweste schön oben schwimmt, der „Bengel“ aber rausrutscht und unter Wasser hängt.

Bei Kleinkindern keine „Pampers“, sondern Stoffwindeln verwenden, da das in den „Pampers“ eingeschlossene Luftvolumen so groß ist, dass das Hinterteil oben schwimmt und der stützende Halskragen nicht mehr wirken kann, d. h. um den Kopf über Wasser zu halten und ein Ertrinken zu verhindern.
Andererseits kann eine „Pampers“ durch aufgenommenes Wasser wieder so schwer werden, dass der erforderliche Auftrieb der Rettungsweste in Frage gestellt ist.

Schwimmhilfe

Was wir Paddler landläufig unter „Schwimmwesten" verstehen, sind im Grunde genommen nur reine Schwimm-Hilfen.

Um über Wasser zu bleiben, müssen entsprechende Bewegungen gemacht werden und sie bieten bei Ohnmacht keinen Schutz vor dem Ertrinken.

Dafür behindern sie weder beim Paddeln noch beim Schwimmen.

Schwimmhilfe

Die Größe des Auftriebs einer Schwimmhilfe ist ein wichtiger Wert für den Wassersportler. Davon abhängt ab, wie leicht es ihm fällt, den Kopf über Wasser zu halten, wenn er in den Wellen und Turbulenzen einer Stromschnelle seine unfreiwilligen Schwimm-„Übungen" absolviert.

Unterster Grenzwert für den Auftrieb sind so ca. 6 kg, besser allerdings ca. 8 bis 10 kg. Richtwert sind etwa mindestens 10 kg für 75 kg Körpergewicht.

Meist sind die Schwimmhilfen für den engagierten und routinierten Kajak-Fahrer im Wildwasser ausgelegt, also eher minimal dimensioniert, um möglichst viel Bewegungsfreiheit zu ermöglichen.

Wir Canadier-Fahrer im Wander-Boot können dagegen ruhig etwas mehr an Auftrieb für den Ernstfall vertragen.

Übrigens steuert der Neopren-Anzug einen nicht unerheblichen Auftrieb bei. Das sind ca. 4 kg, natürlich auch abhängig von Größe und dessen Materialstärke.
Trotzdem darf auf eine Schwimmweste natürlich nicht verzichtet werden. Auch die Schwimmhilfe sollte bestimmte DIN bzw. CE Vorschriften erfüllen.

Neben dem Auftrieb hat so eine Schwimmhilfe noch weitere **wichtige Aufgaben** zu erfüllen:

- Den Oberkörper vor Verletzungen an Felsen schützen (z. B. vor Rippen-Brüchen).

- Eine Unterkühlung des Körpers zu vermeiden, also einen gewissen Kälteschutz bieten.

- Rettern eine Zugriffs-Möglichkeit zu geben.

- Aufnahme selbstverständlicher Rettungs-Geräte, wie z. B. Bergeleine, Brustgurt, Signalpfeife, Messer.

Wobei wir jetzt bei der **Ausklinkweste** (Gurtweste) wären.

Ausklinkweste (= Gurtweste)

Die **Ausklinkweste** bietet zusätzliche passive und aktive Rettungs-Möglichkeiten.
Sie ist zwar ebenfalls nur eine Schwimmhilfe, hat aber zumindest einen breiten **Brustgurt**, der dazu dient, Rettungs-Leinen zu befestigen und ggf. sich bei Gefahr davon lösen zu können, d. h. Abwurfmöglichkeit des Brustgurtes über einen speziellen Panik-Verschluss.
Gute Westen sind mit diesem Brustgurt (= Bergegurt) und einer zusätzlichen **Bergeleine** (= T-Cowtail) kombiniert.

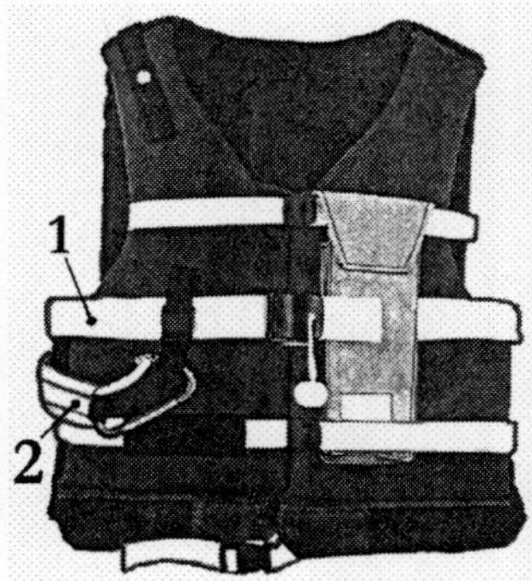

Beispiel für eine Ausklinkweste mit Brustgurt (1), sowie Bergeleine (2) mit Karabiner

Die Freigabe des Brustgurtes bzw. der Bergeleine erfolgt über die Griff-Kugel an der Klemm-Schnalle in der Mitte des Gurtes (= Panik-Verschluss).

Damit diese Verschluss-Schnalle bei Rettungs-Aktionen in der Lage ist, die auftretenden hohen Zugkräfte aufnehmen zu können, ist sie mit einer Mehrfach-Umlenkung des Gurtbandes ausgestattet.
Der Verschluss-Mechanismus selbst ist für Zugkräfte von mindestens 500daN = 5000 N = 500 kg ausgelegt, darf also nicht einfach von sich aus bei niedrigerer Belastung aufgehen.
Der Mehrfach-Umlenkung des Gurtbandes innerhalb des

Verschlusses kommt also große Bedeutung zu, die Klemm-Schnalle selbst wäre nicht in der Lage so hohe Zugkräfte aufzunehmen.

Im Wildwasser-Bereich sollten nur diese Ausklinkwesten Verwendung finden.
Es gibt sie entweder ausgeführt als Schlupfweste (nicht teilbar), oder geteilt mit Reißverschluss, oder zusätzlichen Gurtbändern und Schnallen für bequemes An- und Ablegen.

Anmerkung:

- Nicht jede Schwimmhilfe mit einem breiten Gurt in der Mitte ist jetzt aber automatisch eine derartige Ausklinkweste.
  Das Kennzeichen der Ausklinkweste ist der Brustgurt mit Klemm-Schnalle und Griff-Kugel (= Panik-Verschluss), sowie der Mehrfach-Umlenkung des Gurtbandes.

- Es ist bei Anfängern sehr häufig zu beobachten, dass sie zwar eine Ausklinkweste besitzen, die Mehrfach-Umlenkung des Gurtbandes aber nicht richtig anwenden und das Gurtband gleich durch die Klemmschnalle führen.
  In diesem Fall ist der Brustgurt bzw. die Schnalle aber nicht in der Lage, die geforderten hohen Kräfte von über 5000 N (entspricht 500 kg) zu übertragen!!
  Nachlässig aber auch von den Herstellern, hier keine entsprechenden Hinweise zur richtigen Handhabung mitzuliefern.
  Manche Hersteller haben das Problem so gelöst, dass automatisch richtig eingefädelt werden muss, damit ein Schließen generell überhaupt erst möglich wird.

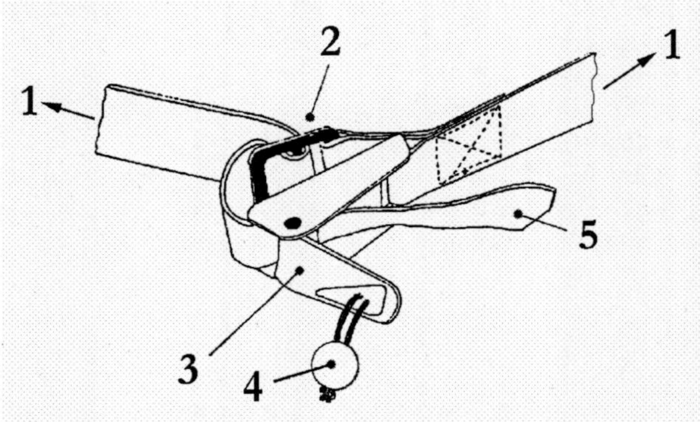

*1 = **Umlaufender Brustgurt***
*2 = **Mehrfach-Umlenkung***
*3 = **Panik-Verschluss mit Klapp-Deckel***
*4 = **Griff-Kugel für Auslösung***
*5 = **Loses/restliches Gurtband***

- Es wird sehr häufig der Klapp-Deckel der Klemmschnalle nicht korrekt/weit genug geschlossen. Den Klemm-Deckel immer bis zum laut und deutlich hörbaren Einrasten umklappen („Knöck").

Die Sicherheits-Ausstattung an der Gurtweste kann noch weiter ergänzt werden durch:

- Eine Triller-/Signalpfeife.

- Ein Messer für Rettungs-Aktionen, wie z. B. ein kleines Tauchermesser in stabiler Scheide oder ein mit einer Hand bedienbares Klapp-Messer.

Dies dient im Notfall beispielsweise zum Kappen von Seilen und Schnüren, dem Aufschneiden von Kleidung oder Schwimmwesten (Schlupfwesten) bei Erste Hilfe Maßnahmen etc.

Rettungsgurt

Steht eine derartige Weste nicht zur Verfügung, kann ersatzweise ein separater **Rettungsgurt** eingesetzt werden, der durch leichte Schulterträger gehalten und über der Schwimmweste getragen wird. Es ist also nicht unbedingt erforderlich, sich eine neue Schwimmweste zuzulegen.
Anmerkung:
Ob solche separaten Rettungsgurte in dieser oder ähnlicher Form noch im Handel erhältlich sind, kann ich jetzt allerdings nicht sagen.

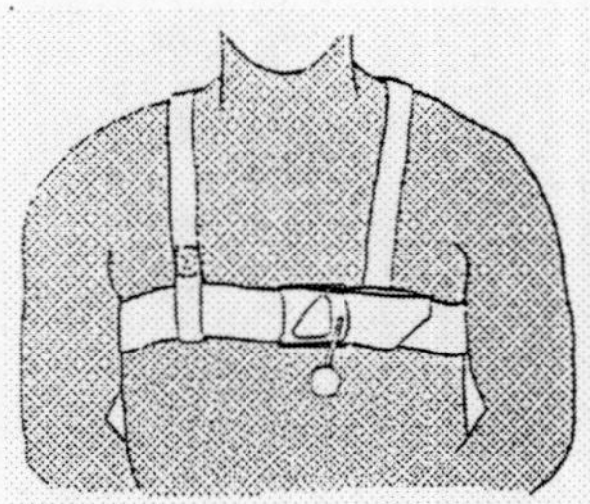

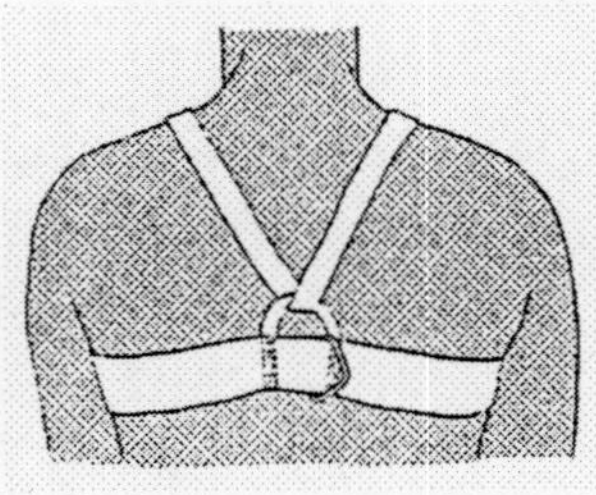

Rettungsgurt

Vorderseite mit Klemm-Schnalle und Griff-Kugel (= Panik-Verschluss)

Rückseite mit Metall-Ring zum Einklinken Wurfsack o. ä.

Funktion des Brustgurtes und der Bergeleine (T-Cowtail)

Der Brustgurt ist entweder in der Schwimmweste integriert (Ausklinkweste), oder es handelt sich um eine separat tragbare Ausführung.
Der starke und breite Perlon-Gurt umschließt den Oberkörper. Er ist vorne durch eine Klemme verschlossen, die im Panik-Fall über eine Griff-Kugel blitzschnell geöffnet werden kann.

Am Rücken trägt er einen Metall-Ring, in den mit einem Karabiner eine Leine (z. B. ein Wurfsack) eingeklinkt werden kann.
Wenn Gefahr droht (beispielsweise wenn man durch die Leine unter Wasser gezogen wird), kann durch öffnen des Panik-Verschlusses am Ablauf-Gurt der Ring freigegeben und die eingeklinkte Leine automatisch abgeworfen werden.

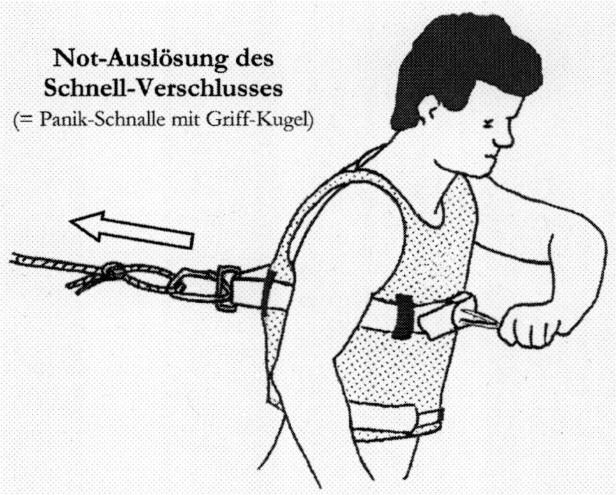

Aktive und passive Rettung

Dieser umlaufende Gurt dient sowohl der aktiven, als auch der passiven Rettung.

Bei der **passiven** Rettung wird der Verunglückte am Brustgurt eingeklinkt, in der Hoffnung, ihn dadurch aus der Gefahren-Zone ziehen zu können, wie z. B. bei einer Verklemm-Situation, ohnmächtige treibender Schwimmer, ggf. Rettung aus Walzen.
Dies setzt jedoch voraus, dass der Unglückliche eine Ausklinkweste/Gurtweste trägt. Aber das ist eigentlich ein „Muss" im Wildwasser.

Bei der **aktiven** Rettung springt ein am Gurt angehängter und von Kameraden am Ufer gesicherter Retter ins Wasser, um einem verunglückten Kameraden beizustehen.
Ist der Brustgurt zusätzlich mit einer **Bergeleine** (T-Cowtail; ca. 2 m Länge) kombiniert, kann damit mittels Karabiner eine Verbindung zwischen Retter und Verunglücktem (oder einem gekenterten Boot) hergestellt werden, die aber im Falle einer Gefahr über den Panik-Verschluss wieder freigegeben/ abgeworfen werden kann.
Also ist in diesem Fall ebenfalls Voraussetzung, dass beide (Retter und Opfer) eine Gurtweste tragen.
Ein gekentertes Boot braucht in dem Fall natürlich anstatt einer Ausklinkweste eine solide Fangschlaufe an Bug und Heck. Siehe hierzu die Kapitel „***Der Canadier***" und „***Tipps und Hinweise***".

Anmerkung:
Die ganzen Sicherheits-Einrichtungen im Wildwasser-Sport, wie beispielsweise Ausklinkweste, Bergeleine, spezielle am Boot befestigte Wurfsack-Systeme etc., sind im Hinblick auf den Rettungs-Einsatz beim WW-Kajak entwickelt worden.

Für den offenen Canadier müssen deshalb teilweise diese Einrichtungen angepasst werden, oder können dort nicht verwendet werden.
Überprüft z. B., ob Eure Bergeleine (T-Cowtail) lang genug ist, um im Canadier kniend eine bewusstlose Person oder ein herrenloses Boot mit der Bergeleine einklinken zu können.

Tragen der Schwimmweste

Die Schwimmhilfe bzw. Rettungsweste sollte zweckmäßigerweise über der anderen Kleidung getragen werden. Bei Gurtwesten bzw. im Wildwasser ist dies zwingend erforderlich, da sonst die aktiven und passiven Rettungs-Möglichkeiten gar nicht genutzt werden können. Grundsätzlich ist es bei allen Schwimmwesten von größter Wichtigkeit, dass sie stramm anliegen. Unter den Armen und über der Brust darf kein Spielraum sein.

Die Westen werden daher für verschiedene Körpergrößen (vor allem Umfang) angeboten und müssen sorgfältig ausgewählt, d. h. anprobiert werden.
Die Verschlüsse (meist Patent-Verschlüsse) müssen gut festgezogen werden, damit sie sich nicht unbeabsichtigt öffnen können.
Besonders bei den Ausklinkwesten ist auf eine sichere Verrastung der Panik-Schnalle für die Schnell-Auslösung des abwerfbaren Bergegurtes (= Brustgurtes) zu achten.

Alterung

Alle bekannten synthetischen Materialien unterliegen von Anfang an einem natürlichen Alterungs-Prozess.
Die Auftriebskörper der Weste bilden da keine Ausnahme. Der wasserabweisende, weiche und geschmeidige Schaum verliert laut Herstellerangaben pro Jahr etwa 3 % seiner Tragfähigkeit und verträgt weder Druck noch Hitze. Zum Prüfen einer Weste legt man sie am besten neben eine Neue. Wenn die Schaumteile sich in ihren Kammern verschieben lassen, haben sie nicht mehr genug Auftrieb.

Zudem sollte der weiche und geschmeidige Schaum nicht unnötig gepresst oder zusammengedrückt werden, d. h. sich während einer Rast auf die Schwimmweste zu setzen ist zwar sehr bequem und isoliert hervorragend die Bodenkälte, ist aber der Lebensdauer und Funktion des Schaumes nicht unbedingt förderlich.

Nicht vergessen:
Stets das gesamte Gepäck wasserdicht zu verpacken, sei's in Tonnen/Fässern, Wickelsäcken oder sonstigen Packs mit wasserdichtem Liner innen

Siehe hierzu das Kapitel ***Tipps und Hinweise*** *unter* ***„Gepäck"***

Der Wurfsack

Allgemeines/Beschreibung

Der Wurfsack ist das wichtigste und universellste Rettungsgerät/Hilfsmittel eines Paddlers.
Im Bereich Wildwasser ist er absolut obligatorisch, sollte aber zusammen mit einem Karabiner zur Grund-Ausstattung eines jeden Bootes gehören, auch wenn man im Wander-Canadier nur mal kurz auf sonntäglicher Kaffeefahrt ist.

Wurfsack gestopft mit Karabiner

Wurfsack mit dem Seil

Es ist ein röhrenförmiger Sack von auffallender Farbe mit einem ca. 20 m langen, 8 bis 10 mm starkem, geflochtenem, sehr biegeweichem, schwimmfähigen Seil, sowie einem fest integrierten Schwimmkörper. Der Schwimmkörper, z. B. aus Gummi oder schwerem Schaum, ist im Wurfsack eingenäht.

Ebenso ist das Seilende mit der steifen, kunststoffummantelten großen Schlaufe fest mit dem Sack verknotet.

Der Sack und das Seil sollte eine auffällige Signal-Farbe haben. Das ganze Seil ist lose in den Wurfsack eingelegt.

Beim Wurf wird das freie Seilende festgehalten, so dass sich die Leine aus dem fliegenden Sack automatisch herausspulen kann.
Wurfsäcke werden mit Leinen-Längen von ca. 15 bis 25 m angeboten. Für den allgemeinen universellen Einsatz hat sich eine Länge von etwa 18 bis 20 m als guter Kompromiss bewährt.
Die Bruchlast des Seiles muss nach Norm mehr als 500 daN, = 5000 N, = 500 kg, = 1/2 Tonne betragen.
Die Abwendungsmöglichkeiten sind insgesamt enorm vielfältig.

Primär dient der Wurfsack der schnellen Rettung von Gekenterten, denen der Sack zugeworfen wird.
Man kann aber auch Seil-Verbindungen von Ufer zu Ufer herstellen, um beispielsweise ein geborgenes Boot oder Paddel ans andere Ufer zum vielleicht dort angelandeten „Kenterer“ hinüberzuziehen, ein gekentertes Boot zu bergen und am Ufer zu fixieren, ein Boot oder unter Umständen sich selbst abzuseilen, ein verklemmtes Boot mittels Flaschenzug zu bergen, als Treidel-Leine, als Wäsche-Leine für die nassen Paddel-Klamotten usw.
Zur Rettung über kurze Entfernungen gibt es Wurfsäcke mit einer kleinen schwimmfähigen Kugel am freien Ende. Die Einsatz-Möglichkeiten sind also ungeheuer vielfältig.

Und ich möchte nochmals daran erinnern:
Nie anstatt eines Wurfsackes ein langes loses Seil im Boot mitführen. Das Risiko sich bei einer Kenterung/beim Schwimmen in diesem Seil zu verhängen und unter Wasser gezogen zu werden ist enorm groß – akute Lebensgefahr!!!
Doch nun im einzelnen:

Stopfen des Sackes

Wenn man den Sack einem Schwimmer zuwirft, muss die Leine leicht herausgespult werden – aber nicht alles auf einmal, denn dann hätte der Sack kein Gewicht mehr und würde nicht weit genug fliegen.
Zum Füllen muss das Seil sorgfältig Armlänge für Armlänge in den Sack gestopft werden – ganz gleich wie eilig man es hat – denn sonst verknotet es sich zu einem heillosen Durcheinander, wenn es geworfen wird.
Keinesfalls darf man es in losen Schlingen in der Hand aufnehmen und dann als ein Knäuel in den Sack hineinwürgen.

Einsatzbereiter Transport im Canadier

In losen Seilen kann man sich sehr leicht verfangen, das ist lebensgefährlich!!!
Deshalb sollte man den Wurfsack so am Boot befestigen, dass bei einer Kenterung kein Seil ungewollt aus dem Sack herausschwimmen kann. Das passiert leider leichter als Ihr denkt und ist ungeheuer gefährlich!!! – da könnte ich Euch schon die eine oder andere Geschichte erzählen.
Um diese Forderung in die Tat umzusetzen, helfen wir mit einem kleinen Knoten nach.

Wenn nun der Wurfsack einsatzbereit auf dem Canadier transportiert wird (hierzu das lose Seilende mittels Karabiner fest am Bootsheck, z. B. an der Fangschlaufe einklinken), ist es dringend empfehlenswert, in das Seil vor dem freien Ende eine kleine Schlaufe einzuknoten. Das Seil kann sich dann nicht unbeabsichtigt aus dem Sack herausspulen.
Unter Belastung muss die eingeknotete Schlaufe aber unbedingt aufgehen und die Leine durch den Hals des geschlossenen Wurfsackes laufen können (siehe Abbildung).

Für den einsatzbereiten Transport des Wurfsackes im/am Canadier bietet sich eine ca. 5 bis 6 mm starke Gummi-Schnur an (erhältlich z. B. im Camping-Fachhandel oder Baumarkt), die oben auf dem Oberdeck eingeknotet wird. In die Schlaufe der Gummi-Schnur wird der Wurfsack geklemmt. So ist er immer an bekannter Stelle sauber fixiert und stets zur Hand, wenn er benötigt wird. Zudem liegt er nicht unnötig auf dem doch häufig nassen und verschmutzten Boots-Boden. Siehe hierzu die nachfolgende Abbildung:

Transport des Wurfsackes einsatzbereit im/am Boot

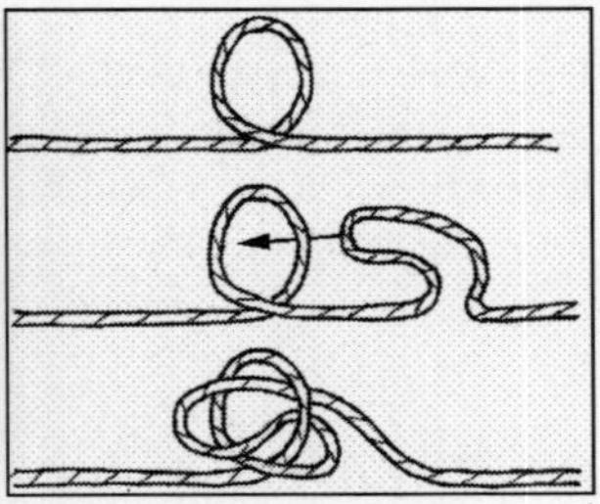

Eingeknotete Schlaufe am Hals des Wurfsackes

Hinweise zum Gebrauch

Das Seil zum Abbremsen eines Schwimmers nicht über Holz (z. B. Baumstamm) umlenken. Die entstehende Hitze kann die Seil-Oberfläche anschmelzen.

Zudem drohen schwere Brandwunden an den Händen, wenn man das Seil zu schnell durch die Hände gleiten lässt und dabei keine Lederhandschuhe trägt.

Wurfsack-Seile sind nicht unzerstörbar. Besonders scharfe Fels-Kanten, aber auch Dornen-Hecken oder raue Baum-Rinde (z. B. wenn er als Wäsche-Leine genutzt wird) können dem Seil zusetzen.

Ein sachgerechter Umgang wird durch lange Lebensdauer und stete Zuverlässigkeit belohnt.
Das Wurfsack-Seil zur Sicherheit regelmäßig auf Schäden und die Knoten auf festen Sitz kontrollieren. Soll ist ein „gesteckter Sackstich“ an beiden Enden.

Aufbewahrung

Den Wurfsack nach Gebrauch gründlich trocknen und dabei direktes Sonnenlicht möglichst vermeiden, denn unnötig lange Einwirkung von UV-Strahlen geht zu Lasten der Seil-Festigkeit und Lebensdauer.

Werfen der Leine

Es ist schwieriger, einen Schwimmer mit Hilfe des Wurfsackes zu retten als es sich anhört.
Das Problem ist, ein sich bewegendes Ziel zu treffen. Es gehört viel Übung dazu, um stets treffsicher zu sein. Eine weitere Schwierigkeit liegt darin, dass der Wurfsack während des Fluges leichter wird.
Zum anderen kann es einen erheblichen Ruck geben, wenn „Zug“ durch das Gewicht des Schwimmers in Verbindung mit der Strömung auf die Leine kommt.

Die Wahrscheinlichkeit einer gelungenen Rettung ist am größten, wenn die Stromschnelle abgesichert wird bevor die Kameraden starten.
Die Wurfsäcke können vorbereitet, sowie die besten Positionen zum Werfen und Landungs-Stellen ausgesucht werden. Weniger gute Voraussetzungen sind allerdings die Regel. Der Paddler fährt ans Ufer, springt aus dem Boot, grabscht

nach dem Wurfsack und wirft ihn dem Schwimmer zu – alles innerhalb weniger Sekunden.
In solchen Sekunden zählen die Disziplin und das Training am meisten.

Wenn ein Wurfsack geworfen werden muss, sollte man sich an nachfolgende Vorgehensweise halten:

- Der Werfer sollte so stehen, dass er sowohl gut zielen, als auch den Verunglückten sicher an Land ziehen kann. Dazu ein Bein voranstellen.

- Den Wurfsack öffnen, ein Stück Leine herausziehen (ca. 1,5-2 m) und das freie Seilende mit dem Karabiner dran gut festhalten.
  Aber Achtung:
  Keinen Karabiner an der fest eingeknoteten Schlaufe am Wurfsack belassen und diesen zusammen mit dem Wurfsack werfen – der Schwimmer soll ja nicht erschlagen werden.

- Sich bemerkbar machen – rufen!!

- Warten bis der Verunglückte mit dem Retter Blick-Kontakt aufgenommen hat bzw. erkennbar ist, dass der Schwimmer den Retter bemerkt hat.

- Dann erst zielen und werfen.

- Versuchen über den Schwimmer hinwegzuzielen, damit die Leine über ihn hinweg fliegt. Die Leine sollte quer über den Körper des Verunglückten fallen.
  Beim Werfen muss die Geschwindigkeit des Schwimmers entsprechend berücksichtigt werden.

- Landet die Leine oberhalb des Schwimmers (in Fließrichtung des Wassers gesehen), so hat er kaum mehr eine Chance sie zu erreichen.
  Der Schwimmer wird schneller abgetrieben als die Schwimmleine auf der Wasseroberfläche.

- Nach dem Werfen sich auf den Hintern fallen lassen und mit den Füßen gut abstützen.

- Es ist empfehlenswert, das Ende der Leine zum Zwecke eines besseren Haltes einmal um die Schulter herum zu schlingen. Zudem sollte man sich hinsetzen und sich mit den Füßen abstützen.

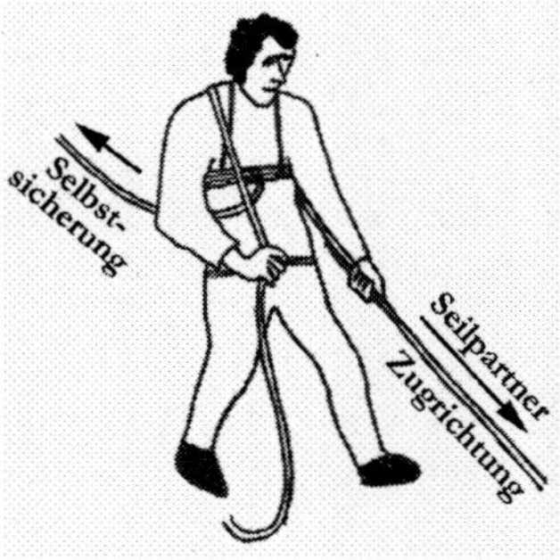

Schulter-Sicherung

  Wie im Kapitel „***<u>Knotenkunde und Seiltechniken</u>***" unter Kameraden-Sicherung ebenfalls beschrieben und dargestellt wird, können mit der Schulter-Sicherung hohe Kräfte gehalten werden.
  Das Seil läuft unter der Achsel der Körperseite, die zur Zugrichtung zeigt und über die gegenüberliegende Schulter. Stemm-Stellung des entsprechenden Beines gegen den zu erwartenden Zug.
  Ggf. mit der Bergeleine (Cowtail) der Schwimmweste (Gurtweste) eine Selbst-Sicherung anbringen.

- Die anderen Retter sollten dem erfolgreichen Werfer sofort(!!) zu Hilfe eilen und sowohl ihn, als auch das Wurfsack-Seil mit festhalten.

Der Zug/die Kräfte die auftreten, wenn sich der Schwimmer am Seil festhält, ggf. sogar noch mit Boot, sind nämlich von einer Person kaum zu bewältigen.

- Den Schwimmer langsam abbremsen und an Land ziehen, d. h. durch nachgeben von Seil oder mitlaufen am Ufer nicht ruckartig, sondern „dynamisch" abbremsen. Aber auch nicht zuviel Leine zu schnell durch die Hände gleiten lassen – ohne Handschuhe besteht die akute Gefahr von Brand-Verletzungen an den Handflächen!!

- Reicht die Länge des Wurfsackes nicht aus, mittels Karabiner einen Zweiten anhängen. Die ca. 20 m Seil sind schneller aufgebraucht als man meinen möchte. Deshalb sollten die zur Unterstützung herbei eilenden Retter vorsichtshalber gleich einen ihrer Wurfsäcke zur Verlängerung einklinken.

- Starke Strömungen und unterspülte Felsen meiden.

- Günstiger Standpunkt zum Werfen ist beispielsweise oberhalb eines Kehrwassers.
  Der Schwimmer kann dann nach erfolgreichem Wurf bzw. dem Greifen der Leine in das Kehrwasser zur weiteren Versorgung gezogen werden.

- An Gefahren-Stellen wie Walzen, Stufen usw. direkt absichern.

Das Werfen des Wurfsackes muss unbedingt geübt(!!) werden, damit der erste Wurf auch wirklich im Ziel liegt.

Sollte man trotzdem den Schwimmer verfehlt haben, ist folgendermaßen vorzugehen:

- Leine einholen und dabei in losen Seil-Schlingen in der Hand aufnehmen.
- Am Ufer entlang laufen, der Schwimmer muss überholt werden.
- Versuchen eine erhöhte Stelle oder eine ins Wasser hineinragende Fels-Nase zu erreichen, von dort ist es einfacher zu werfen.
- Die Seil-Schlingen auf den Boden legen und das Ende in der Hand behalten.
- Den Sack mit Wasser füllen und gut zuhalten.
- Dem Verunglückten Signal geben – rufen!!
- Auf Reaktion warten.
- Zielen und werfen.
- Hinsetzen und abstützen.

Wurf-Techniken

Es gibt verschiedene Möglichkeiten den Wurfsack zu werfen. Auf jeden Fall sollte man, um einen sicheren Stand dabei zu haben, ein Bein voranstellen.
Nach dem Abwurf sofort hinsitzen, mit den Füßen abstützen und die vorher beschriebene Schulter-Sicherung anwenden.

Schock-Wurf

Die gebräuchlichste Art ist der so genannte „Schock"-Wurf, mit dem auch die größten Weiten erzielt werden können. Hierzu den gestreckten Arm mit dem Wurfsack in der Hand hin- und herpendeln. Er sollte mit gestrecktem Arm in Schulterhöhe die Hand verlassen.
Die Flugbahn die der Wurfsack beschreibt ist eine Parabel (Bogen), siehe nachfolgende Abbildung.

Schlag-Wurf

Ist es dagegen erforderlich, den Wurfsack scharf, mit hoher Geschwindigkeit und geradlinig (z. B. wegen Bäumen) zu werfen, empfiehlt sich der „Schlag"-Wurf.
Er eignet sich vor allem für Würfe über kurze Distanzen. Dazu den Wurfsack mit nach oben angewickeltem Arm von hinten am Kopf vorbei geradlinig nach vorne stoßen. Siehe nachfolgende Abbildung.

Die Wurf-Techniken:

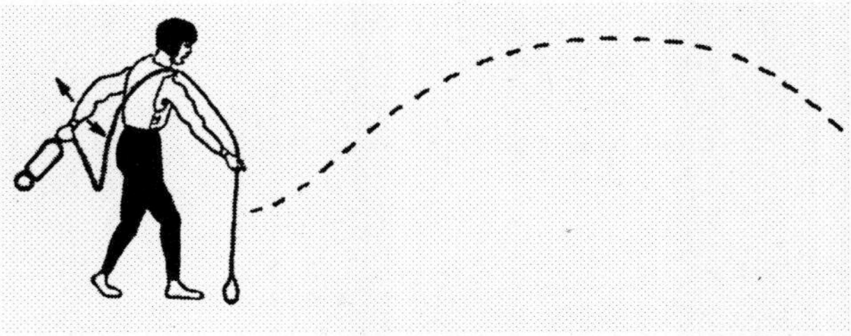

„Schock"-Wurf – Die Flugbahn ist eine Wurf-Parabel

„Schlag"-Wurf – Die Flugbahn ist geradlinig

Anmerkung:

Wird an einem Wildfluss eine vorausliegende Stelle (z. B. unbekannte Stromschnelle) erkundet, nimmt man grundsätzlich den Wurfsack sofort mit.
Dies erspart im Bedarfsfalle nochmals zurückklettern zu müssen, bevor die Kameraden die Stelle befahren. Vor allem aber ist das unter Umständen lebenswichtige Rettungs-Gerät sofort zu Stelle, wenn z. B. fremde Kanuten an dieser Stelle in Schwierigkeiten geraten sollten.

Übungen zum Erlernen der Wurftechnik

Den Umgang bzw. die Wurf-Techniken mit dem Wurfsack können/sollten auf der grünen Wiese, z. B. mit den nachfolgend aufgeführten Übungen, gründlich trainiert werden:

- Gegenseitiges Zuwerfen der geschlossenen Wurfsäcke.

- Auf ruhige Flugbahn achten, Sack darf nicht rotieren Dies ist wesentlich, damit das Seil später in der Praxis reibungsarm den Sack verlassen kann.

- Mit fortschreitender Übung den Abstand vergrößern.

Übungen zum Erlernen der Treff-Sicherheit

Zum Trainieren der Treff-Sicherheit bieten sich folgende Übungen an:

- Mit dem geschlossenem Wurfsack auf ein bestimmtes Ziel werfen, wie z. B. auf eine Schwimmweste, die auf einer Wiese liegt.

- Mit geöffnetem Wurfsack auf ein Ziel werfen, wie z. B. auf eine Schwimmweste, die auf einer Wiese liegt. Besser ist es noch das Ziel zu überwerfen.

- Wurf auf bewegtes Ziel, wie z. B. eine Schwimmweste an einem Seil ziehen oder auf dem Wasser treiben lassen.

und dabei:

- Standpunkt beim Werfen beachten.
- Stand-Festigkeit prüfen.
- Sicherungs-Möglichkeit nutzen, z. B. Seil über Schulter lenken, Schlinge um Baum oder Fels, Abstützen an Felsen oder Steinen, Bergeleine (Cowtail) der Gurtweste zur Selbst-Sicherung einsetzen.

Flaschenzug

Mit dem Wurfsack und einigen Karabinern lässt sich auf einfachste Weise ein provisorischer Flaschenzug erstellen, um beispielsweise ein verklemmtes Boot zu bergen oder irgendwo hochzuziehen.
Karabiner sind ein universelles Werkzeug der Bergsteiger und können auch beim Paddeln vielfach eingesetzt werden. Der Hauptzweck ist, Leinen schnell zu verbinden oder zu lösen.
Zur Herabsetzung der beim Flaschenzug auftretenden hohen Reibung zwischen Seil und Karabiner sind Seil-Rollen sehr nützlich.

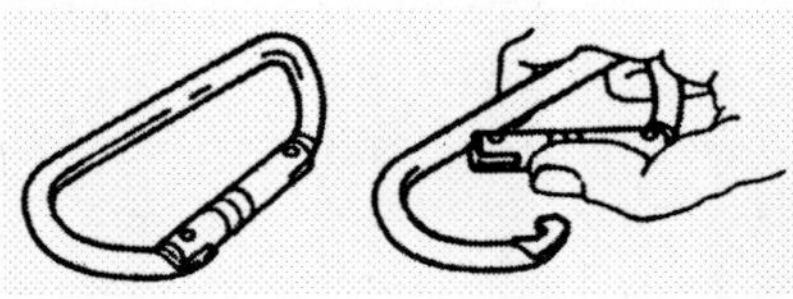

Karabiner

Seil-Rolle

Je nachdem welcher Typ von Flaschenzug eingesetzt wird, benötigt man kurze Schlingen, die mittels Prusik-Knoten mit der Wurfsack-Leine verbunden werden.
Der Prusik-Knoten ist ein beidseitig verschiebbarer und belastbarer Klemm-Knoten.
Wichtig ist, dass das Prusik-Seil, um eine Klemmung zu erzielen, wesentlich dünner gewählt wird als das Hauptseil. Da die Wurfsack-Leinen ca. 8-10 mm stark sind, sollte das Prusik-Seil einen Durchmesser von 4-5 mm haben. Für eine ausreichende Festigkeit jedoch nur Reepschnüre der Bergsteiger verwenden.

Prusik-Knoten

Das Bild unten zeigt ganz einfache Flaschenzüge:

Trucker's hitch ⇓ mit Karabiner

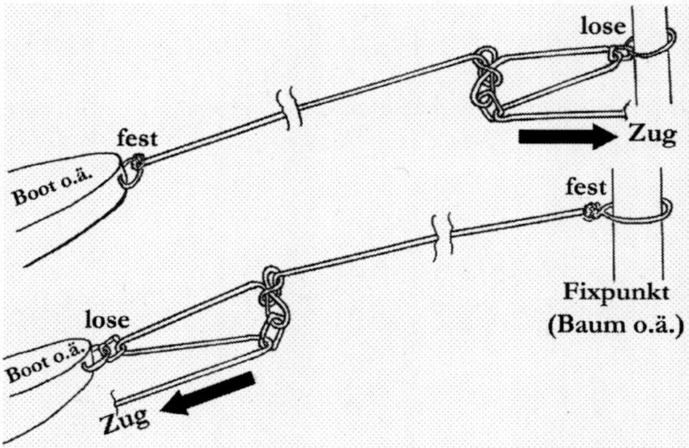

Trucker's hitch ⇑ mit Karabiner

Der hier in der Abbildung verwendete Knoten ist der „Trucker's hitch" (nicht zugezogen dargestellt; Beschreibung siehe im Kapitel „***Knotenkunde und Seiltechniken***"). Anstelle des „Trucker's hitch" kann auch ein Mastwurf oder, sofern vorhanden, wie oben beschrieben eine kleine Schlinge mit Klemm-Knoten (z. B. Prusik-Knoten) eingesetzt werden. Ein Mastwurf lässt sich leichter lösen als der dargestellte Truckers hitch, aber ein Mastwurf ist nicht jedem geläufig. Die Verwendung von kurzen Prusik-Schlingen ist am vorteilhaftesten, da überhaupt keine Knoten gelöst werden müssen, um am Flaschenzug nachzufassen oder ihn dabei zu fixieren. Die Klemmung am Seil muss lediglich verschoben werden. Allerdings hat man derartige Schlingen üblicherweise nicht in der Standard-Ausrüstung.

Versprecht Euch von den Flaschenzügen aber nicht zuviel, auch wenn man sie noch so optimiert und perfektioniert, wie z. B. bei der Verwendung von Seil-Rollen zur Reduzierung der Reibung.
Solche Flaschenzüge mögen zum Bergen eines verklemmten Kajaks ausreichend sein, einen mit Wasser vollgelaufenen Canadier (Gewicht ca. 1 Tonne) gegen die Strömung bergen zu wollen, dürfte damit jedoch scheitern.
Hinzu kommt, dass die Wurfsack-Seile häufig doch eine relativ hohe Dehnung aufweisen, d. h. die zur Verfügung stehende Länge zum Ziehen schrumpft nach der Dehnung/ Streckung des Seiles oft auf ein minimales Maß zusammen.

Weitere Knoten und Seiltechniken für allgemeine Anwendungen und behelfsmäßige Rettungs- und Berge-aktionen siehe Kapitel „***Knotenkunde und Seiltechniken***".

Tipps und Hinweise

Die hier aufgeführten, hoffentlich nützlichen Tipps sind übrigens in dem Kapitel „***Tipps und Hinweise***" alle noch einmal zusammengefasst.

- Name, Adresse und Telefon-Nummer mit wasserfestem Filzschreiber (z. B. „Edding") auf den Wurfsack schreiben hilft bei Verlust am Bach und verhindert/ erschwert den Diebstahl.
  Zudem stellt dies sicher, dass man nach einer turbulenten Rettungs-Aktion auch wirklich seinen persönlichen Wurfsack wieder in Händen hält.

„Scouten" und Absichern von anspruchsvollen Stromschnellen mit dem Wurfsack vor der Befahrung

Passive Sicherheitsausrüstung

Kopfschutz

Allgemeines

Unentbehrlich für den Paddler ist ein guter Kopfschutz. Egal ob für den Wander-Fahrer im Canadier auf einem harmlosen Bach, oder für den Wildwasser-Freak auf einem rauschenden Wildfluss – nur die Art und Weise des Kopfschutzes variiert dabei.

Mütze/Hut/Sonnenbrille (Sonnenschutz/Kälteschutz)

Auch beim Kanu-Wandern auf Flüssen und Seen, wo eine Kenterung unwahrscheinlich ist und eine Grundberührung des Kopfes ausgeschlossen werden kann, ist ein Kopfschutz ratsam. Zwar dann nicht in Form eines Helmes, aber in Form einer Mütze oder Hutes.
Die Gefahr eines Sonnenbrandes, Sonnenstiches oder gar Hitzschlages durch die besonders intensive Sonneneinwirkung und UV-Bestrahlung, aufgrund der Reflexion der Sonnenstrahlen auf der Wasser-Oberfläche, sollte nicht unterschätzt werden.

Eine gute, UV-Strahlen absorbierende Sonnenbrille ist zum Schutz der Augen ebenfalls kein Luxus. Diese sollte aber unbedingt vor Verlust mit einem Brillenband gesichert werden. Zudem soll hohe UV-Strahlung die Entstehung des Grauen Stars begünstigen.

Ferner ist eine Mütze oder Hut ein nützlicher und wirksamer Schutz vor Zecken.

Ein großer Teil der Körper-Wärme wird beim Menschen über den Kopf abgegeben, immerhin ca. 50%!!! Deshalb beim Paddeln in den kälteren Jahreszeiten ebenfalls einen wirksamen Kopfschutz tragen.
Als zusätzlichen Schutz gegen Kälte und Wind kann ggf. auch eine Sturmhaube, wie sie Motorradfahrer unter dem Helm anziehen, unter dem Hut oder der Mütze eingesetzt werden.
Diese sollte jedoch aus Seide oder Kunstfaser gefertigt sein, nicht aus Baumwolle, da nasse Baumwolle dem Körper Wärme entzieht.

Helm

Im Wildwasser-Bereich ist das Tragen eines Helmes ein absolutes Muss.
Wichtig ist er vor allem auf flachen und verblockten Flüssen, auf denen man bei einer Kenterung sogleich Grundberührung hat.
Sehr nützlich ist er auch als Schutz vor tiefhängenden Ästen und Zweigen.

Ein guter Helm sollte folgende Eigenschaften aufweisen:

- Die Stirn und die Schläfen gut schützen.

- Aus widerstandsfähigem Material sein.
  (⇒ stabile Kunststoff-Schale)

- Möglichst eine auffällige Signal-Farbe haben.
  (⇒ z. B. weiß und schwarz sind nicht unbedingt ideal)

- Er muss gut sitzen, d. h. er darf weder seitwärts, noch hoch oder runter rutschen.

- Er muss eine Schaum-Einlage haben und den Schädel mit abfedernden Gurten auf Abstand halten, die einen heftigen Aufprall abschwächen.

- Gut vor Kälte schützen, d. h. eine Polsterung aus Neopren o. ä. haben.

- Schwimmfähig sein und Auftrieb bieten.
  (⇒ durch die Schaum-Polsterung)

- Ein starker Kinn-Riemen muss ihn sicher in Position halten (ohne Kinnschützer).

- Keine Kinnschutz-Schale haben, bzw. diese nicht verwenden.
  Besonders im nassen Zustand rutscht diese leicht ab. Damit kann sich der Helm in den Nacken verschieben und die Stirn wird frei und ungeschützt.

Wenn der Kinnschützer abrutscht, kann er zudem schwere Verletzungen am Mund verursachen und in der Mund-Nasen-Partie die Atmung behindern.

- Löcher im Ohr-Bereich haben, damit man noch etwas hört.

- Über die Oberfläche verteilte Löcher haben.
  Sie sind bei heißem Wetter angenehm als Ventilationshilfe und lassen in jeder Lage das Wasser ablaufen. Allerdings sollte ein Helm so eng anliegen, dass gar kein Wasser eindringen kann und die Löcher sollten nicht zu groß sein, da sie die Festigkeit schwächen und Kälte an den Kopf lassen.

- Die leichten Helme für den Wettkampf-Sport erfüllen in der Regel nicht die für uns erforderlichen Bedingungen.

Es ist nicht wichtig einen hübsch gestylten Helm zu tragen, sondern er muss in erster Linie perfekt sitzen und ein Höchstmaß an Schutz bieten.
Deshalb sollte man ihn im Laden sorgfältig auswählen und anprobieren.

Beispiel für einen gut und einen schlecht sitzenden Helm:

Gut sitzender Helm

Die Schläfen sind sehr gut geschützt und der Helm ragt über die Stirn hinaus. Dadurch hat auch die Nase einen gewissen Schutz.

Schlecht sitzender Helm

Stirn und Schläfen sind vollkommen ungeschützt. Zudem ist die Passform so schlecht, dass er gar nicht richtig am Kopf anliegt.

Stirn und Nase sind die am meisten gefährdeten Stellen, aber manch einer hat auch schon seine Zähne eingebüßt.
Nicht allzu sehr verbreitet sind die Integral-Helme (wie die Helme der Motorradfahrer).
Mit ihnen ist eine Verständigung nur schlecht möglich.

Gefährdete Stellen am Kopf sind v. a. Stirn und Nase

Um dennoch das Gesicht zu schützen gibt es die Möglichkeit, den Helm mit einem universell verwendbaren Kinn-Bügel nachzurüsten.

Weitere Funktionen eines Helmes

Eine weitere wichtige Funktion, die der Helm neben dem Schutz des Kopfes vor mechanischer Beschädigung zu erfüllen hat, ist der **Kälteschutz**.
Ein sehr großer Teil der Körper-Wärme wird über den Kopf abgegeben, immerhin ca. 50%!!! Deshalb auf eine gute Auspolsterung des Helmes mit Schaum-Material oder Neopren achten.
Engagierte Wildwasser-Fahrer im Kajak und im C1 ziehen daher bei entsprechender Witterung/Wassertemperatur eine Kopfhaube aus Neopren darunter. Diese gibt es in Kanu-Läden zu kaufen.

Als einfache und preiswertere Alternative für einen zusätzlichen Wind- und Kälteschutz kann ggf. auch eine Sturmhaube, wie sie Motorradfahrer unter dem Helm anziehen, eingesetzt werden.
Diese sollte jedoch aus Seide oder Kunstfaser gefertigt sein, nicht aus Baumwolle, da nasse Baumwolle dem Körper Wärme entzieht.

Auch im Wildwasser ist ein Blendschutz für die Augen gegen die intensive UV-Strahlung durch die Reflexion der Sonnenstrahlen auf der Wasser-Oberfläche anzuraten.
Beispielsweise durch das Darunterziehen einer Schirm-Mütze oder durch eine anknöpfbare/angeklebte Sonnen-Blende am Helm. Letztere sollte gegen Verlust gesichert werden.

Tipps und Hinweise

Die hier aufgeführten, hoffentlich nützlichen Tipps sind übrigens in dem Kapitel „***Tipps und Hinweise***“ alle noch einmal zusammengefasst.

- Eine in Folie wasserdicht eingeschweißte Rettungsdecke in den Helm zwischen den abfedernden Gurten und der Außenschale klemmen.
  Dann hat man im Notfall immer sofort eine Rettungsdecke zur Hand.

Kopfschutz im Wildwasser und auf Wanderfahrt

Unterkühlung

(ein Thema das alle Paddler angeht)

Wie kommt es zur Unterkühlung?

Kaum jemand macht sich Gedanken über das gefährlichste Phänomen, mit dem der Paddler von der einen auf die andere Sekunde konfrontiert werden kann – der Unterkühlung (medizinisch: **Hypothermie**) – dem schleichenden Tod. Was hat es mit diesem lautlosen Killer auf sich?
Hypothermie ist der allmähliche geistige und physische Kollaps, der die Unterkühlung der inneren Organe und aller Bestandteile des menschlichen Körpers begleitet.

Beim Paddler wird sie in den meisten Fällen durch Eintauchen in kaltes Wasser ausgelöst.
Dies ist besonders gefährlich, da Wasser eine ca. 25 bis 30-fach höhere Wärme-Leitfähigkeit als Luft besitzt was dazu führt, dass dem Körper sehr schnell die lebensnotwendige Wärme entzogen wird.
Im ungünstigen Fall wird die Hypothermie nach der Rettung aus dem Wasser noch durch kalte Luft und Nässe, Wind und Erschöpfung verstärkt. Besonders fatal ist dann die Kombination von Nässe und Wind, Stichwort ist hier der „Wind-Chill-Faktor“. Der Körper verliert dabei schneller Wärme, als er sie zu produzieren vermag.

Wer sich dem kalten Wind in unzweckmäßiger Kleidung aussetzt, kann sich eine Weile durch Bewegung warm halten. Der Körper wird dafür sorgen, die lebenswichtigen Organe warm zu halten. Aber der Vorgang wird schnell seine Energie-Reserven aufbrauchen, es kommt zur Erschöpfung.

Danach wird sich die Kälte im Gehirn einnisten und die klare Einschätzung der Situation und die Vernunft beeinträchtigen. In diesem Augenblick ist das Stadium der gefährlichen Unterkühlung, der Hypothermie, erreicht.

Wenn man die Unterkühlung im Früh-Stadium an sich selbst und anderen erkennt, ist sie einfach zu behandeln, wie z. B. durch trockene Kleidung, Rettungsdecke, heiße gezuckerte Getränke, Schutz vor Wind und Regen, Isolierung gegen Bodenkälte, usw.
Das Tückische ist jedoch, dass man an sich selbst Hypothermie nicht diagnostizieren (erkennen) kann. Wenn jemand nachfragt, behauptet der Betroffene, er fühle sich in Ordnung. Vielleicht fühlt er sogar, dass bei ihm alles okay sei. Aber der Zustand kann bereits unkorrigierbare Ausmaße angenommen haben, und das mitunter in Minutenschnelle.

Und Achtung:
Dies betrifft nicht nur den Paddler im Wildwasser (der ist in der Regel mit guter Kälteschutz-Kleidung ausgestattet), sondern damit kann unvermittelt die Familie im Wander-Canadier auf einem scheinbar harmlosen Wanderbach konfrontiert werden!!!

Wärmehaushalt des Körpers

Unser Körper ist auf seinen Wärmehaushalt angewiesen. Bei sportlichen Betätigungen produziert er Wärme, wenn man im Sessel herumlümmelt, bewegt man sich am anderen Ende des Wärmehaushalts.
Man benutzt Kleidung um zu verhindern, dass Wärme an die Umgebung abgegeben wird. Sobald man zu frieren beginnt, kann man Bewegungs-Übungen machen um wieder wärmer zu werden, oder mehr Kleidung anziehen, um die vorhande-

ne Wärme zu konservieren/besser zu isolieren.

Man erkennt, welche Probleme der Paddler hat, denn beide Möglichkeiten stehen ihm nur sehr begrenzt zur Verfügung, vor allem im Falle einer Kenterung.
Das Wasser in dem er sein unfreiwilliges „Bad“ nimmt, ist in der Regel sehr kalt und entzieht dem Körper sehr schnell Wärme. Schmelzwasser hat im Frühjahr nur wenig über 0° C und auch im Sommer steigt die Wasser-Temperatur von alpinen Gebirgs-Flüssen nur wenig über 10 °C.

Eine Unterkühlung tritt aber nicht nur beim Bad in eiskaltem Gebirgswasser auf und trifft somit vor allem den Wildwasserfahrer, sondern eine Unterkühlung entwickelt sich in vielen Fällen schon bei einer Luft-Temperatur von 10° C – eine Temperatur, die von kaum jemand als gefährlich angesehen wird, und auch den Wander-Fahrer in akute Lebensgefahr bringen kann.

Wichtigste Vorbeuge-Maßnahme um einer Unterkühlung entgegenzuwirken, ist das Tragen zweckmäßiger Kleidung. Dies gilt sowohl im Wildwasser, als auch beim Wanderpaddeln. Siehe hierzu ausführlich das Kapitel „***Kälteschutz***“ (⇒ Neopren-Anzug und Paddeljacke oder Trockenanzug, Neopren-Schuhe und Helm für den WW-Fahrer; geeigneter Kälteschutz für den Wanderfahrer).

Die Körper-Temperatur eines gesunden Menschen beträgt 37°C (Rektaltemperatur = im „Ärschle“ gemessen). Aus welchen Gründen auch immer ein Wärme-Verlust eintritt (z. B. Ableitung ins Wasser nach Kenterung/Nässe/kalter Wind/Erschöpfung) sucht der menschliche Organismus einer Unterkühlung entgegenzuwirken, indem er die Durchblutung der Körper-Schale drosselt (z. B. Extremitäten wie Arme und Beine), um den überlebenswichtigen inneren Organen Wärme zu erhalten.

Während so die Rumpf-Temperatur nur „gebremst" abfällt (= relativ warmes Kern-Blut), kühlt die Körper-Schale – in erster Linie die Extremitäten, d. h. Arme, Beine, Kopf – sehr schnell aus (= kaltes Schalen-Blut).

Der Grad der Unterkühlung kann dabei grob in 3 Phasen eingeteilt werden (siehe die Übersicht auf der nächsten Seite). Die Grenzen zwischen den einzelnen Stadien sind natürlich fließend. Je deutlicher die Symptome werden, desto mehr Phantasie muss entwickelt werden, um wirklich wirksam helfen zu können.
Natürlich wird niemand auf einer Paddel-Tour einen Fieber-Thermometer mitführen, die in der nachfolgenden Übersicht angegebenen Körper-Temperaturen (siehe nächste Seite) sind deshalb mehr als allgemeine Information zu verstehen.

Neben der Unterkühlung gibt es noch zwei weitere potentielle Gefahren, die auf den Paddler lauern. Diese möchte ich jetzt allerdings nur ganz kurz erwähnen:

1.) **Kälteschock**. Dies ist eine unkalkulierbare Reaktion der Atmung auf das Eintauchen in kaltes Wasser. Zuerst gibt es einen unfreiwilligen Atemzug (u. U. eben mit Aufnahme von Wasser), welchem schnelles und ungeordnetes Atmen folgt. Begleitet ist er durch eine gewisse Orientierungslosigkeit. Die Stärke der Effekte des Kälteschocks steigt mit sinkender Wasser-Temperatur, wobei das Maximum zwischen 10 und 15 °C liegt. Das größte Risiko besteht 1 bis 5 Minuten nach dem Eintauchen und dauert ungefähr 1 bis 3 Minuten an.

2.) **Trockenes Ertrinken**. Unglücklicherweise reagiert der Körper manchmal (in ca. 1/5 aller Fälle) anders als bei einem Kälteschock.
Es kann einen plötzlichen Schock-Reflex geben, bei dem der Luftweg durch einen Muskelkrampf geschlossen wird. Kein Wasser kann dann in die Lunge eindringen, aber Luft ebenfalls nicht. Es kann in dem Moment eintreten, in dem man auf das Wasser auftrifft.

Die drei Phasen der Unterkühlung

A.) Akute Unterkühlung
(Rektaltemperatur 37° - 34°C)

Ursache:
Ausgelöst z. B. durch: Sturz in kaltes Wasser mit schnellem Abfall der Kern-Temperatur.

Erscheinungsbild:
Man beginnt zu frieren und zu zittern (⇒ Kältezittern), schnelle Atmung, erhöhte Herz-Frequenz, Gesicht ist blass Der Körper beginnt die Blut-Zirkulation auf den inneren Kreislauf zu konzentrieren.

Bei weiterem Wärme-Verlust: Unkoordinierte Bewegungen, gestörter Gleichgewichts-Sinn, Unruhe, Verwirrtheit, Angst. Spätestens in diesem Stadium weiteren Wärme-Verlust vermeiden. Dies ist allerdings eine Forderung, die sich nicht leicht verwirklichen lässt, sie dazu Punkt „***Kameradenhilfe***“.

Bei weiterem Absinken der Kern-Temperatur: Lähmungen, Abfall der Atem- und Herzfrequenz.

B.) Chronische Unterkühlung
(Rektaltemperatur 34° - 30°C)

Ursache:
Ausgelöst z. B. durch: Erschöpfung bei Kanuten, Wanderer, Bergsteiger usw. in Wind, Kälte, Nässe, Lawine (Bergsteiger). Temperaturabfall des Schalen-Blutes bis 22° C bei relativ warmem Kern-Blut bis 32° C, lange Überlebensdauer möglich.

Erscheinungsbild:
Schüttelfrost, zunehmende Muskelstarre mit Teilnahmslosigkeit, gläserner Blick, verwaschene undeutliche Sprache, unwillkürlicher Stuhl- und Urin-Abgang, kleine langsame Atmung, unregelmäßiger Herzschlag (Kältezittern hört bei 32°C auf).

C.) Schwere Unterkühlung

(Rektaltemperatur 30° - 25°C)

Erscheinungsbild:
Völlige Bewusstlosigkeit, weite Pupillen, fehlende Schmerzreflexe, Herzkammerflimmern.

Zur generellen Beachtung bei Unterkühlung:

ACHTUNG :

Jeder, auch der gehfähig Unterkühlte, ist liegend zu transportieren!!!

Durch aktive und passive Bewegung des Unterkühlten kommt es, ebenso wie beim Versuch ihm von außen Wärme zuzuführen (heißes Bad, Ofen, überheizter Raum, ...), zum sogenannten „After-Drop“:
Kaltes Schalen-Blut (von den Extremitäten) vermischt sich mit dem relativ warmen Kern-Blut:

⇒ **Die Körper-Temperatur bzw. Rumpf-Temperatur fällt(!!!) und dies führt in kurzer Zeit zum Tod!!!**

Kameradenhilfe

Bei einem Fall von Unterkühlung folgendermaßen vorgehen:

- Weiteren Wärme-Verlust vermeiden (trockene Kleidung, Rettungsdecke, Mütze (⇒ Verlust über Kopf ca. 50%!!)).

- Boden-Kälte vermeiden (⇒ Iso-Matte, Decke, Schlafsack, Anorak, ... darunterlegen).

- Keine äußere Erwärmung (⇒ Ofen, überheizter Raum, heißes Bad, ...).

- Aktive Bewegungen unbedingt vermeiden (auf keinen Fall selber gehen lassen!!!) und passive Bewegung des Unterkühlten (z. B. das Bewegen von Gliedmaßen beim Abtransport aus einer Gefahren-Zone) auf ein Minimum reduzieren.

- Unterkühlten zwischen die Beine und an die Brust nehmen, zweiten Helfer davor legen.
  Einwickeln in eine Rettungsdecke. Diese reflektiert ca. 80 % der abgestrahlten Körper-Wärme.

- Heiße, stark gezuckerte Getränke (z. B. Tee) verabreichen (⇒ sofern der Unterkühlte bei Bewusstsein ist).

- Keinen Alkohol!!! (⇒ erweitert die Gefäße und fördert damit die Auskühlung).

- Wiedererwärmung des Körper-Kerns vorrangig vor endgültiger Versorgung anderer Verletzungen durchführen.

- Erwärmung des Körper-Kerns z. B. mit der so genannten „Hibler-Wärmepackung“.

Achtung : Für alle Kälte-Schäden gilt, d. h. allgemeine Unterkühlung und örtliche Erfrierungen:

ACHTUNG: **Körper-Kern zuerst erwärmen!!!**

Hierfür hat sich z. B. bei der Berg-Rettung die „**Hibler-Wärmepackung**" am besten bewährt.
Lässt sich das hierfür erforderliche Material nicht alles besorgen (z. B. auf langer Kanu-Tour), muss mit den vorhandenen Mitteln so gut es geht improvisiert werden.

Hibler – Wärmepackung

Sie ist zur langsamen behelfsmäßigen Selbst-Erwärmung bei allgemeiner Unterkühlung und örtlicher Erfrierung dem Verunglückten anzulegen.
Die hier vorliegende Beschreibung bezieht sich auf den Einsatz bei der Berg-Rettung und muss bei einer Paddel-Tour natürlich von Fall zu Fall abgewandelt werden, bzw. ist Improvisations-Talent gefordert.
Das erforderliche Material ist auf jeder Hütte vorhanden und kann von einer Person im Rucksack transportiert werden:

- 1 Biwaksack
- 1 Rettungsdecke
- 4 Wolldecken
- 1 Leintuch
- 1 Thermos-Flasche mit 1 Liter heißem Wasser

Anwendung

Das Anlegen der Hibler-Wärmepackung geschieht folgendermaßen:

- Am Einsatz-Ort den Zweimann-Biwaksack quer bzw. den Einmann-Biwaksack längs ausbreiten – dieser dient hinterher als Wind- und Wetterschutz.
  ⇒ Bei einer Paddel-Tour kann dies behelfsmäßig das Überdach eines Zeltes, ein Tarp oder die Wetterschutzhülle des Schlafsackes sein.

- Auf den Biwaksack am Kopfende die erste Wolldecke quer ausbreiten, am Kopfende etwa 10 cm nach unten eingeschlagen. Dies wird hinterher der Kragen des Hals-Abschlusses.
  Die zweite Decke wird überlappend längs ausgebreitet (je nach Größe der Decken und der Körperlänge des Unterkühlten).
  ⇒ Bei einer Paddel-Tour können behelfsmäßig statt Wolldecken z. B. Schlafsäcke oder Fleece-Kleidung eingesetzt werden.

- Die dritte und vierte Decke werden entsprechend den Decken eins und zwei ausgebreitet – die dritte Decke also wieder quer, Kopfende 10 cm nach unten eingeschlagen, die vierte überlappend längs.

- Dann wird die Rettungsdecke, mit der Silberseite zum Unterkühlten, rumpfbreit zusammengelegt und quer über die Decken gebreitet
  Anmerkung:
  Eine Rettungsdecke sollte zur Grund-Ausstattung eines jeden Paddlers gehören.

- Den Unterkühlten vorsichtig, unter Vermeidung jeglicher aktiven und/oder abrupten passiven Bewegung auf die vorbereitete Wärmepackung legen.

- In die 30 Schichten des fünfmal zusammengelegten Leintuches wird etwa 1 Liter heißes Wasser gegossen. Das heiße Leintuch wird dem Unterkühlten zwischen Hemd und Anorak gelegt (niemals auf die bloße Haut!!!).
  ⇒ Bei einer Paddel-Tour kann behelfsmäßig z. B. der heiße Tee aus der Thermos-Flasche/„Hot Stuff" in einen zusammengelegten Fleece-Pullover geschüttet werden.

- Dem Unterkühlten die Rettungsdecke stramm unter die angelegten Arme hindurch um den Rumpf legen. Dabei die silberne Seite zum Körper, goldene Seite nach außen. Anschließend den ganzen Körper schichtweise in die Decken einschlagen.
  Nur das Gesicht bleibt frei.

- Als Wind- und Wetterschutz dient der Biwaksack, oder eben alternativ z. B. Tarp, Überzelt, ...

In der Hibler-Wärmepackung kann ein Unterkühlter über Stunden transportiert und dabei wiedererwärmt werden.

„Hibler" - Wärmepackung:

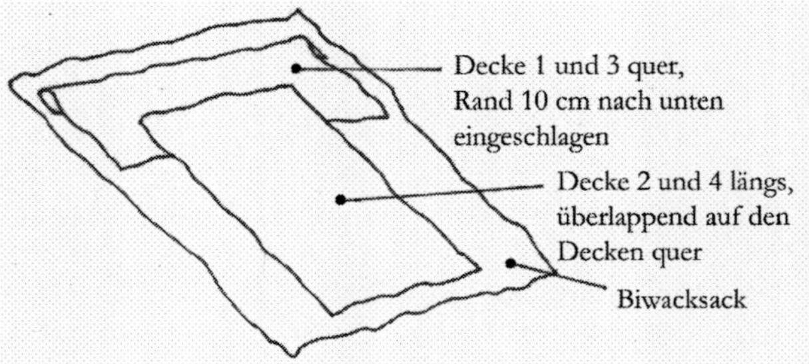

Unterste Lage der Biwacksack.
Decke 1 und 3 quer,
Rand 10 cm nach unten eingeschlagen.
Decke 2 und 4 längs, überlappend auf den Decken quer.

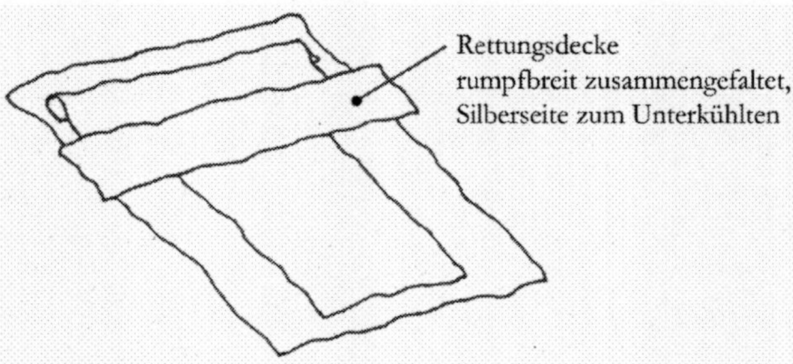

Rettungsdecke rumpfbreit zusammengefaltet,
Silberseite zum Unterkühlten.

Kälteschutz
(für den Wildwasser- und Wanderfahrer)

Warum Kälteschutz?

Wildwasser ist in unseren heimischen Alpen meist sehr kalt. Das Schmelzwasser hat im Frühjahr nur wenig über 0°C und auch im Sommer beträgt die Wassertemperatur von alpinen Gebirgsflüssen nur wenig über 10°C.
Zudem besitzt Wasser eine ca. 25 bis 30-fach höhere Wärme-Leitfähigkeit als Luft was dazu führt, dass dem Körper sehr schnell die lebensnotwendige Wärme entzogen wird.

Zur niedrigen Wasser-Temperatur kommt noch die physikalische Gesetzmäßigkeit der Verdunstungs-Kälte hinzu. Wenn Wasser verdunstet wird dazu Wärme benötigt. Diese Wärme entzieht das Wasser seiner Umgebung. Verdunstet beispielsweise Wasser auf der Haut, wird die Wärme dem menschlichen Körper entzogen, man fröstelt. Besonders fatal wirkt sich dann die Kombination von Nässe und Wind aus. Stichwort ist hier der „Wind-Chill-Faktor".

Es ist also kein Wunder, wenn ein unzweckmäßig gekleideter Wander-Paddler oder Wildwasser-Fahrer rasch schlottert oder mit den Zähnen klappert.
Dies ist eine natürliche Abwehrreaktion des Körpers in Verbindung mit erhöhtem Stoffwechsel, um Wärme zu produzieren. Dies verbraucht jedoch seine Energie-Reserven und fördert damit die Erschöpfung.

Mag es im Einzelfall noch mit einer Erkältung abgehen, bei häufiger Unterkühlung in Verbindung mit körperlicher

Anstrengung werden dagegen Dauerschäden nicht ausbleiben. Weit verbreitet sind beispielsweise langwierige Muskel- und Sehnen-Beschwerden, Gelenk-Erkrankungen und defekte Bandscheiben.

Im Falle einer Kenterung würde ohne Kälteschutz der Körper rasch unterkühlen. Es besteht dann akute Lebensgefahr!! Siehe hierzu das vorherige Kapitel „***Unterkühlung***“. Daher ist eine geeignete Kälteschutz-Kleidung in jedem Falle empfehlenswert, im Wildwasser auf Gebirgs-Bächen ein absolutes muss.

Kälteschutz-Kleidung im Wildwasser

Neoprenanzug

Als Grundlage für einen guten Kälteschutz sind am besten Neopren-Anzüge geeignet (eine Alternative dazu wäre ein Trockenanzug).
Für die Gestaltung der Außenhaut von Neopren sind drei Varianten verbreitet:

- Glattes Neopren:
  ⇒ Mechanisch nicht so widerstandsfähig, aber durch die glatte Haut beste Isolierung; preisgünstig.
- Genarbtes Neopren:
  ⇒ Eigenschaften ähnlich wie glattes Neopren.
- Gewebe-Kaschierung (Nylon oder Lycra):
  ⇒ Hohe Widerstandsfähigkeit gegen mechanische Beanspruchung, aber geringere Isolierfähigkeit weil oberste Poren offen liegen (dürfte aber wohl eher theoretischer Natur sein).

Die Neopren-Anzüge gibt es in Schaum-Stärken von 3 bis etwa 6,5 Millimeter und in verschiedenen Ausführungen.

Für das Paddeln haben sich ärmellose Anzüge mit Mittelreißverschluss (= „Long John") am Besten bewährt, da sie die Bewegungs-Freiheit nicht einschränken. Dies sowohl beim Kajak als auch im Canadier.

„Long John"

Da wir im Canadier knien, ist eine dicke Polsterung bzw. robuste Ausführung im Knie-Bereich ganz angenehm und praktisch. Im Bereich der Knie-Kehlen ist dagegen wegen der lästigen, kneifenden Falten-Bildung eine möglichst dünne Materialstärke vorteilhaft.

Bei Anzügen von der Stange wird man dies aber kaum vorfinden. Es gibt jedoch auch Neopren-Schneider, die für medizinische Anwendungen oder Taucher Maßanzüge anfertigen. Diese Anzüge sind häufig kaum teurer und derartige Sonder-Wünsche können berücksichtigt werden. Zudem kann Material-Qualität- und Stärke, sowie die Farbe weitgehend individuell ausgesucht werden. Am robustesten scheint mir das Material Lycra zu sein.

Maßanzüge sind ebenfalls empfehlenswert, wenn man nicht gerade über eine „Designer"-Figur verfügt.

Erhältlich sind Maßanzüge z. B. bei:

Hans-Dieter Buse – Wasser-Sport-Freizeit
Im Reutle 12
D-71573Allmersbach im Tal
(bei Ludwigsburg/Stuttgart)
Tel. 07191 / 52178 - Fax. 07191 / 59278
Internet: www.buse-neopren.de

Dort können zudem Reparaturen durchgeführt werden (auch an Fremdfabrikaten).

Übrigens lassen sich Löcher, Anrisse etc. im Neopren dauerhaft und wirkungsvoll mit „Seam Grip" verschließen. Erhältlich z. B. im Outdoor-Fachhandel oder in Paddel-Läden.

Unter dem Neopren trägt man üblicherweise eine Badehose bzw. Badeanzug/Bikini und ein Funktions-Unterhemd Siehe hierzu weiter unten unter „***Ergänzung Kälteschutz***".

Zu den weiteren wichtigen Funktionen des Neopren-Anzuges zählen:

- Schutz vor Verletzungen an Steinen, Felsen o. ä. (⇒ Prellungen, Schürfwunden).

- Auftrieb beim Schwimmen (⇒ ca. 4 kg Auftrieb, abhängig von Größe und Schaumstärke).
  Zum Vergleich: Eine Schwimmweste liefert je nach Ausführung ca. 6 bis 10 kg Auftrieb.

Wirksamer Kälteschutz

Als wirksamer Kälteschutz hat sich nachfolgend genannte Kombination bewährt:

- Ärmelloser Neopren-Anzug mit Mittelreißverschluss (⇒ „Long John").

- Langärmlige, eventuell atmungsaktive Paddeljacke aus Nylon-/Perlon-Gewebe als Windschutz für den Oberkörper mit möglichst wasserdichten Latex- oder Neopren-Manschetten an Hals und Armen.
  Als preiswerte Alternative kann zum Schutz vor Wind behelfsmäßig auch eine normale, dünne Regenjacke verwendet werden (z. B. „K-Way").
  Eine Jacke aus Neopren ist nicht so empfehlenswert, da sie die Bewegungsfreiheit im Arm-/Schulterbereich stark einschränkt.

- Eine Alternative zu Neopren-Anzug und Paddeljacke wäre ein wasserdichter Trockenanzug in Verbindung mit Funktions-Unterwäsche und ggf. Fleece-Kleidung.

  Anmerkung: Nach dem Anziehen den Trockenanzug entlüften, d. h. die Luft aus dem Inneren entfernen. Dazu in die Hocke gehen, Beine anziehen, Arme vor die Brust, mit den Händen die Hals-Manschette etwas aufziehen, und so die Luft entweichen lassen. Andere Möglichkeit: Bis zur Brust ins Wasser gehen und dann am Hals entlüften.

- Schwimmweste.
  (⇒ Kälteschutz ist eine der zusätzlichen Aufgaben einer Schwimmweste)

- Helm.
  (⇒ ein großer Teil der Körper-Wärme wird über den Kopf abgegeben, immerhin ca. 50%!!!)

- Unbedingt zu schützen sind die Füße.
  Entweder Neopren-Füßlinge in Verbindung mit festen, knöchelhohen Turnschuhen o. ä. mit rutschfester Sohle, oder spezielle Paddelschuhe aus Neopren mit robuster Sohle. Auf der Wäsche-Leine werden im nassen Zustand alle Lösungen gleichermaßen grausam stinken.

Anforderung an Schuhe

Allgemein sollten Schuhe folgendes bieten (vor allem außerhalb des Bootes):

- Guten Seitenhalt in unebenem Gelände, d. h. sie sollten über die Knöchel reichen und robust sein.
- Guten Sohlen-Grip im Flussbett, auf glitschigen Steinen, morastigen oder steilen Böschungen usw.
- Schnelle Trocknung.
- Die Schuhe sollten möglichst keine Klett-Verschlüsse haben, da diese beim Stehen oder Schwimmen in der Strömung aufgerissen werden.
- Von der Kombination Funktions-Sandalen („Tevas“) mit Neopren-Füßlingen würde ich persönlich abraten, da mir die Verletzungs-Gefahr in steinigen Flussbetten zu hoch wäre.
  Zudem werden die Klett-Verschlüsse der Riemen beim Stehen oder Schwimmen in der Strömung aufgerissen.
- Robust und empfehlenswert sind die „Workboot“ der US-Firma NRS www.nrsweb.com Erhältlich sind diese in Deutschland z. B. bei www.kajak-sport.de in Esslingen. Anmerkung: Die Stiefel fallen relativ klein aus. Daher eine oder gar zwei Nummern größer wählen als „normal“.

Ergänzung Kälteschutz

Ergänzt werden kann der Kälteschutz je nach Bedarf noch durch:

- Kopfhaube aus Neopren unter dem Helm.
  Alternativ: Behelfsmäßig eine Haube aus Seide oder Kunstfaser von den Motorradfahrern; nicht jedoch aus Baumwolle.

- Handschuhe aus Neopren.
  Dabei auf gute Griffigkeit der Hand-Innenflächen für das Stechpaddel achten.

- Funktions-Unterhemd/Pullover unter der Paddeljacke bzw. dem Neopren-Anzug.

Baumwolle ist allerdings im nassen Zustand ein denkbar ungeeignetes Material, weil es ein schlechter Isolator ist (z. B. T-Shirt).
Sie entzieht dem Körper zum Trocknen Wärme und kommt außer Form, wenn sie länger feucht ist. Außerdem geht sie dann recht schnell kaputt.

Im Gegensatz dazu ist Wolle eine natürliche Faser, die der Paddler nicht verachten sollte. Obwohl sie viel Platzbedarf hat und nur langsam trocknet, hat sie andererseits hervorragende Wärme-Eigenschaften, die sie nass kaum verliert. Viele Seefahrer der Vergangenheit verdanken ihr Überleben in nasser Kleidung den guten Eigenschaften der Wolle.

Moderne synthetische Fasern wie z. B. Fleece oder Funktions-Unterwäsche vereinen die Widerstandsfähigkeit und Formtreue, mit der Weichheit und Wärme-Isolierung der Wolle.

Kälteschutz für den Wanderfahrer

Outdoor-Kleidung

Das soll jetzt keine Überheblichkeit sein, aber wenn die im Kapitel „***Stechpaddel-Technik***“ angesprochenen Grundlagen und weiterführenden Techniken im Umgang mit dem Stechpaddel beherzigt und beherrscht werden, verliert die häufig zu hörende Aussage:
„Paddeln gehen kann man ja nur im Sommer wenn's warm ist, da fällt man doch so oft rein dabei“
an Gültigkeit, und eine Kenterung mit dem Canadier wird immer unwahrscheinlicher.
Dann können die Paddel-Aktivitäten auch recht gefahrlos in die kälteren Jahreszeiten Herbst, Winter und Frühjahr ausdehnt oder verlegt werden.
Doch welche Wahl der Kleidung hat sich dabei bewährt?

Auf Flüssen und Bächen, die nicht ausdrücklich der Kategorie Wildwasser angehören, ist das Tragen von Neopren-Bekleidung allerdings nicht so empfehlenswert.
Aber auch der Wildwasser-Fahrer wird in diesen Fällen eher den Neopren im Schrank hängen lassen und zum Trockenanzug greifen.
Unter dem Neopren (ist nicht atmungsaktiv) schwitzt man sehr stark, die Verdunstung entzieht dem Körper Wärme und man beginnt rasch zu frieren.

Als Wander-Fahrer im offenen Canadier ist es daher vorteilhafter, sich wie bei anderen sportlichen Aktivitäten in der Winterszeit (Ski-Laufen, Wandern etc.) nach dem Zwiebel-Prinzip mit normalen „Outdoor-Klamotten“ anzukleiden. Beim Zwiebel-Prinzip werden mehrere dünne Schichten, statt einigen wenigen dicken angezogen. Die zwischen den Schichten eingeschlossene Luft ist dabei ein guter Isolator, aber ebenfalls das dort dann eingeschlossene Wasser nach

einer eventuellen Kenterung.
Als unterste Schicht sollte, wie schon weiter oben ausführlich beschrieben, keine Baumwolle eingesetzt werden (feuchte Baumwolle entzieht dem Körper zum Trocknen Wärme; bietet keine Isolation), sondern Funktions-Unterwäsche aus modernen synthetischen Fasern oder aus reiner Wolle, bzw. Mischungen aus Kunstfaser und Wolle.
Als Oberbekleidung kann jedoch Baumwolle durchaus funktionell sein.

Wie schon erwähnt, hat Wolle ganz hervorragende Wärme-Eigenschaften, die sie auch nass kaum verliert. Daher ist ein Hemd oder Pullover aus Wolle sehr gut geeignet und empfehlenswert.
„Blue Jeans“ sind als Paddler-Kleidung generell überhaupt nicht zu empfehlen (egal ob im Sommer oder Winter), da sie nur sehr widerwillig trocknen, falls sie nass geworden sind. Gut bewährt hat sich beispielsweise Baumwoll-Polyester Mischgewebe (40/60 %), das sehr schnell trocknet, wie z. B. das G-1000 Gewebe von Fjällräven, bzw. andere Firmen haben vergleichbare Materialien im Programm.

Stiefel

Da beim Paddeln die Füße nicht bewegt werden, ist auf jeden Fall warmes Schuhwerk angeraten.
Viele meiner Paddel-Kameraden nehmen hierzu die bekannten kanadischen „Sorel“-Stiefel, eine Kombination von Gummi-Schuh unten, Leder-Schaft und Filz-Innenschuh. Ich bin kein Anhänger von dieser Lösung, da man damit doch nur sehr stark eingeschränkt im Wasser stehen kann, wie beispielsweise beim Treideln, Ein- oder Ausbooten etc.

Ich verwende Thermo-Stiefel aus französischer Produktion (Hersteller Marbot; das Material nennt er Polyver), die analog zu normalen Gummistiefeln fast bis zum Knie gehen. Sie sind extrem leicht, absolut wasserdicht, haben eine Wandstärke von ca. 2 cm, innen ein synthetisches Webpelzfutter (lässt sich leider nicht herausnehmen), gibt's wohl in den Farben schwarz, braun und grün, und in den Größen 29 bis 48.

Erhältlich sind sie in Deutschland z. B. in den WLZ-Raiffeisenläden (= BayWa) und u. U. in den Hornbach Baumärkten. In Deutschland kosten sie je nach Anbieter so ca. 40 bis 60 Euro.
In Skandinavien werden sie zu horrenden Preisen für Schnee-Scooter Fahrer feilgeboten.
Mit ihnen kann selbst bei Außentemperaturen von –20°C längere Zeit im kalten Wasser gestanden werden, ohne das Geringste zu spüren.

Handschuhe

Bei der Wahl von Handschuhen habe ich noch nicht die ideale Lösung gefunden.
Wenn man etwas bewegteres Wasser fährt oder sonst wie mit Wasser in Berührung kommt (z. B. am Paddelschaft läuft versehentlich Wasser entlang), sind Handschuhe wie sie zum Skifahren benutzt werden (aus Leder oder Kunstfasern) auf die Dauer meist nicht wasserdicht und das Trocknen dauert recht lange.
Mit Neopren-Handschuhen habe ich mal gute und mal schlechte Erfahrungen gemacht (sowohl nass als auch trocken), da kann ich keine generelle Empfehlung geben.

Die Kombination von Innen-Handschuh (z. B. aus Fleece) und einem bis zum Ellbogen reichenden wasserdichten Über-Handschuh, wie man sie z. B. zum Motorradfahren oder Eisklettern benutzt, scheint mir eine gute Lösung zu sein – diese Investition steht bei mir aber noch aus und kann deshalb nicht darüber berichten.
Eine preiswerte Alternative dazu wäre: Ebenfalls Innen-Handschuhe aus Fleece, aber als Über-Handschuhe große, überdimensionale Gummi-Handschuhe verwenden (z. B. vom Baumarkt oder in speziellen Shops für Motorradfahrer erhältlich).

Lästig scheint mir bei diesen beiden Lösungen allerdings das An- und Ausziehen zu sein, wenn man mal kurzfristig keine Handschuhe gebrauchen kann (z. B. beim Fotografieren). Egal welche Wahl letztendlich getroffen wird, um einen guten Grip für das Paddel zu haben, sollten die Handflächen innen auf jeden Fall schön griffig sein.

Kopfschutz

Ein sehr großer Teil der Körper-Wärme wird beim Menschen über den Kopf abgegeben, immerhin ca. 50%!!! Deshalb ist ein wirksamer Kopfschutz in Form einer Mütze oder eines Hutes angeraten, ganz zu schweigen von den empfindlichen Ohr-Läppchen.

Als zusätzlichen Schutz gegen Kälte und Wind kann ggf. auch eine Sturmhaube, wie sie Motorradfahrer unter dem Helm anziehen, unter dem Hut oder der Mütze eingesetzt werden. Diese sollte aber aus Seide oder Kunstfaser gefertigt sein, nicht aus Baumwolle, da nasse Baumwolle dem Körper Wärme entzieht.

Wehre
(ein Thema das alle Paddler angeht)

Warum sind Wehre so gefährlich?

Wehre dienen der Regulierung und der Kontrolle des fließenden Wassers. Das gestaute Wasser kann Turbinen und Maschinen antreiben (Kraftwerke, Mühlen) oder zur Bewässerung genutzt werden.
Wehre sind sehr gefährlich und kommen nicht nur auf Wild-Bächen vor, sondern noch viel häufiger auf an sich harmlosen Wander-Flüssen
Das Problem ist meist nicht so sehr ihre Höhe, sondern die Walze oder die Rückströmung dahinter (= Rücklauf).

Grundschwellen/Sohlschwellen, Staustufen, Floßrutschen und Wehre verschiedenster Bauformen laden – wegen der Unbequemlichkeit des Umtragens – gerne zur Befahrung ein.
Mehr als ein Drittel aller tödlichen(!!!) Unfälle mit dem Kanu geht zu Lasten der Heimtücke von diesen Anlagen.
Übrigens kann bei Umtragungen in vielen Fällen ein Bootswagen hilfreich sein. Erhältlich sind diese in Paddler-Läden in verschiedenen Größen und Ausführungen.

Wehre sind aus mehreren Gründen gefährlich:

- Sie sehen oft harmlos aus und verleiten Unkundige zum Fahren.
  Anfänger erkennen die tödlichen Rückläufe an Staustufen und Sohlschwellen in der Regel nicht oder halten diese für harmlos.

- Sie entwickeln im Bereich der Abriss-Kante einen unüberwindlichen Sog (⇒ deshalb zur Erkundung nie zu dicht an die Wehrkrone heranfahren).

- Sie haben oft durch Kanalisierung im Einzugs-Bereich keine Anlege-Möglichkeit (⇒ hohe steile, oft senkrechte Ufer-Böschungen; häufig glatte Mauern aus Beton).

- Sie halten durch die Rückströmungen im Unterwasser (= Rücklaufbereich) den Paddler im Boot oder auch den Schwimmer fest.

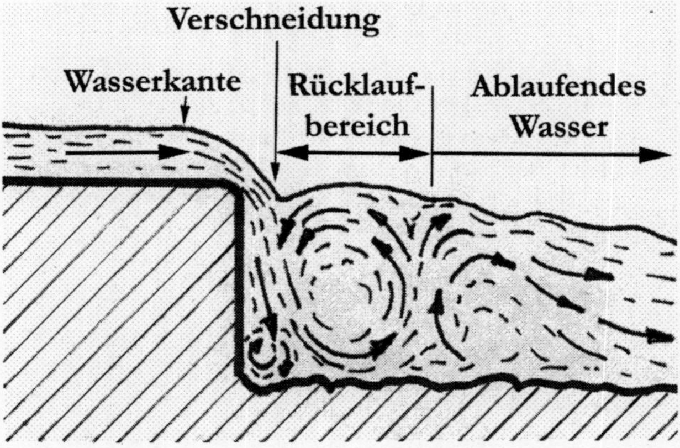

Wasserkante, Rücklaufbereich und ablaufendes Wasser

- Hilfe-Leistung ist meist sehr schwierig und gefährlich. Häufig verunglücken/ertrinken leider die Retter ebenfalls.

- Ist ein Wehr ersichtlich harmlos, so kann gefahren werden. Im gegenteiligen Fall wird selbstverständlich nicht gefahren.
  In der Regel sind nur – wenn überhaupt – Schräg-, Bogen- und Stufen-Wehre befahrbar, oder wenn das Wehr eine Boots-Rutsche/Boots-Gasse hat.
  In jedem Fall ist aber allergrößte Vorsicht geboten.

- Bei Hochwasser grundsätzlich alle Wehre umtragen.

- Schwierig und gefährlich sind die Zweifelsfälle – im Zweifelsfall deshalb immer umtragen!!!
  Sich mal die Beine zu vertreten ist ja auch eine ganz angenehme Abwechslung

- Grundsätzlich bedenken: Ein Canadier ist kein Kajak!!! Wo ein Kajak laut rumpelnd runterschruppt, ist das für einen Canadier aufgrund seiner Länge, des Gewichts und anderer Boots-Materialien eine einzige Material-Schlacht und Tortur. Dieses auch für die hochwertigsten und teuersten Materialien.

- Manchmal geben Fluss-Führer die Befahrbarkeit von Wehren an. Dies ist mit größter Vorsicht zu genießen. Die Verhältnisse ändern sich nicht nur durch die unterschiedlichen Wasserstände, sondern auch durch Treibgut und beispielsweise neu eingestellte Schütze.

Verhalten an Wehren

An Wehren empfiehlt sich folgendes Verhalten:

- Sich die Wehre anhand von Fluss-Führern einprägen.
- Nie zu dicht an sie heranfahren ($\Rightarrow$ starke Sog-Wirkung).
- Bei Hochwasser besonders sichere, weiter entfernte Anlege-Plätze wählen.
- Bei Hochwasser sind alle Wehre gefährlich.
- Die Höhe des Wehres ist kein Maßstab für die Stärke des Rücklaufs.
- Im Zweifelsfalle immer umtragen.
- Sie sind kein Tummelplatz für Pseudo-Wildwasserfahrten und Spielereien.
- Unerfahrene Leute auf die Gefährlichkeit eines Wehres hinweisen und aufklären.
  Laien (Schlauchboot-Fahrer, Luftmatratzen-Schwimmer, Gelegenheits-Paddler, usw.) sind überproportional häufig an Unfällen in Wehren beteiligt.
  Zu spät wird erkannt, dass der Rücklauf eines Wehres eine tödliche Falle ist.
- Wenn eine Gruppe Kajakfahrer (oder auch andere Canadierfahrer/Paddler) ein Wehr befahren, nicht einfach blindlings nachfolgen weil:

- Das können unerfahrene Gelegenheits-Paddler sein, die sich der Gefahr in die sie sich begeben, gar nicht bewusst sind, auch wenn die Boote und ihre Fahrer in Ehren ergraut aussehen.

- Das können Experten sein, die sich das aufgrund ihres fahrerischen Könnens und ihrer Erfahrung zutrauen können, aber nicht „Du".
  Bei der Durchfahrt eines Wehres können beispielsweise ein paar Zentimeter weiter links oder rechts bezüglich tödlicher Rücklauf oder Strom-Zunge entscheidend sein.

- Und ich kann's nur noch einmal wiederholen:
  Ein Canadier ist kein Kajak!!!

Übrigens sollte sich grundsätzlich jeder gefahrenbewusste Kanu-Sportler dazu verpflichtet fühlen, offensichtliche Laien anzusprechen und vor einer bevorstehenden Gefahren-Stelle ausdrücklich zu warnen.
In der Regel erkennen Laien/Anfänger die tödlichen Rückläufe an Stau-Stufen und Sohlschwellen nicht, oder schätzen diese zu harmlos ein.

Ein harmlos aussehendes, aber sehr gefährliches Wehr

Befahren von Wehren

Ist man von der Ungefährlichkeit und der Befahrbarkeit eines Wehres überzeugt, sollten nachfolgende Punkte beachtet werden:

- Selbst altbekannte Wehre stets aufs Neue ansehen. Eingeschwemmte Hindernisse, verstellte Schütze oder Umbauten können wieder völlig neue Gefahren ergeben.

- Immer nur einzeln fahren.

- Möglichst am Rand fahren und auf eine Ablauf-Strömung zielen (⇒ Strom-Zunge).

- Geradlinig und entschlossen fahren, im Unterwasser zügig weiterfahren.

- Das Paddel bereits im Abkippen seitlich weit hinauslegen, um sich im Unterwasser besser abzustützen (⇒ flache Paddelstütze).

- Nur wirklich dann fahren, wenn der Rücklauf erkennbar ungefährlich ist.

- Wird ein Sicherungs-Posten mit Wurfsack aufgestellt, so zeigt dies, dass man von der Ungefährlichkeit der Sache nicht wirklich überzeugt ist.

- Immer daran denken, wir fahren Canadier und keine Kajaks!!!
  Vor allem beim Zweier-Canadier kommt die problematische Schwerpunkt-Verteilung hinzu. Die Gefahr an der Wehrkrone hängen zu bleiben, u. U. mit der Folge zu kentern oder der Beschädigung des Bootes, ist recht groß.

Vor allem ein Canadier aus GFK kann dabei schon mal brechen.

- Ist eine Befahrung unumgänglich (z. B. keine Möglichkeit zum Umtragen oder als Privatbesitz) die Wehrkrone deshalb zügig überfahren, damit man nicht an ihr hängen bleibt und sich die Material-Belastung für den Canadier an dieser Stelle in Grenzen hält (⇒ sehr lange Hebelarme – schließlich sitzt man zu zweit im Boot).

- Das Wehr immer im rechten Winkel befahren, nie schräg oder quer herunterrutschen.

- Die Gefahr des Kenterns ist enorm groß, wenn das Unterwasser nicht sehr tief ist.
  Wegen der Länge des Canadiers sitzt er mit dem Bug auf dem Grund des Unterwasser auf und mit dem Heck an der Schräge des Wehres – das Boot hat dann nur noch an zwei Stellen eine punktförmige Auflage. Die Kipp-Gefahr ist in dieser Lage sehr groß und ein Stützen kaum möglich.

- Größte Vorsicht aber auch bei Boots-Rutschen/Boots-Gassen, diese Anlagen sind leider nicht von Paddlern konstruiert. Teilweise sind sie absolut unbrauchbar oder sogar sehr gefährlich.
  Deshalb vor der Benutzung genauestens anschauen und ggf. auf eine Befahrung verzichten. Eventuell sind sie wenigstens zum Treideln geeignet.

- Anmerkung: In Paddler-Läden gibt es spezielle Bootswagen in verschiedenen Größen und Ausführungen, die bei den lästigen Umtragungen in vielen Fällen hilfreich sein können.

Häufig vorkommende Wehr-Typen

Moderne Wehre sind meist aus Beton gebaut, ältere häufig aus Holz und Steinen.

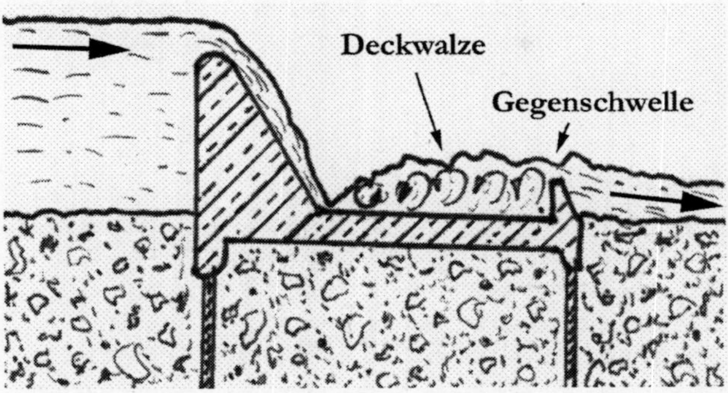

Festes Beton-Wehr mit Gegenschwelle und Kolksicherungs-Spundwänden.

Block-Wehr aus Baumstämmen (steingefüllt). Der unterstromige Kolk wirkt wie eine Gegenschwelle.

Die nachfolgenden Abbildungen zeigen Quer-Schnitte durch die diversen anzutreffenden Wehr-Typen.
Natürlich sind auch sehr häufig Kombinationen/Mischformen der unten dargestellten Bauformen üblich, wie z. B. Schrägwehr mit abschließender senkrechter Stufe zum Unterwasser.
Eine Gegenschwelle, und dadurch ein gefährliches Tosbecken, kann prinzipiell mit allen Ausführungs-Formen kombiniert sein.

Kastenwehr

Viele Architekten bevorzugen das Kastenwehr, bei dem im Unterwasser eine Schwelle hinter dem Wehr errichtet wird, um Auswaschungen zu verhindern.
Allerdings entsteht dadurch im Tosbecken ein besonders starker Rücklauf. Diese Gattung gehört zu den gefährlichsten Typen für uns Paddler.

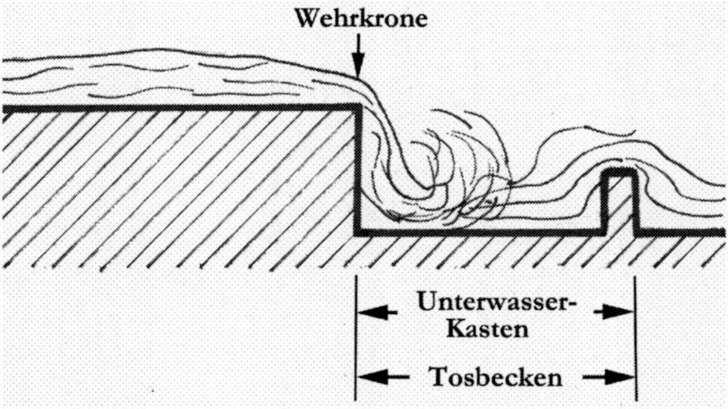

Kastenwehr (=> ganz besonders rücklaufgefährdet wegen Unterwasser-Kasten mit Tosbecken)

Steilwehr

Es erzeugt die gefährlichsten Stopper (Walzen oder Strudel). Schon bei einem knappen Meter Fall-Höhe kann bei einem Steilwehr der Rücksog das Boot festhalten.

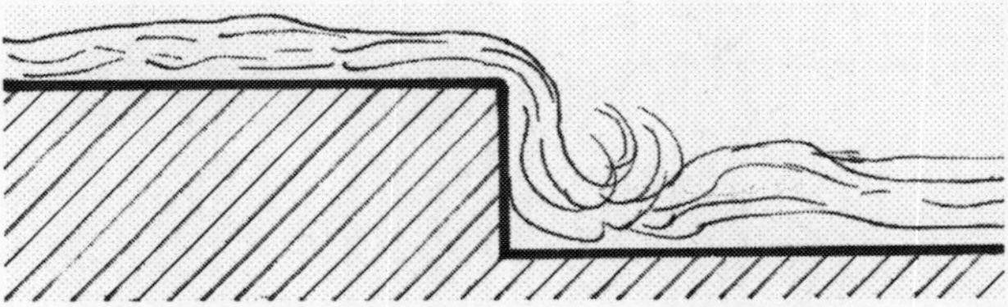

Steilwehr (besonders rücklaufgefährdet)

Stufenwehr

Die einzelnen Stufen sind häufig Bassins, die den Fischen das Überwinden des Wehres erlauben sollen. In jedem der Bassins kann es Stopper geben.
Rettungs-Manöver gestalten sich äußerst schwierig.

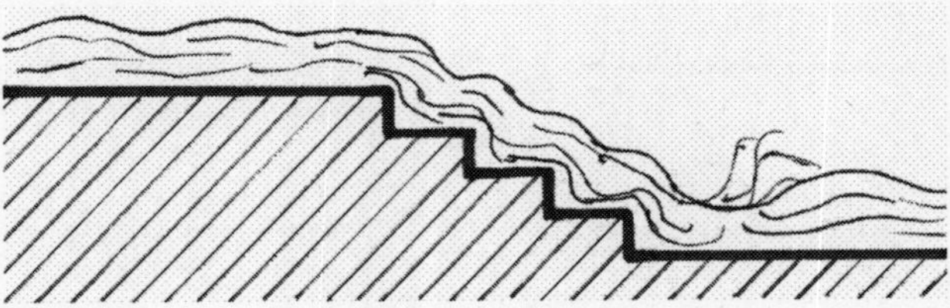

Stufenwehr

Schrägwehr

Es ist normalerweise bis Mittelwasser sicher, wird jedoch bei Hochwasser schwierig und gefährlich.

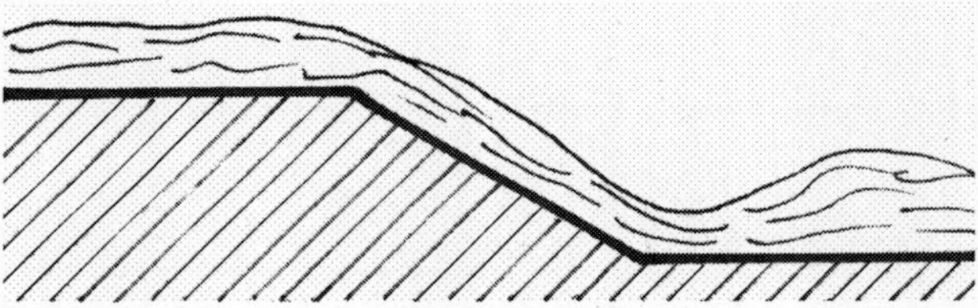

Schrägwehr

Bogenwehr

Bei Niedrigwasser ist Grund-Berührung sehr wahrscheinlich, bei Hochwasser baut sich ein gefährlicher Stopper auf (⇒ Walze).

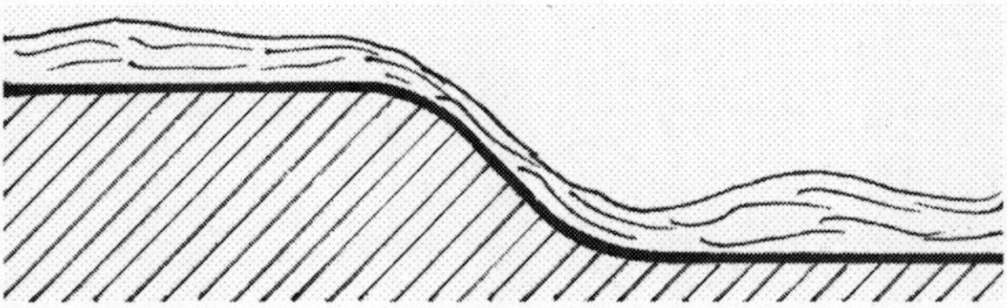

Bogenwehr

Schwimmen im Rücksog von Wehren und Naturstufen – Selbst-Rettung

Nicht überschwimmbare/unüberwindliche Rückläufe kommen in einem naturbelassenen Wild-Fluss selten, bei Wehren und Grundschwellen dagegen sehr häufig vor. Meist ist es also der Mensch selbst, der dem anderen eine Todes-Falle gebaut hat.

Kommt es im Rücksog-Bereich eines Wehres zu einer Kenterung, wird die Situation fatal. Instinktiv wird man versuchen vom Wehr wegzuschwimmen.
Die übermächtige Walze mit dem Rückstau-Effekt wird den Schwimmer aber immer wieder in ihren Bann ziehen und „ansaugen".
Das mit viel Luft angereicherte Wasser (weißes Wasser) liefert wenig Auftrieb, so dass es schwer wird, den Kopf über Wasser zu halten. Je mehr Auftrieb die Schwimmhilfe liefert, desto besser sind die Chancen einen Atemzug zu ergattern.

Wenn man in einer starken Walze (Rücksog) kentert, sollte folgendes versucht werden. Ich gebe aber gerne zu, dass das alles theoretische Betrachtungen sind und in der Praxis wohl sehr schwer in die Tat umzusetzen ist – hab das auch noch nicht selbst ausprobiert:

- Versuchen das Boot festzuhalten. Dies erleichtert das Luftholen und markiert die Position für die Retter, die hoffentlich vorhandenen sind.

- Aufkommende Panik-Stimmung bekämpfen und die Ruhe bewahren. Dies ist natürlich leichter gesagt als getan.

- Schauen, ob der Rücklauf irgendwo einen Ausgang hat. Diese Chance ist bei Wehren älterer Bauart größer, als bei modernen, technisch perfekten Anlagen:
  - Ist die Wehrkrone nicht exakt horizontal, so läuft an einer Seite weniger Wasser darüber. Ist der Rücklauf dort vielleicht eher überwindbar?
  - Hat der Wehr-Rücken eine Vertiefung oder eine flache geneigte Stelle, wo vielleicht eine Strömungs-Zunge entsteht, die aus dem Rücklauf hinausführt?
  - Sind Felsen im Rücklauf, von denen man sich über den Walzen-Kamm hinüberstoßen kann?
  - Wie sieht der Rand des Rücklaufs aus. Gibt es eine seitliche Flucht-Möglichkeit?
    Ist er frei oder gibt es da eine Mauer mit einer Leiter, einer Stange, einem Absatz?

Gibt es keine derartige Rettungs-Möglichkeit und kommt auch keine fremde Hilfe, dann bleibt nur noch ein Weg: ***Abtauchen.***
Das ist eine beängstigende Vorstellung, aber die einzige Möglichkeit um herauszukommen (zumindest theoretisch). Da gegen die Strömung praktisch nicht geschwommen oder getaucht werden kann, ist dieses Abtauchen nur ein bewusstes „Sich-Mitziehen-Lassen“ mit der nach unten gerichteten Strömung.

- Zum Abtauchen selbst:
  Man schwimmt in diesem Fall flussauf, also zum Wehr. Je weiter man in das, von der Wehrkrone herunter stürzende Wasser kommt, desto tiefer wird man nach unten gezogen und desto weiter wird man von der starken Unterwasser-Strömung mitgezogen und aus der Walze herausgespült. Siehe dazu Abbildung auf der nachfolgenden Seite.

Dabei sollte versucht werden mit den Füßen voran abzutauchen, da der Anprall auf die Gegenschwelle (Grundschwelle) droht.

Es wird häufig empfohlen die Schwimmhilfe abzuwerfen, weil dies dem „Gefangenen“ das Entkommen erleichtern würde.
Diesem Rat sollte man, meine ich, nicht folgen und dürfte auch eher von noch theoretischerer Natur sein.
Der Auftrieb einer Schwimmweste ist nicht so gigantisch groß, dass sie ein Abtauchen im Schuss-Strahl des herunter stürzenden Wassers wirklich verhindern würde.

Der zusätzliche Auftrieb, der von der Schwimmhilfe vermittelt wird, ist dringend nötig, damit man noch einmal tief einatmen kann, bevor abgetaucht wird.
Kommt man dann wieder an die Oberfläche wird man sicherlich froh sein, von der Schwimmhilfe getragen zu werden und nicht sofort geschwommen werden muss.

Schwimmen im Rücksog von Wehren – Kameraden-Rettung

Um einen im Rückstau gefangenen Schwimmer zu befreien, müssen alle gemeinsam in einem Team zusammenarbeiten. Es muss versucht werden, eine Leine zum Verunglückten zu bringen.
Je nach Größe der Gruppe möglichst das Unterwasser absichern, falls er herausgespült wird. Hierzu einen guten Paddler einsetzen, der sich aber vom Rücklaufbereich fernhalten soll.
Je nach Situation und Gegebenheit gibt es nun mehrere Rettungs-Möglichkeiten:

Zuwerfen des Wurfsackes

Damit ist eine schnelle Hilfe möglich. Dies erfordert jedoch, dass der Werfer sehr gut trifft und der Schwimmer das Seil bemerkt und ergreift. Möglichst mehrere Wurfsäcke einsatzbereit machen.
Reihen-Folge beim Werfen beachten:
Rufen – Reaktion abwarten – zielen – werfen!

Sollte der Schwimmer Schwierigkeiten haben die Leine zu erkennen, einen Auftriebskörper, Schwimmweste, Helm o. ä. ans Ende binden.
Beachten: An manchen Wehren hängen Rettungs-Ringe!

Sollte dieser sehr einfache und schnelle Rettungs-Versuch scheitern, vielleicht weil die Entfernung für einen Wurfsack zu groß ist, das Ufer nicht zugänglich ist oder der Schwimmer die Leine nicht erkennt, folgendes probieren:

Schwimmkörper einbringen

Das kann beispielsweise ein angeleintes Boot oder eine Schwimmweste sein.
Ein Boot einzuschwimmen ist natürlich vom Oberwasser aus am einfachsten, birgt aber für den Schwimmer Gefahren. Hierfür ist allerdings ein Wander-Canadier nicht geeignet (eventl. ein Wildwasser-Canadier mit Auftriebskörpern). Versuchen ein Kajak oder einen C1 zu organisieren. Dieses sollte allerdings unbedingt mit Luftsäcken (Auftriebskörpern) ausgerüstet sein, nach Möglichkeit die Spritzdecke aufziehen, befestigen und den Kamin zuschnüren. Eine zweite am Boot befestigte Leine, die zum anderen Ufer führt, erleichtert das Positionieren.

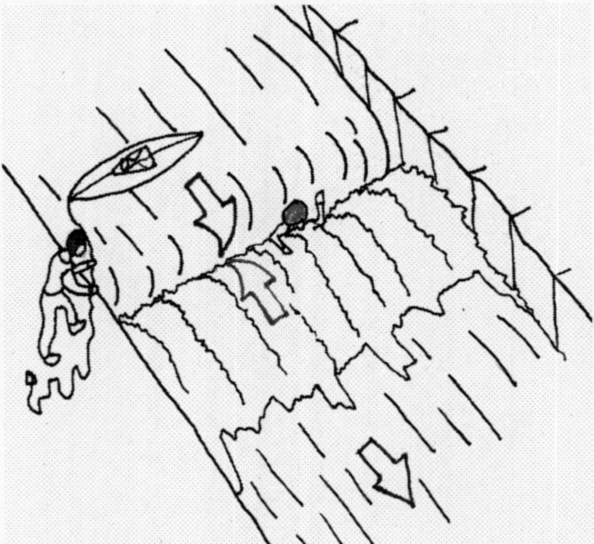

Schwimmkörper von oben einbringen

Seil-Überspannung

Dabei kann der Schwimmer recht gut erreicht werden. Mittels Karabiner verbindet man zwei Wurfsack-Leinen miteinander und an jedem Ufer zieht eine Person die Leine in die Walze. Ist zusätzlicher Auftrieb erforderlich, kann eine Schwimmweste in der Mitte befestigt werden.
Der große Vorteil liegt darin, dass es für die Retter risikolos ist, die Leine kann exakt positioniert werden und der Schwimmer kann wahlweise auf jede Flussseite gezogen werden.

Nachteilig ist, dass es einiger Vorbereitung bedarf und der Fluss darf nicht zu breit sein.
Ist die Entfernung zu groß um die Leine hinüberwerfen zu können, muss sie mit einem Boot mittels Seilfähre zur anderen Uferseite gebracht werden.
Ein Retter führt sie dabei von einem erhöhten Standort aus möglichst so mit, dass sie nicht ins Wasser taucht.

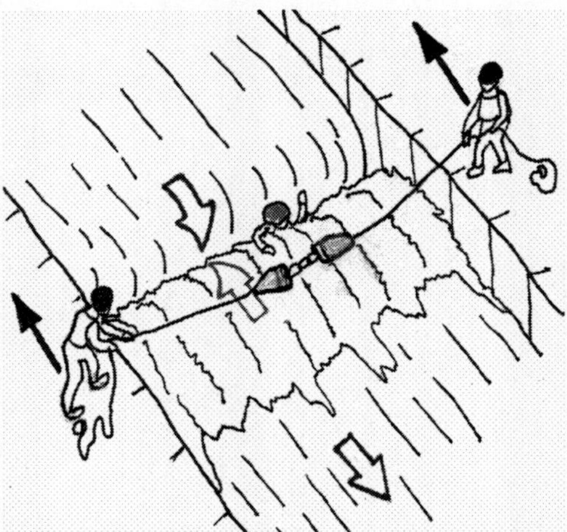

Seil-Überspannung (z. B. mit Wurfsäcken)

Heranfahren mit dem Boot vom Unterwasser her

Dabei kann die Boots-Spitze dem Verunglückten als Halt angeboten werden.
Dies ist aber auch für den Retter gefährlich!!
Sowohl das Heck des Bootes sollte über eine Leine gesichert sein als auch der Paddler über eine separate Leine.
Die Gefahr selbst Gefangener der Walze zu werden oder einer Kenterung ist groß, vor allem wenn der Paddler nach dem Verunglückten greifen muss.

Vorteil ist, dass das Boot sehr exakt in Position gebracht werden kann, andererseits benötigen die Vorbereitungen einige Zeit und es besteht ein Risiko für den Paddler. Es geht also nur bei mäßigem Rücklauf bis höchstens 2 m. Dass das Boot mit Auftriebskörpern ausgerüstet sein muss, ist natürlich selbstverständlich, wie z. B. Solo Wildwasser-Canadier (siehe Skizze unten), Kajak oder C1.

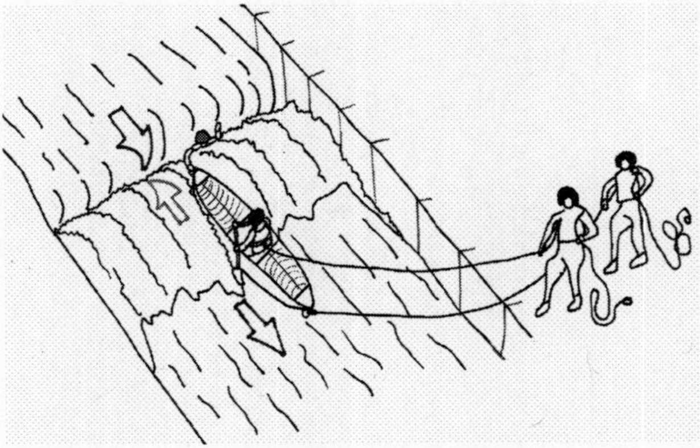

Heranfahren mit dem Boot vom Unterwasser her mit Sicherungsleinen für Boot und Paddler (Wurfsäcke)

Hilfe durch Boots-Kette

Dieses System, bei dem zwei Boote verwendet werden, ist für die Retter sehr gefährlich und sollte, wenn überhaupt, nur bei kleinen Walzen in Anwendung kommen, wenn leichtfertigerweise keinerlei Seil oder Wurfsack zur Verfügung steht.

Das im ablaufenden Wasser befindliche Boot ist mit dem Rettungsboot über eine Leine verbunden (z. B. Bergeleine). Mit dem Rettungs-Boot wird vorsichtig in den Rücklauf eingefahren und sobald der Schwimmer das Boot ergriffen hat, werden beide Boote vom Stopper (Walze) weggepaddelt.

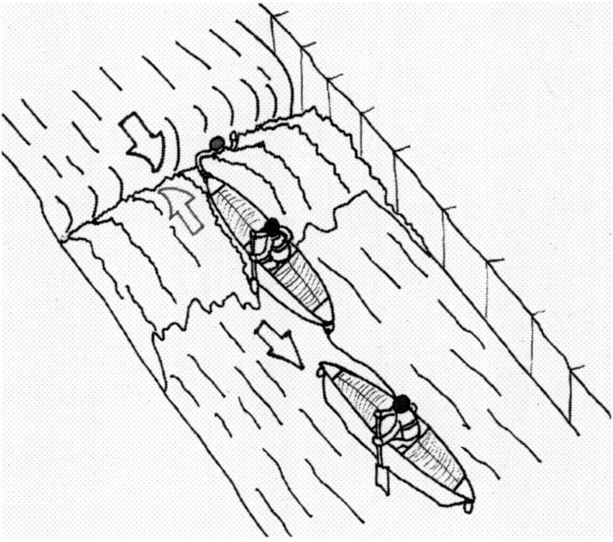

Boots-Kette

Angeseilter Retter springt in den Rücklauf

Manchmal trifft die Fremd-Hilfe jedoch so spät ein, dass der Verunglückte bereits bewusstlos ist und nur durch Schwimmweste, Neopren-Bekleidung und in der Kleidung eingeschlossene Luft an der Oberfläche gehalten wird.

In diesem Fall muss die rettende Hand direkt zum Verunglückten herangebracht werden.
Ein angeseilter und vom Ufer aus gesicherter Rettungs-Schwimmer springt beherzt in den Rücklauf, packt den Bewusstlosen und beide werden von den Helfern am Ufer wieder herausgezogen.

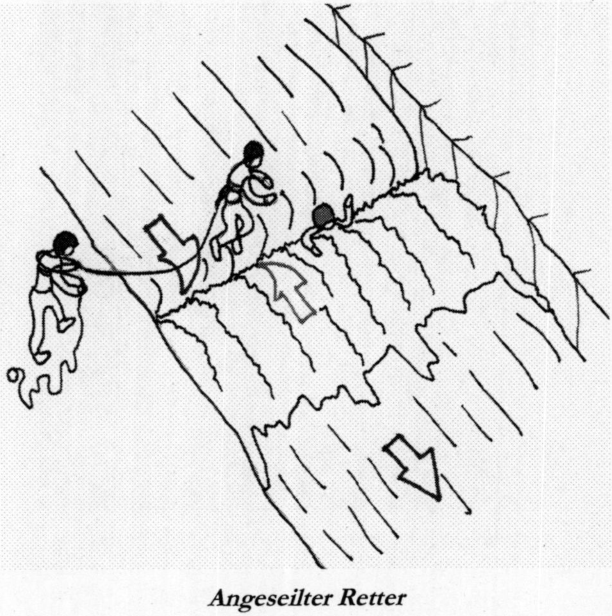

Angeseilter Retter

Andere Möglichkeit:
Ein am Heck angeseiltes Boot fährt in den Rücklauf. Siehe hierzu wie bei „***Heranfahren mit dem Boot vom Unterwasser her***“.
Wesentlich ist, dass der Paddler über eine separate Leine gesichert wird, da es sehr wahrscheinlich ist, dass er kentert, wenn er nach dem Bewusstlosen greift, oder versucht seine Bergeleine bei ihm einzuklinken.

Treideln an einem an sich ungefährlichen, aber für einen Wander-Canadier unfahrbaren Wehr (=> wäre eine einzige „Material-Schlacht“)

Schwimmen im Wildwasser

Warum problematisch?

Aus welchen Gründen auch immer ein Boot kentert – die Paddler müssen schwimmen.
Das ist in einem rasch strömenden Fluss nicht ungefährlich. Die Strömung reißt einen mit und die Orientierung ist aus der Schwimm-Perspektive ziemlich schwierig.

Die Fließ-Geschwindigkeit im Fluss nimmt von der Mitte der Hauptströmung (Stromstrich) zu den Ufern hin ab. Die höhere Strömungs-Geschwindigkeit, z. B. in Fluss-Mitte, übt eine gewisse Sog-Wirkung aus, die schwimmende Gegenstände vom Ufer wegzieht.
Das Anlanden eines Schwimmers, der zudem durch das mitgeführte Boot und Paddel behindert ist, wird somit erschwert.
Weitere Erschwernisse sind Wellen und Walzen, die dem Sog entsprechend häufig schräg vom Ufer weg zum Stromstrich führen.

In sehr wasserreichen Wild-Flüssen (z. B. Inn – Imster Schlucht) wird das Anlanden im Schwall-Bereich unmöglich. Man schwimmt unter Umständen kilometerweit und dies vor allem zeitlich sehr lange in kaltem Wasser.
Da Wild-Flüsse zudem meist eiskaltes Schmelzwasser führen, kommt eine weitere große Gefahr hinzu, die Unterkühlung
⇒ Siehe hierzu das separate Kapitel „***Unterkühlung***“.
Darum immer geeignete **Kälteschutz-Kleidung** tragen
⇒ Siehe hierzu das separate Kapitel „***Kälteschutz***“.
Sonst droht zusätzlich zur Ermüdung die Unterkühlung mit Steifheit bis hin zur völligen Bewegungsunfähigkeit, Aufprall gegen Felsen und schlussendlich das Ertrinken.

Und noch was. Grundsätzlich immer eine **Schwimmweste** tragen, wobei man sich aber trotzdem im Klaren sein muss, dass eine Schwimmweste nur eine Schwimmhilfe ist, die zwar Auftrieb bietet, aber vor Press- oder Saug-Strömungen nicht schützen kann.
So mancher Paddler hat durch das ungewohnte „Schwimmen im Wildwasser“ (Wasserwucht und Kälte) einen Schock für's Leben bekommen und hat seitdem Angst vor stark strömendem Wasser, bzw. traut sich nicht mehr in den Bereich Wildwasser (WW).
Dies sollte man auch im Hinterkopf behalten, wenn man im 2-er Canadier mit mangelnden Paddel-Kenntnissen den Paddelpartner- oder Partnerin ins WW überredet, obwohl diese von bewegterem Wasser gar nicht so angetan sind.

Wenn hier die Rede vom „Schwimmen“ ist, ist das nicht schwimmen im eigentlichen Sinne (= „die Kunst sich über Wasser zu halten“), sondern es ist vielmehr ein „herunter- und durchgespült werden“.

Richtiges Verhalten

Ist man in der misslichen Situation im Wildwasser schwimmen zu müssen, sollte man sich folgendermaßen verhalten:

1.) Bei einer Kenterung Boot und Paddel nicht einfach davonschwimmen lassen, sondern beides fest im Griff behalten, es sei denn, es droht eine ganz besondere Gefahren-Stelle.
Dieses Verhalten wird man in der Regel als Anfänger nicht an den Tag legen und muss trainiert werden. Deshalb nach dem ersten Schock der Kenterung sofort nach Boot und Paddel umschauen und danach greifen. Selbst in schwerem Wildwasser ist alles noch in Griffweite.

2.) Boot immer voraus schwimmen lassen und sich an der hinteren Fangschlaufe festhalten (in Strömungsrichtung gesehen).
Droht ein Aufprall auf Felsblöcke oder Steinen wirkt das Boot als Prellbock. Auch vor Prallwänden oder unterspülten Felsen bietet das Boot ein gewisses Maß an Sicherheit. Niemals vor dem Boot schwimmen (Quetschgefahr) – wenn nicht anders möglich, Boot von sich stoßen.

Ist voraus eine besondere Gefahren-Stelle, z. B. ein unfahrbarer Katarakt oder Wasserfall, bekannt oder erkennbar, so steht natürlich die Rettung des Lebens über der Bergung der Ausrüstung – Boot und Paddel davon schwimmen lassen, wenn dies ein schnelleres Erreichen des Ufers ermöglicht. In Klammen (enge Schluchten) oder vor Prallwänden bleibt man aber auf jeden Fall am Boot. Gegenüber unterspülten, ausgehöhlten Felswänden ist man als Schwimmer machtlos. Mit dem Boot hat man wenigstens die Chance sich von der Gefahren-Stelle abzustoßen.

3.) Zunächst alles tun um sich selber zu helfen, nicht auf fremde Hilfe warten und sich darauf verlassen. Vor allem Ruhe bewahren, keine Panik!

4.) In steilen, gestuften, flachen und felsigen Bächen (z. B. Lech, Vorderrhein, Salza) lautet die Empfehlung: Sich auf den Rücken legen und stromabwärts blicken, die Füße also voraus.
Hüfte und Füße möglichst nahe an der Oberfläche halten. Stein-Berührungen federt man dann mit den Beinen ab.

Das Hochhalten der Füße ist besonders wichtig (die Fußspitzen sollten zu sehen sein), weil man damit allzu leicht in einem Felsspalt hängen bleibt und sich verklemmen kann. Die Strömung würde dann den Oberkörper stromab unter Wasser drücken und festhalten, man ertrinkt.

Selbst bei mäßigem Strom kommt man nicht mehr gegen die Strömungskräfte an um sich aufzurichten, und den Fuß aus der Verklemmung zu ziehen.

Kommt eine beruhigte Ufer-Zone oder Kiesbank in Sicht zum Ufer schwimmen, indem man Beine und Arme einsetzt. Kehrwasser sind auch nach einer Kenterung sehr willkommene Ruhezonen und man sollte versuchen sie anzusteuern.

Haltung beim Schwimmen:

Richtig

Möglichst flach schwimmen (Hüfte hoch) und mit den Füßen eventuelle Stöße abfedern. Fußspitzen sollten zur Sicherheit gegen Verklemmen immer zu sehen sein (auf der Abbildung schlecht erkennbar).

Falsch

Nicht versuchen zu stehen!! Tödliche Falle!!! Gegen den Wasser-Druck ist ein Aufrichten unmöglich.

5.) In tiefen Starkwasser-Flüssen (= engl. „Big Water") mit großen Wellen (z. B. Inn – Imster Schlucht) dagegen lautet die Empfehlung:
Solange beim Boot bleiben, bis man sich wieder kräftig genug fühlt. Sich eine Ufer-Seite aussuchen (möglichst mit Kiesbank) und gezielt und gleichmäßig darauf zuschwimmen. Dazu am besten den Kraul-Stil anwenden und versuchen das Ziel schnell zu erreichen.

Das Boot dabei zwar davon schwimmen lassen, aber es ist über die Wurfsack-Leine gesichert/verbunden, den der Schwimmer mit ans Ufer zieht.
Der an der Heckschlaufe befestigte Wurfsack wird also gegriffen, und mit ihm schwimmt man ans Ufer. Dabei zieht sich das Seil automatisch aus dem Behälter.
Ohne Boot wird das Ufer viel schneller erreicht und zieht dann, sobald man einen festen Stand erreicht hat, das Boot an's Ufer nach.

6.) Sobald ein Helfer mit einem Wurfsack erblickt wird:

- Den Helfer im Auge behalten.
- Arme und Beine auf der Wasser-Oberfläche spreizen, damit man ein größeres Ziel abgibt.

- Leine mit beiden Händen packen. Das ist allerdings gar nicht so einfach, man hat ja noch Boot und Paddel in den Händen, oder?
- Leine um Brust und Schulter ziehen.
- Sich auf den Rücken drehen und auf die Füße blicken.

- Sollte man ein wenig ins Drehen kommen, die Schwimmlage mit den Füßen stabilisieren.
- Sich an Land ziehen lassen.
- Eine zugeworfene Leine ist selbst dann sehr hilfreich, wenn man glaubt ans Ufer waten zu können.

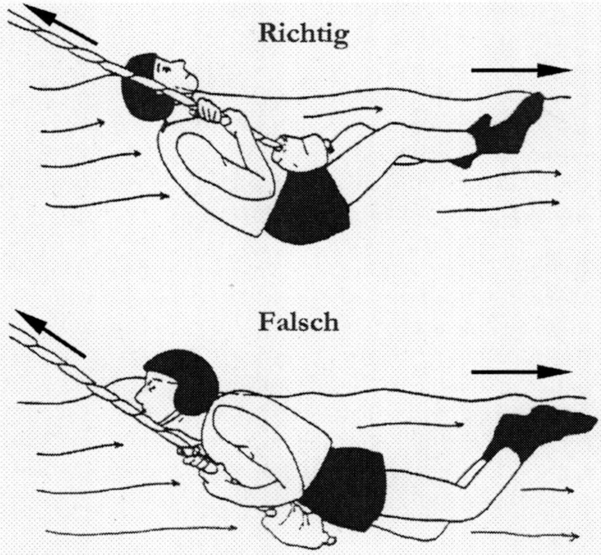

Festhalten am Wurfsack:

- *Richtig (Abbildung oben) und*
- *Falsch (Abbildung unten; der Kopf wird unter Wasser gezogen)*

Zur richtigen Handhabung und Umgang mit dem Wurfsack siehe das separate Kapitel „***Der Wurfsack***“.

Rettung vom Boot aus

Auf einem großen, reißenden Fluss kann einem Schwimmer nur geholfen werden, wenn man zu ihm hinpaddelt und das Boot als Rettungs-Gerät einsetzt.
Sobald man den Schwimmer entdeckt hat:

1.) Das Boot mit der „Seilfähre" in Richtung des Schwimmers fahren. Natürlich ist das Manöver auch abhängig davon, ob man einem Schwimmer mit dem Boot flussabwärts hinterher setzen muss, oder ob er auf das Boot zugeschwommen kommt.
Kommt er auf das Boot zugeschwommen und bleibt noch genügend Zeit, am besten den Canadier in der Strömung drehen und mit der „Seilfähre vorwärts" auf den Schwimmer zusteuern.
Bleibt diese Zeit nicht mehr oder aufgrund anderer Gegebenheiten, muss zum Versetzen des Bootes die „Seilfähre rückwärts" angewandt werden.
Muss dem Schwimmer hinterher gesetzt werden, wird man nach dessen erreichen ebenfalls eine „Seilfähre rückwärts" einleiten.

2.) Ziel ist es, den Kontakt zu dem Schwimmer möglichst an der hinteren Fangschlaufe des Bootes herzustellen. Die Retter werden so beim Paddeln am wenigsten beeinträchtigt.

3.) Der Schwimmer muss sich an der hinteren Fangschlaufe festhalten (in Strömungsrichtung gesehen). Am besten mit der Hand, in der er bereits das Paddel hält. Dann ist eine Hand frei, um sich später am Ufer an Felsen o. ä. festzukrallen.
Keinesfalls darf er sich seitlich am Süllrand des Canadiers festhalten, eine Kenterung wäre dann unvermeidlich. Maximal darf er den Süllrand als Führung benutzen, um den

Boots-Kontakt nicht zu verlieren, wenn er vorsichtig versucht die hinter Fangschlaufe zu erreichen.
Als Gekenterter nicht versuchen, sich ins Boot zu ziehen!!!

4.) Manchmal steht der Gekenterte auch unter Schock und ist vorübergehend nicht zu einer aktiven Handlung fähig. Er wird völlig kopflos Boot, Paddel und sich selbst fahren und treiben lassen.
Als Helfer muss man das verstehen und angemessen darauf reagieren. Dem Gekenterten mit voller Lautstärke die Befehle ins Gesicht brüllen:
Knapp, prägnant und immer wieder, wie z. B.: „In die Heckschlaufe greifen; in die Heckschlaufe greifen". Stets den gleichen Befehl so lange wiederholen, bis der unter Schock stehende Schwimmer reagiert.
Dabei laut brüllen. Gegen das Rauschen des Wassers bei unterm Schutzhelm versteckten Ohren und vor allem gegen die Schock-Isolation, die den Gekenterten umgibt, dringt man nur mit Brüllen durch.

5.) Das Gespann aus Boot/Helfer und Schwimmer nach dem Seilfähren-Prinzip schräg gegen die Strömung in das nächste Kehrwasser am Ufer bugsieren. Dies je nach Situation mittels „Seilfähre vorwärts" oder „rückwärts".

6.) Es ist nützlich vor der Fahrt in der Gruppe abzusprechen, wer einen Schwimmer rettet und wer sich ggf. um das herrenlose Boot oder Paddel kümmert.

7.) Ist der Gekenterte zu eigener Aktivität nicht fähig, zum Beispiel weil er unterkühlt, erschöpft, durch Felsberührung verletzt oder gar bewusstlos ist, so hilft nur abschleppen mit einer Bergeleine. Siehe hierzu das Kapitel „***Schwimmweste***".

Nur wenige Paddler sind gute Schwimmer. Dabei ist richtiges Verhalten im fließenden Wasser bei einer Kenterung lebensrettend.
Wie schon zu Beginn erwähnt, ist mit „Schwimmen“ im eigentlichen Sinn nicht viel zu machen, man wird mehr oder weniger einfach „herunter- und durchgespült“.
Wesentlich ist vor allem, kein panisches Verhalten zu zeigen. Damit man als Gekenterter nicht zum Spielball der Strömung wird, sollte das Schwimmen in harmlosen Stromschnellen immer wieder geübt werden, um auf den Ernstfall vorbereitet zu sein.

Unfreiwilliges „Bad“ im eiskalten Wildwasser

Das Paddel ist noch in der Hand,
stets das Boot voraus schwimmen lassen.
Festhalten an der hinteren Fangschlaufe oder am Süllrand.

Kenterung auf Flachwasser

Allgemeines

Auf das richtige Verhalten bei einer Kenterung sollte man nicht nur auf Fließgewässern vorbereitet sein und entsprechend situationsbedingt reagieren wie im vergangenen Kapitel angesprochen, sondern auch auf Flachwasser wie z. B. Seen bzw. allgemein großen Wasserflächen.
Womit wir auch kurz beim Begriff „Flachwasser" wären. Damit ist nicht gemeint, dass das Wasser nicht besonders tief ist, also seicht oder „flach", sondern dass es eben und glatt ist ohne Wellen etc., also wie im Idealfall beispielsweise auf Seen. Von der Wassertiefe ist dies unabhängig.

Während man auf Fließgewässern (Bäche, Flüsse) üblicherweise das Boot am Ufer meist problemlos ausleeren und wieder startklar machen kann, haben wir diese Möglichkeit auf einem See dagegen nicht.
Es gibt jedoch Methoden, wie ein auf einem See kieloben treibendes Boot umgedreht und die Besatzung wieder einsteigen kann. Ist man mit mehreren Booten unterwegs, ist dies mittels „T-Rescue" bzw. „Boot über Boot Bergung" relativ einfach.
Alleine ohne fremde Hilfe ist dies mittels „Capistrano-Flip" ebenfalls möglich, wenn auch insgesamt etwas schwieriger.

Das generelle Problem allerdings dabei: Diese Berge-Techniken werden üblicherweise immer nur bei ruhigem glattem Wasser geübt, bei diesen Verhältnissen kommt es jedoch selten zu einer Kenterung. Deshalb diese Methoden auch unter widrigen Verhältnissen intensiv trainieren, wie beispielsweise rauer, vom Wind gepeitscher See mit Wellengang, unterhalb einer Stromschnelle etc.

Wenn alle Versuche mit den nachfolgend beschriebenen Techniken fehlschlagen sollten, das Boot aufzurichten und wieder einzusteigen, dann versuchen, auf den Boden des kieloben treibenden Bootes zu krabbeln, damit Ihr aus dem Wasser heraus kommt, das Euch Wärme entzieht und unterkühlt. Das ist äußerst gefährlich; siehe Kapitel „***Unterkühlung***“.

Boot über Boot Bergung/T-Rescue

Ist man mit mehreren Booten in einer Gruppe unterwegs bietet sich diese Methode an. Die „Boot über Boot Bergung“ (engl. „T-Rescue“) hört sich komplizierter an, als sie tatsächlich ist. Der T-Rescue ist recht einfach zu erlernen und sollte von jedem Canadier-Paddler sicher beherrscht werden.

Zunächst die Paddel der gekenterten Personen im zur Hilfe eilenden Boot ablegen, die Paddler selbst halten sich an der Fangschlaufe am Bug/Heck des Rettungs-Bootes fest. Anmerkung: Generell nicht versuchen einzusteigen!!!
Dieses Boot wird im Idealfall so positioniert, dass es mit dem verunglückten Boot die Form eines „T“ bildet. Die Spitze des gekenterten Bootes zeigt geradewegs im rechten Winkel in die Mitte des Rettungs-Bootes.

Eigentlich liegt es nahe, dass beim 2-er Canadier die hintere Person des helfenden Bootes das kieloben im Wasser treibende Boot direkt am Bug oder Heck an der Fangschlaufe packt und anhebt. Allerdings bildet die unter dem Boot eingeschlossene Luft ein Vakuum, welches dies erschwert oder gar unmöglich macht.
Dann alternativ den Süllrand (= Dollbord, Gunnels) des gekenterten Bootes seitlich etwa 1 bis 1,5 m vom Heck/Bug entfernt greifen und anheben. Da die eingeschlossene Luft

dadurch entweichen kann, kommt das Boot leichter hoch.

Dann erst direkt am Bug oder dem Heck hochziehen und die Spitze des Bootes auf dem eigenen Süllrand ablegen. Insgesamt ist dieser Part der schwierigste Teil der Aktion. In dieser Phase ist es hilfreich, wenn die vordere Person ihr Gewicht auf die andere Seite verlagert, um mit einer flachen oder ggf. auch hohen Paddelstütze einer eventuellen eigenen Kenterung vorzubeugen.

Variante bei der Vorgehensweise:
Die gekenterten Paddler bleiben an ihrem Boot. Während der Retter auf Kommando das eine Ende des Bootes anhebt, drücken die Gekenterten das andere Ende ins Wasser, um das Anheben zu erleichtern. Erst danach halten sie sich am Rettungsboot fest (an Bug/Heck).

Das immer noch kieloben positionierte Boot Stück für Stück quer über den eigenen (helfenden) Canadier ziehen, bis es mittig und im rechten Winkel zur eigenen Boots-Längsachse darüber liegt.
Bereits wenn es ein Stück darüber hinweg gezogen ist, liegt der helfende Canadier sehr stabil im Wasser und kann nicht mehr kentern (wirkt quasi wie ein Ausleger).
Dann den Süllrand des geborgenen Bootes greifen, und auf dem eigenen Boot um 180 Grad in die aufrechte Position rollen. Das geht überraschend einfach.
Danach das aufgerichtete Boot auf dessen Boden über den Süllrand des eigenen Bootes ins Wasser gleiten lassen und längsseits nehmen.

Die Retter stabilisieren nun die Süllränder der beiden Boote, wenn die Gekenterten in das Boot zurückkrabbeln. Das ist allerdings gar nicht so einfach. Es sollte versucht werden sich mit einem Klimmzug am Süllrand ein Stück hochzuziehen, um sich dann mehr oder weniger elegant über die Schulter ins Boot abzurollen.

Die Retter können den Einstieg etwas erleichtern, indem sie den Süllrand zum Wasser hin absenken, dazu einfach die andere Seite an den „Gunnels“ anheben.

Capistrano-Flip

Ist man alleine auf Flachwasser unterwegs und kentert, d. h. nur als einziges Boot (egal ob zu Zweit im Tandem oder solo), kann das Boot mit dem „Capistrano-Flip“ aufgerichtet und wieder eingestiegen werden. Diese Technik ist jedoch nicht ganz einfach und nur geübten Paddlern vorbehalten. Hierzu unter das Boot tauchen und eine Seite leicht aus dem Wasser heben. Dann das Boot ruckartig umwerfen. Dabei wird man allerdings selbst tief ins Wasser abtauchen. Das Boot schnell wieder greifen, damit es nicht abgetrieben wird.

Dann ähnlich wie unter „T-Rescue“ beschrieben versuchen wieder ins Boot einzusteigen, d. h. über den Süllrand „elegant“ ins Boot abrollen.
Wenn man zu zweit ist, sich am Boot gegenüber an den Süllränder festhalten und auf Kommando gleichzeitig das Boot entern. Ist dies gelungen, wird man noch ordentlich Wasser ausschöpfen müssen.
Am besten geht der Capistrano-Flip zu zweit als eingespieltes Team mit perfekt abgestimmtem „Timing“.

Als Solo-Paddler funktioniert diese Methode ebenfalls, ist aber schon schwerer umzusetzen. Zudem wird noch mehr Rest-Wasser im Boot auszuschöpfen sein.

Um generell erfolgreich zu sein, muss der Capistrano-Flip häufig geübt werden.

Knotenkunde und Seiltechniken

Allgemeines

Die beim Bergsteigen bzw. im Bergrettungs-Dienst zur Anwendung kommenden Knoten und Seiltechniken sind beim Paddeln allgemein ebenfalls sehr nützlich, und für den Einsatz beim Wildwasserfahren ganz hervorragend geeignet. Sie sollten die nachfolgenden Bedingungen erfüllen:

- Sich leicht und unmissverständlich knoten lassen.
- Dem Anwendungszweck entsprechen, sowie sicher und haltbar sein.
- Unter allen Wetter-Verhältnissen lösbar sein (Frost, Nässe, ...).
- Sich unter „Zug"-Belastung nicht weiter zusammenziehen.
- Sich nach Belastung wieder leicht öffnen lassen.
- Eine möglichst hohe Knoten-Reißfestigkeit haben.

Aus Gründen der Sicherheit sollte man sich nur auf die unbedingt notwendigen und erprobten Knoten beschränken. Man muss die Knoten ausgiebig üben, so dass sie auch in kritischen Situationen immer sicher beherrscht werden, wie z. B. bei Dunkelheit, Rettungs-Manövern, widrigen Witterungs-Bedingungen etc.
Mit der Standard-Ausrüstung beim Paddeln, d. h. einem Wurfsack mit Karabiner und zwei Boots-Leinen von ca. 4 bis 5 m Länge und ca. 7 bis 9 mm Durchmesser am Canadier (egal ob im Wildwasser oder auf Wanderfahrt), können behelfsmäßig mehr Rettungs-Manöver und Seiltechniken durchführt werden, als man denkt.

Sackstich

Der gewöhnlichste Knoten ist der so genannte „Sackstich". Wegen seiner raschen und einfachen Herstellung (mit doppelt genommenem Seil) wird er außerordentlich häufig angewandt.
Bei Wurfsäcken sind beispielsweise die beiden Enden vom Hersteller mit einem Sackstich versehen.
Nach hoher Belastung lässt er sich allerdings schwerer wieder lösen, als ein 8er-Knoten (wird nachfolgend gezeigt).
Den Sackstich kann man sowohl „legen" als auch „stecken". Diese beiden prinzipiell unterschiedlichen Vorgehensweisen werden am Beispiel des „8er-Knotens" noch näher erläutert.

Anwendungsmöglichkeiten:

- Schlinge mit Seil oder Schnur.
- Anseil-Knoten.
- Selbstsicherungs-Schlinge bei Blocksicherung.
- Knoten für die Fangschlaufen am Boot (Knoten im Innern des Bootes).
- Knoten, um die Boots-Leinen an den Fangschlaufen zu befestigen. Dies entweder als „gelegter" mit einem Karabiner oder direkt in die Fangschlaufe als „gesteckter".

Sackstich (gelegt):

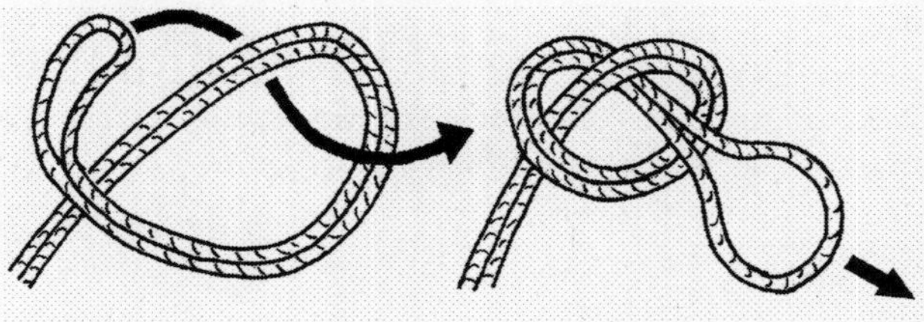

8er-Knoten oder Heuknoten

Der „8er-Knoten“ ist der Idealknoten für den Bergrettungs-Dienst, und natürlich auch bei anderen Anwendungsfällen, wie beispielsweise dem Paddeln.
Er erfüllt optimal die eingangs gestellten Bedingungen. Gegenüber dem Sackstich lässt sich ein 8er-Knoten, vor allem nach hoher Belastung, sehr viel leichter wieder lösen.

Anwendungsmöglichkeiten:

- Schlinge mit Seil oder Schnur.
- Anseil-Knoten für den Klettergürtel (gesteckt).
- Selbstsicherungs-Schlinge bei Blocksicherung.
- Knoten für die Fangschlaufen am Boot (Knoten im Innern des Bootes)
- Knoten, um die Boots-Leinen an den Fangschlaufen zu befestigen. Dies entweder als „gelegter“ mit einem Karabiner oder direkt in die Fangschlaufe als „gesteckter“.

Beim „Legen“ wird einfach das Seil doppelt genommen, um die Schlaufe des Knotens anzufertigen. Darin kann dann ein Karabiner o. ä. eingeklinkt werden.

Beim „Stecken“ wird der Knoten zunächst nur mit einfach genommenem Seil geknüpft, dann das Ziel/Objekt umschlungen (= einbinden in geschlossene Öse, in Ring, um Baum, ...) und dann dem Seil-/Knoten-Verlauf zurück gefolgt. Das Seil-Ende muss dazu lang genug sein. Beim rückwärtigen Nachfahren des Knotens darauf zu achten, dass die Seil-Stränge möglichst parallel verlaufen.

8er-Knoten gelegt:

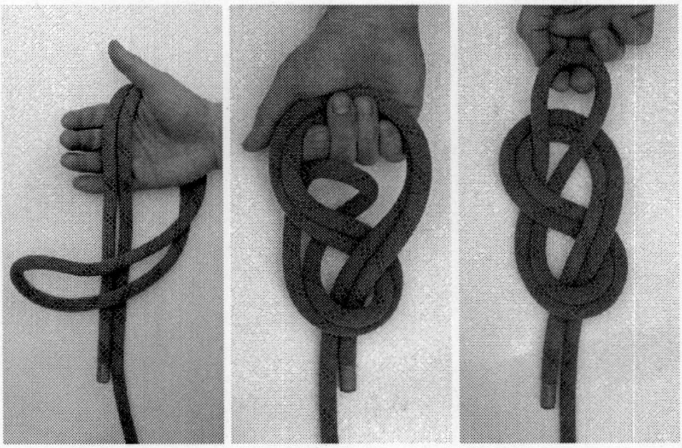

8er-Knoten gesteckt:

Anmerkung:
Analoge Vorgehensweise bei dem „gesteckten“ Sackstich. Dem Seil-Verlauf einfach rückwärts folgen.

Mastwurf

Der „Mastwurf“ ist ein Knoten, bei dem unter Belastung des Knotens beide Seil-Enden diesen festklemmen können und dann selbst belastbar werden.
Wichtig ist, dass ein Mastwurf nicht dort angewandt wird, wo sich der Fix-Punkt drehen kann (z. B. Paddel-Schaft, eingerammter Pickel-Stiel), weil sich dann der Knoten abrollt. Zu verhindern ist dies, wenn der Mastwurf mit einem „halben Schlag“ gesichert wird. Diese Sicherung muss immer erfolgen, wenn ein Mastwurf mit dem Seil-/Schnur-Ende geknotet wird.

Allgemein ist der Mastwurf recht praktisch und kann sehr häufig eingesetzt werden. Dies ebenfalls sehr vielfältig beim Lagerleben.

Anwendungsmöglichkeiten:

- Zahlreiche Seil- und Schnur-Befestigungen
- Selbstsicherung (im Karabiner)

Mastwurf gelegt:

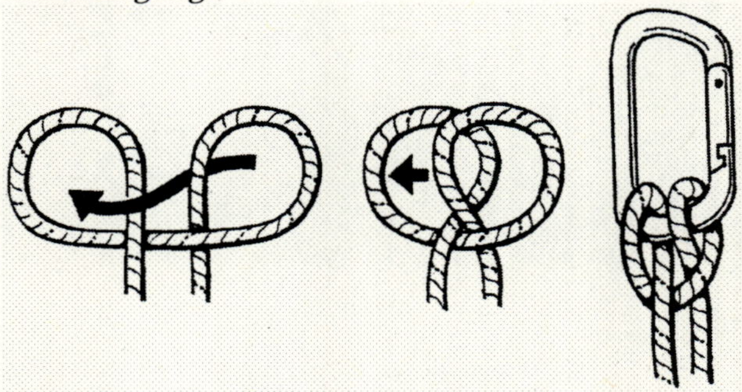

Mastwurf gesteckt: *(⇒ Fixpunkt darf sich nicht drehen)*

Mastwurf-Selbstsicherung: *(⇒ Ausführung mit einer Hand)*

Einhängen des Seiles in den Selbstsicherungs-Karabiner. Das lose Ende von hinten greifen und mit dem Seil eine Schlinge drehen. Diese Schlinge lagerichtig in den Karabiner einhängen.

Spierenstich

Anwendungsmöglichkeiten:

- Seil- oder Schnur-Verbindungen (Seil-Verlängerung)

Der „Spierenstich" dient zur Verbindung zweier gleichstarker Seil-Enden. Er sollte nur mit zusätzlichen Sicherungs-Knoten eingesetzt werden.
Zur Verbindung eines Seiles mit einer Schnur, also bei großen Durchmesser-Unterschieden, dient eine Modifikation des Spierenstiches, der englische Spierenstich.

Einfacher Spierenstich (Prinzip-Darstellung):

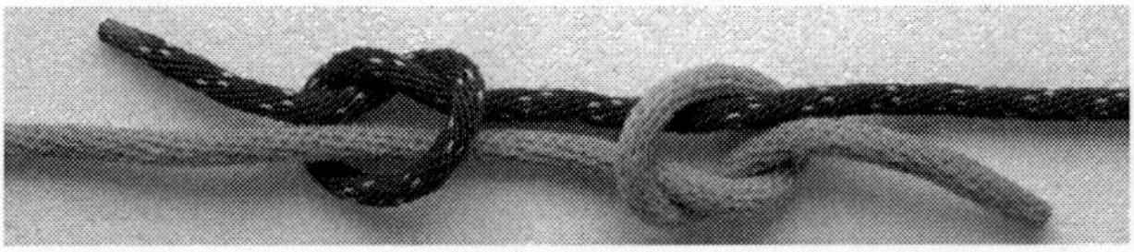

Einfacher Spierenstich zugezogen:
(⇒ ohne Sicherungs-Knoten dargestellt)

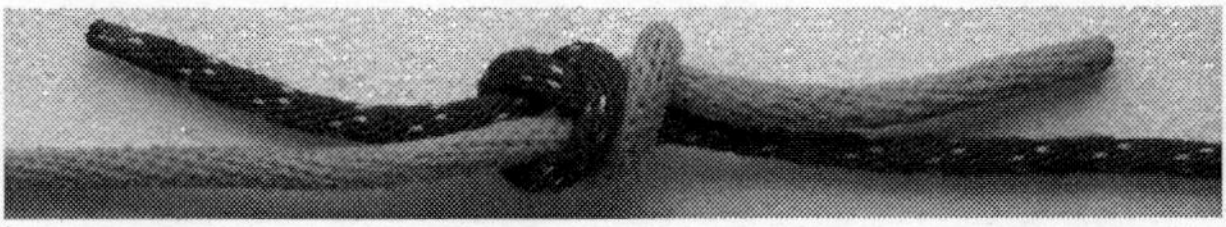

Spierenstich zugezogen mit Sicherungs-Knoten:

Englischer Spierenstich (Prinzip-Darstellung):

Englischer Spierenstich zugezogen dargestellt:

Prusik-Knoten/Ankerstich

Der „Prusik-Knoten“ ist ein doppelter Ankerstich.
Er hat gegenüber anderen ähnlichen Klemm-Knoten den Vorteil, dass er nach beiden Richtungen belastbar ist. Seine Anwendung findet er als Klemm-Knoten beim Flaschenzug, bei der Entlastungs-Schlinge und beim Aufsteigen am fixierten Seil.
Er klemmt unter Belastung und lässt sich entlastet verschieben.

Vor dem Anlegen eines Klemm-Knotens ist zu beachten, dass die Knotenschlinge einen kleineren Durchmesser haben muss als die Schnur oder das Seil, auf dem der Knoten halten soll.
Je größer die Differenz der Durchmesser ist, desto besser hält der Klemm-Knoten.

Besonders geeignet sind Kernmantel-Reepschnüre mit 5 mm und ggf. auch 4 mm Durchmesser.

Anwendungsmöglichkeiten:

- Klemm-Knoten, z. B. für Flaschenzüge

Prusik-Knoten:

Bandschlingen-Knoten

Alle Bandschlingen (Flach- und Schlauch-Bänder) müssen mit dem „Bandschlingen-Knoten" geknotet werden, da sich andere Knoten aufziehen, wie beispielsweise Spierenstich, 8er-Knoten, etc. Es ist praktisch ein „gesteckter" Sackstich, dieser allerdings in Ring-Form.

Schnüre und Seile können ebenfalls mit dem Bandschlingen-Knoten geknotet werden, wie z. B. Schlingen, Seilverlängerungen etc.
Dies insbesondere dann, wenn eine hohe Knoten-Festigkeit gefordert ist. Der Bandschlingen-Knoten ist der einzige Knoten, dessen Knoten-Festigkeit nahezu 100 % beträgt.

Anwendungsmöglichkeiten:

- Verknoten von Flach- und Schlauch-Bändern!!!
- Schlinge mit Seil oder Schnur
- Seil- oder Schnur-Verbindungen (Seilverlängerung)

Bandschlingen-Knoten:
(⇒ nicht zugezogen dargestellt)

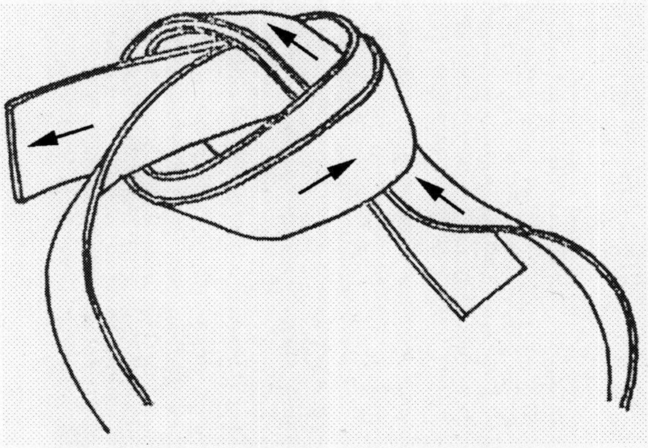

Das Schlingen-Ende dem Pfeilverlauf folgend durch den Knoten stecken

Knoten-Festigkeit

Knoten schwächen das Seil, denn im Knoten werden die Außenfasern des Seils stärker beansprucht als die inneren Fasern.
Die Höhe des Festigkeitsverlustes hängt von vielen Faktoren wie Flechtweise, Material, verwendeter Knoten u. v. m. ab.

Die „Knoten-Festigkeit“ ist die Festigkeit des geknoteten Seiles im Vergleich zur Bruchlast des gestreckten Seils (= ohne Knoten) in Prozent.
Der Bandschlingen-Knoten ist der einzige Knoten, der eine nahezu 100%-ige Knoten-Festigkeit hat.

Bulin-Knoten/Palstek Anfertigen eines provisorischen Brustgeschirres

Zum Befestigen der Boots-Leine an die Fangschlaufe des Bootes, sowie ggf. bei Rettungs-Aktionen zum direkten provisorischen Anseilen ist der „Bulin-Knoten“ recht nützlich. Man kann sich mit ihm direkt in ein Seil einbinden. Zum Einbinden in einen Klettergürtel ist allerdings ein „gesteckter 8er-Knoten“ die bessere, weil sicherere Lösung. Siehe dazu weiter unten unter **Gefahren-Hinweis**.

Mittels Bulin-Knoten (= Palstek; siehe Pfeil) befestigte Bootsleine an der Fangschlaufe des Bootes

Beim Einbinden ins Seil muss auf jeden Fall für eine Schulterschlinge nach Hosenträger-Art genügend Seil berücksichtigt werden. Die notwendige Länge beträgt dabei circa von der Schulter bis zum Boden.
Diese Schulterschlingen haben lediglich tragende Funktion für den Brustring, der wie beim Klettergürtel dicht unter den Achseln sitzen muss.
Bei Frauen ist unbedingt darauf zu achten, dass der Brustring über der Brust getragen wird, um Verletzungen vorzubeugen.

Bulin-Knoten

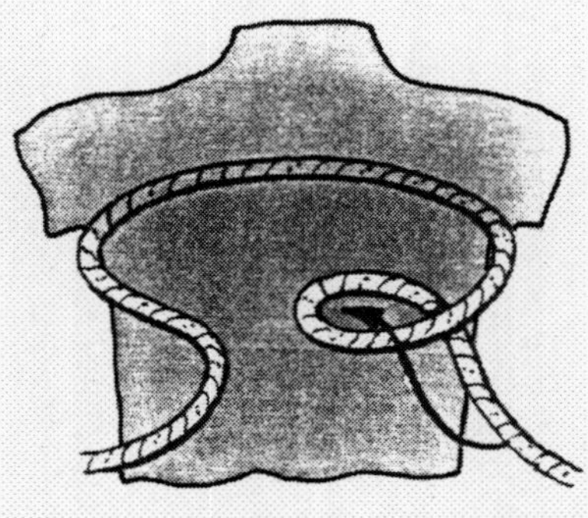

Schleife im langen, zum Partner verlaufenden Seilstück. Herstellung eines Schleif-Knotens unter Durchziehen des Seils wie vom Pfeil angedeutet.

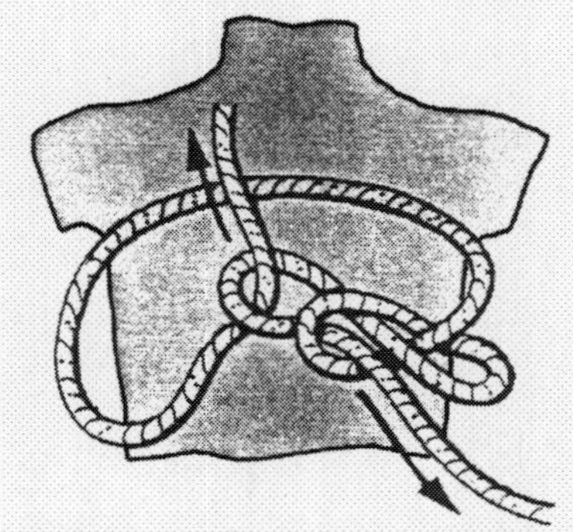

Durch den fertigen Schleif-Knoten wird das freie kurze Seil-Ende geführt. Zug in beiden Pfeil-Richtungen, bis Knoten überspringt.

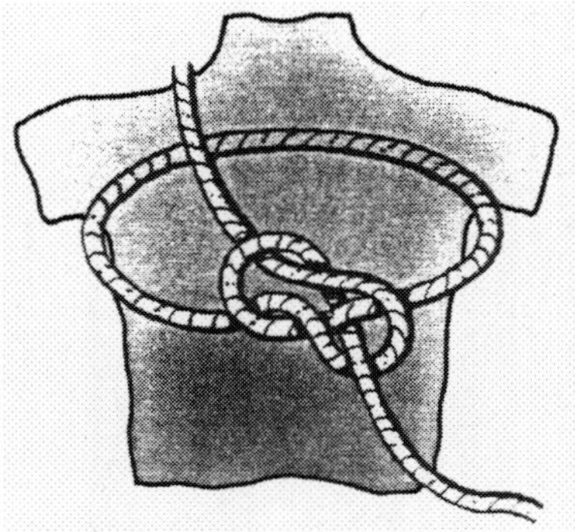

Richtig liegender Knoten.
Seilstrang zum Partner läuft aus dem Knoten von der Brust weg.
Die beiden anderen laufen im Knoten parallel und kreuzen sich nicht.

Besser als sich direkt ins Seil einzubinden ist es, mittels einer ca. 4 m langen Reepschnur (Durchmesser 7 bis 8 mm) ein provisorisches Brustgeschirr anzufertigen.
Dafür kann z. B. die Boots-Leine genommen werden, sofern sie diese Anforderungen erfüllt und steht damit jederzeit zu Verfügung.

Der Bulin-Knoten ist nicht nur dienlich um so ein behelfsmäßiges Brustgeschirr anzufertigen, sondern kann sehr vielseitig eingesetzt werden.
Beispielsweise kann damit die Boots-Leine an der Fangschlaufe des Bootes befestigt oder wiederum das Boot mit der Boots-Leine an einem Baum festgebunden werden. In diesen Fällen ist dann der oben dargestellte „Oberkörper", um den der Knoten geschlungen wird, die Fangschlaufe oder der Baum. Siehe hierzu das Bild zu Beginn des Abschnittes.

Aber Achtung/Gefahren-Hinweis:

Mit dem „Bulin-Knoten“ (bzw. „Palstek“; siehe weiter unten) haben sich in der Vergangenheit beim Bergsteigen einige Unglücke ereignet. Diese vor allem bei der Verwendung des Bulin als Anseil-Knoten/Einbinde-Knoten.
Wesentliche Ursache: Der Bulin-Knoten ist sicher, solange er durch Last im Hauptstrang(!) des Seiles belastet wird. Unsicher wird er dagegen unter der so genannten Ring-Last, bei der nur die Schlaufe belastet wird, nicht aber der Hauptstrang. Der Knoten kann sich dann aufziehen.

Beim Boot-Fahren zur Befestigung der Boots-Leine etc. kann der Knoten jedoch gefahrlos eingesetzt werden und ist sehr praktisch.
Allerdings muss der Bulin-Knoten sorgfältig ausgeführt werden, d. h. es muss unbedingt darauf geachtet werden, dass der Knoten „umschnappt/überspringt“.
Sollte diesbezüglich Unsicherheit bestehen kann ein provisorisches Brustgeschirr auch aus einem 8er-Knoten angefertigt werden.
Im Bereich des Bergsteigens oder für Rettungs-Aktionen wird dagegen vor Verwendung des Bulin-Knotens generell gewarnt.

Provisorisches Brustgeschirr

Zu dem provisorischen Brustgeschirr aus einer Reepschnur und zwei Bulin-Knoten siehe die Prinzip-Skizze auf der nachfolgenden Seite.
Wie schon erwähnt, ist bei Frauen darauf zu achten, dass der Brustring über der Brust getragen wird, um Verletzungen vorzubeugen.

Prinzip-Skizze „Provisorisches Brustgeschirr":

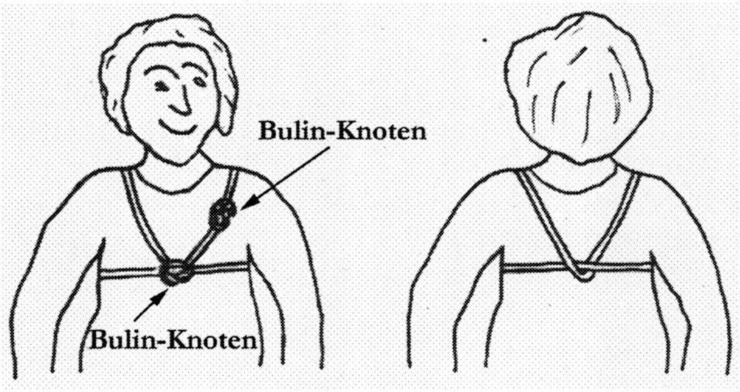

Palstek

In der Seefahrt ist der „Bulin-Knoten" übrigens unter dem Namen „Palstek" bekannt, und wird nach wie vor in der Praxis eingesetzt (⇒ keine Sicherheitsbedenken).
Der Knoten ist letztendlich der gleiche, die Knüpfweise ist dagegen anders, siehe Skizze unten.

Er ist sehr gut dafür geeignet z. B. die Boots-Leine an der Fangschlaufe zu befestigen.
Anmerkung: In der folgenden Skizze ist die Fangschlaufe nur als Ring-Haken dargestellt.

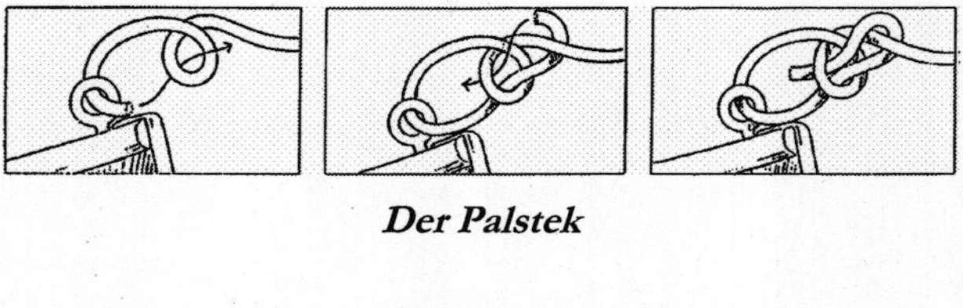

Der Palstek

Behelfsmäßiges Abseilen

Mit dem so genannten „Dülfersitz“ ist es möglich, sich ohne weitere Hilfsmittel, z. B. nur mit dem Seil des Wurfsackes, über Felsen oder eine steile Böschung abzuseilen.

Wichtig ist ein aufrechtes Sitzen im Seil, mit rechtwinklig(!!) zur Wand gestemmten Beinen.
Dies sollte unbedingt beachtet werden, da man sonst mit den Füßen sehr leicht abrutschen kann und dann flach gegen die Böschung oder die Felswand schlägt.

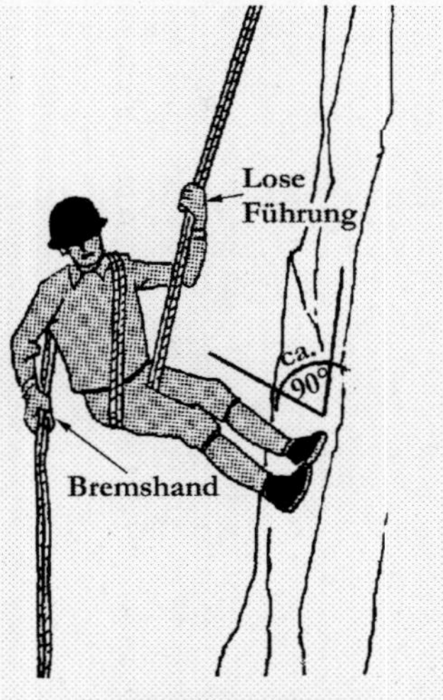

Abseilen im Dülfersitz.
Den Seilverlauf beachten.

Die Hand hinter dem Rücken übernimmt die Brems-Regulierung, die vordere Hand hat den Körper nur vor dem Rückwärtskippen zu sichern (= lose Führung).
Sich langsam abseilen, sonst verbrennt man sich durch die Reibung die Handflächen (⇒ vor allem die Bremshand).

Beim Abseilen am Doppel-Seil sollte, besonders in unbekanntem Gelände, eines der Seile durch eine Karabiner-Sicherung am Klettergürtel geführt werden, oder durch das provisorische Brustgeschirr.
Am Seil-Ende werden dabei zwei 8er-Knoten in ca. 1,20 m Abstand geknotet. Der Abseilende kann dann nicht mehr aus dem Seil fallen.

Außerdem kann er sich durch Stehen in den unteren Knoten entlasten, falls das Seil zu Ende sein sollte, er aber noch keinen festen Halt unter den Füßen erreicht hat.

Kameraden-Sicherung

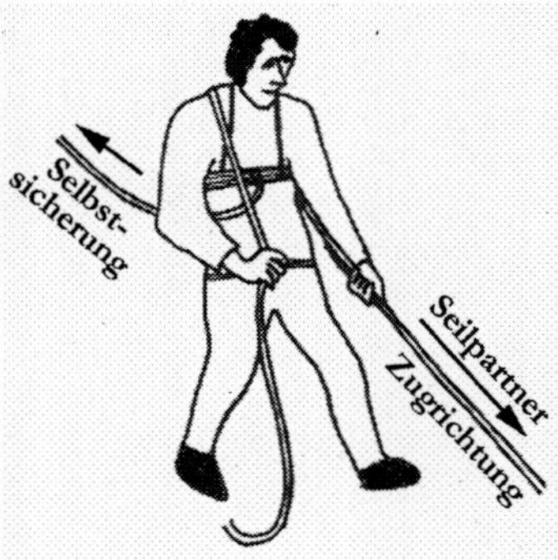

Mit der „Schulter-Sicherung" ist es möglich, ohne weitere Hilfsmittel einen Kameraden zu sichern und bei Bedarf dessen gesamtes Körpergewicht zu halten.
Das Seil läuft unter der Achsel der Körperseite, die zur Zug-Richtung zeigt, und über die gegenüberliegende Schulter.
Stemm-Stellung des entsprechenden Beines gegen den zu erwartenden Zug.

Es ist jedoch unbedingt erforderlich, dass sich der Sichernde mittels einer so genannten „Selbstsicherung" selbst absichert. Dies z. B. mit der Boots-Leine oder „Cowtail" an Baum, Fels-Block, Fels-Nase o. ä. Dabei sind kurze Selbstsicherungen anzustreben. Der Sicherungs-Karabiner muss immer in Reichweite bleiben.

Zur Vermeidung von Verletzungen (⇒ Brandwunden bei durchlaufendem Seil) sind Lederhandschuhe zu verwenden. Diese Seil-Führung bzw. Handhabung ist beim Einsatz des Wurfsackes zum Abfangen/Aufnehmen des „Zuges", wenn sich der Schwimmer am Wurfsack-Seil festhält, ebenfalls anzuwenden.

Abseilen/Ablassen von Personen oder Gegenständen

Brems-Knoten

Brems-Knoten/ halber Mastwurf mit Seil

Mit Hilfe des „Brems-Knotens“ (halber Mastwurf) und einem Karabiner ist es möglich, über eine feste Verankerung (Baum, Fels-Nase o. ä.) einen verletzten Kameraden oder z. B. ein Kanu abzuseilen.
Dafür benötigen wir nur eine Leine zur Verankerung (z. B. die Boots-Leine, sofern sie den Anforderungen entspricht), den Wurfsack und einen Karabiner. Dieser gehört ja obligatorisch zu jedem Wurfsack.
Wird die Zug-Richtung umgedreht (⇒ ziehen am anderen Seil-Ende), schlägt der Halbmastwurf automatisch um. Dieses Verhalten ist völlig in Ordnung, der Knoten korrekt. Er ist in beide Richtungen funktionsfähig.

Der Brems-Knoten ist zudem für die Kameraden-Sicherung einsetzbar, der <u>H</u>alb<u>m</u>astwurf-<u>S</u>icherung bzw. „HMS“. Dazu nach Möglichkeit/Verfügbarkeit stets einen Schraub-Karabiner verwenden. Es sollten auf jeden Fall Lederhandschuhe zur Vermeidung von Verletzungen getragen werden, da ein Sturz nicht schlagartig, sondern langsam abgebremst wird (= dynamische Sicherung).

Behelfsmäßige Seilbremse

Die „behelfsmäßige Seilbremse“ eignet sich ebenfalls zum Abseilen oder Ablassen einer Person oder eines Gegenstandes, wie z. B. einem Boot.

Behelfsmäßige Seilbremse

In die Verankerung (z. B. die Boots-Leine, sofern sie den Anforderungen entspricht) wird eine behelfsmäßige Seilbremse eingehängt.
Die Bremse entsteht, wenn das Seil im Längs-Karabiner angehoben wird und darunter ein anderer Karabiner in Kreuzform in den Längs-Karabiner eingehakt wird.

Nach Möglichkeit sollten hierzu zur Sicherheit gegen ungewolltes Öffnen Schraub-Karabiner eingesetzt werden. Das Seil darf nicht auf dem Schnapper des querliegenden Karabiners aufliegen!!!

Flaschenzug

Mit einem Seil oder Wurfsack und einigen Karabinern lässt sich auf einfache Weise ein provisorischer Flaschenzug erstellen, um beispielsweise ein verklemmtes Boot zu bergen oder irgendwo hochzuziehen.
Der hier in der Abbildung verwendete Knoten ist der „Truckers hitch“ (nicht zugezogen dargestellt; Beschreibung siehe unten).
Anstelle des „Trucker‘s hitch“ kann auch ein Mastwurf oder, sofern vorhanden, wie unter Prusik-Knoten/Ankerstich beschrieben, eine kleine Schlinge mit Klemm-Knoten eingesetzt werden.
Ein Mastwurf lässt sich leichter lösen als der dargestellte „Truckers hitch“, aber ein Mastwurf ist nicht jedem geläufig.

Die Verwendung von kurzen Prusik-Schlingen ist am vorteilhaftesten, da überhaupt keine Knoten gelöst werden müssen, um am Flaschenzug nachzufassen oder ihn dabei zu fixieren. Die Klemmung am Seil muss lediglich verschoben werden. Leider hat man derartige Schlingen üblicherweise nicht in der Standard-Ausrüstung.

Seil-Rolle

Versprecht Euch von den Flaschenzügen aber nicht zuviel, auch wenn man sie noch so optimiert und perfektioniert, wie beispielsweise durch die Verwendung von Seil-Rollen zur Reduzierung der Reibung.
Solche Flaschenzüge mögen zum Bergen eines verklemmten Kajaks ausreichend sein, einen mit Wasser vollgelaufen

Canadier (Gewicht ca. 1 Tonne) gegen die Strömung bergen zu wollen, dürfte damit jedoch scheitern.

Hinzu kommt, dass die Wurfsack-Seile üblicherweise doch eine relativ hohe Dehnung aufweisen, d. h. die zur Verfügung stehende Länge zum Ziehen schrumpft nach der Dehnung/Streckung des Seiles auf ein minimales Maß. Das Thema Flaschenzug wird ebenfalls in dem Kapitel „***Der Wurfsack***“ erwähnt.

Einfache Flaschenzüge:

Trucker's hitch ⇓ mit Karabiner

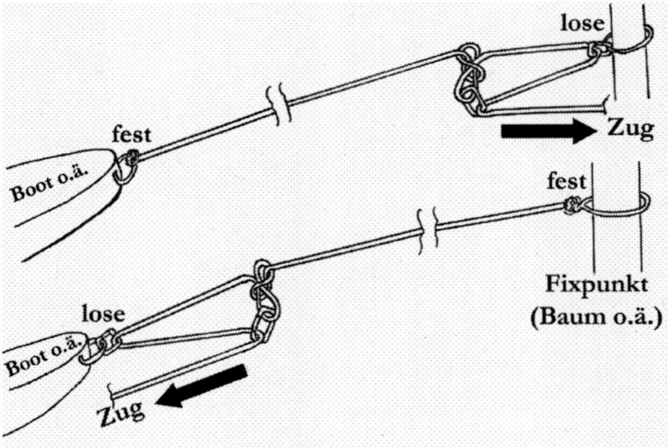

Trucker's hitch ⇑ mit Karabiner

Trucker's hitch

Dieser Knoten sieht zwar auf der Skizze etwas kompliziert aus, ist es aber gar nicht – einfach mal ausprobieren. Durch die Umlenkung und der damit verbundenen Möglichkeit zu spannen (Prinzip Flaschenzug), ist er sehr gut geeignet Dinge unter „Zug" zu fixieren.
Z. B. kann man damit Boote mittels einer Schnur auf dem Autodach verzurren, die Boote vorn und hinten einfach und elegant zur Stoßstange bzw. Abschlepp-Öse abspannen, Schnüre von Zelten und Tarps etc. spannen, und und und. Übrigens verzurren auf diese Art und Weise die „Trucker" in Amerika mit Seilen die Ladung auf ihren großen Lkws.

Trucker's hitch:

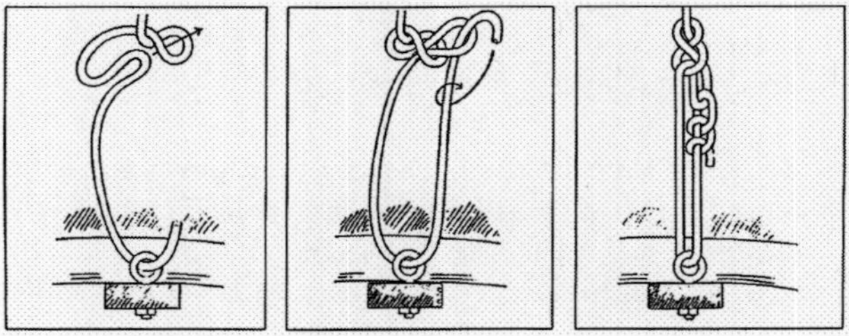

In Abwandlung eignet er sich auch sehr gut, um mit geringsten Mitteln und Aufwand schnell mit Hilfe des Wurfsack-Seiles einen einfachen, aber recht wirkungsvollen Flaschenzug zu bauen. Siehe vorhergehende Skizze unter „Flaschenzüge".
Zur Reduzierung der Reibung beim Flaschenzug nach Möglichkeit an den Umlenk-Stellen nicht Seil auf Seil laufen lassen, sondern Karabiner oder noch besser Karabiner mit Seil-Rollen verwenden.

Materialwahl/Tipps

Die hier aufgeführten, hoffentlich nützlichen Tipps sind übrigens in dem Kapitel „***Tipps und Hinweise***“ alle noch einmal zusammengefasst.

- Seile, Reepschnüre und Karabiner sollten aus Gründen der Sicherheit nicht einfach irgendwo gekauft werden (Baumarkt, Campinghandel), sondern nur in den Bergsport-Abteilungen der Sportgeschäfte oder Spezialgeschäften für Skipper und Boote (z. B. für Schwimmleinen).
  Wurfsäcke gibt es natürlich nur in Kanu-Fachgeschäften/ Paddel-Läden. Jeder Wurfsack sollte mindestens mit einem Karabiner bestückt werden.

- Reepschnüre werden in Durchmessern von 4 bis 8mm angeboten.
  Seile in Durchmessern von 9 bis 11mm.

- Bei Schlingen zur Selbst-Sicherung oder für ein provisorisches Brustgeschirr ist beim Wildwasser-Sport ein Durchmesser von 7 oder 8 mm ausreichend. Dies bietet sich z. B. bei gleichzeitiger Verwendung als Boots-Leinen an.

- Beim Abschneiden von Seilen/Reepschnüren müssen die Enden über einer offenen Flamme (Kerze, Feuerzeug o. ä.) verschmolzen werden, um ein Ausfransen zu verhindern.

- Die Karabiner für den Bergsport sind aus hochfestem Aluminium (günstiges Gewicht), und sollten ein Prüfzeichen aufweisen (CE oder UIAA).
  Für Sicherungszwecke, bei denen ein selbsttätiges Öffnen des Schnappers auf jeden Fall vermieden werden muss,

gibt es zudem Ausführungen mit Schraub-Verschluss (= Schraub-Karabiner).

Die Karabiner, die in Paddel-Läden angeboten werden, stammen letztendlich auch aus dem Bergsport-Bereich und erfüllen diese Anforderungen.
Von Karabinern aus dem Baumarkt sollte man die Finger lassen.

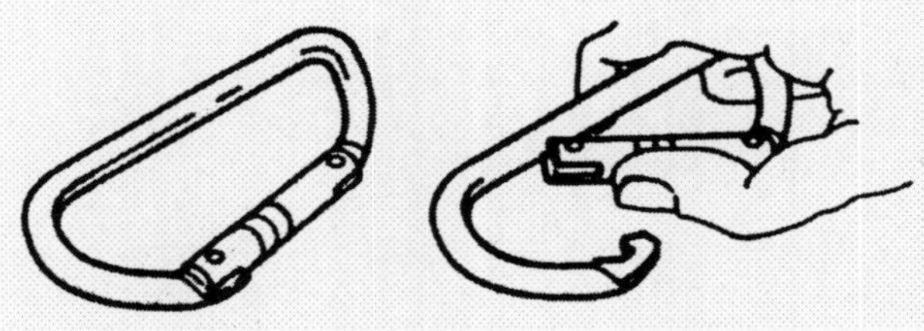

Karabiner aus dem Bereich Bergsport

Nicht geprüfte Ausrüstung!!!

Nicht empfehlenswert bzw. gefährlich bei sicherheitskritischen Dingen ist preiswertes „Zeug“ aus dem Baumarkt/Kaufhaus etc. wie beispielsweise dieser Spanngurt.
Bei minimaler Kraft-Einwirkung zerbrochener Klemm-Schnalle.
„Windig“ und bereits nachgenäht die Vernähung des Gurt-Bandes.
Dies ist lebensgefährlich und kann ggf. tödlich enden!!!
Dies z. B. bei Verwendung des Spanngurtes zum Verzurren des Bootes auf dem Autodach.

Handzeichen

Wenn Ihr in einer Gruppe mit mehreren Booten unterwegs seid, ist die Verständigung mit Handzeichen ein wichtiger Punkt.
Die Verständigung zwischen den Paddlern ist oft nicht leicht, da die Boote einen Sicherheitsabstand einhalten sollten und der Geräuschpegel im Wildwasser nicht unerheblich ist. Im rauschenden Fluss und mit vom Schutzhelm verdeckten Ohren sind Ruf-Zeichen meist nicht zu verstehen, und führen oft zu Missverständnissen.

Die Verständigung erfolgt deshalb häufig durch Handzeichen, über deren Bedeutung man sich allerdings vorher geeinigt haben muss. Die Signale sollten sich nur um Sicherheits-Belange drehen und nicht zu zahlreich sein. Was ausgedrückt werden soll, muss von vorne und hinten deutlich erkennbar sein, denn der Führer der Gruppe möchte Hinweise übermitteln, ohne dass er sich dazu umdrehen muss.

Verhaltensregeln

- Die Signale so oft wie möglich benutzen, damit sie in Fleisch und Blut übergehen, wenn sie in schwierigen/gefährlichen Situationen wirklich mal benötigt werden.

- Sich davon Überzeugen, dass sichernde Personen (= diejenigen, die einen schwierigen Abschnitt vom Ufer aus mit dem Wurfsack absichern) das System kennen.

- Das Signal nach hinten weitergeben.
- Im Zweifelsfall in ein Kehrwasser einfahren oder am Ufer anlanden.

Gebräuchliche Signale

1.) Arme über den Kopf gekreuzt „X" – Unfahrbare Stelle!!!

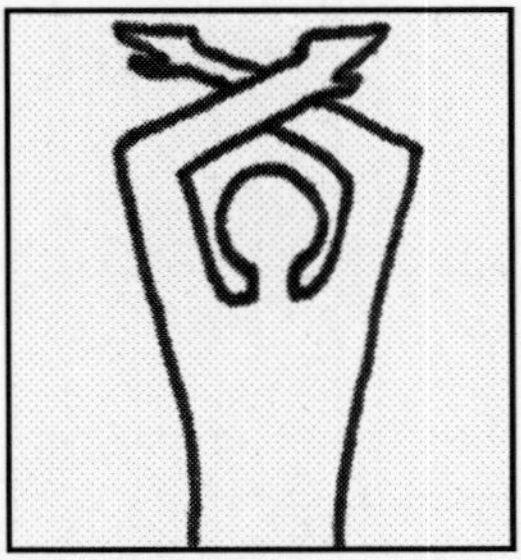

Ganz wichtig ist das X-Zeichen. Es bedeutet „unfahrbare Stelle" und zwingt zum sofortigen(!) Handeln:
Das nächste Kehrwasser aufsuchen oder anlanden!!!

Wenn das Zeichen von einem vorausfahrenden Boot aus gegeben wird (z. B. wegen eines verklemmten Baumes) bedenken, dass diese Bootsbesatzung jetzt selbst paddeln muss, um ein Kehrwasser zu erreichen.
Sie wird also das „X"-Zeichen zunächst nur kurz geben können, um es dann in sicherer Position lang anhaltend zu wiederholen.
Also nicht herumrätseln, ob es vielleicht das „X" gewesen ist oder nicht, sondern ins Kehrwasser fahren oder anlanden.

Die Form des X-Zeichens kann variieren:
Arm und Paddel, beide Arme oder auch zwei Paddel.

2.) Beidarmiges Schwenken über den Kopf – Person in Gefahr!
⇨ Sofort helfen!!!

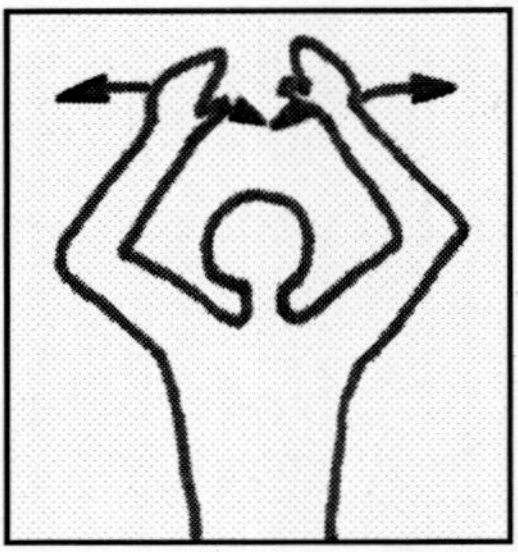

Wird aus dem „X"-Zeichen ein beidarmiges Schwenken über den Kopf, dann ist eine Person in Gefahr! ⇨ Sofort helfen!!!

Alle Mitglieder der Gruppe müssen sofort mit ihren Rettungs-Geräten (z. B. Wurfsack) zur Unfallstelle eilen.

3.) Einen Arm heben – Achtung!
⇨ Halt!!!

Wird ein Arm mit der flachen Hand in die Höhe gehoben, so bedeutet dies: Achtung! / Halt!

Erst einmal abwarten und entweder auf der Stelle bleiben, oder ein Kehrwasser anfahren.

4.) Abwehrende Geste mit der flachen Hand – Zurückbleiben und Abwarten!!!

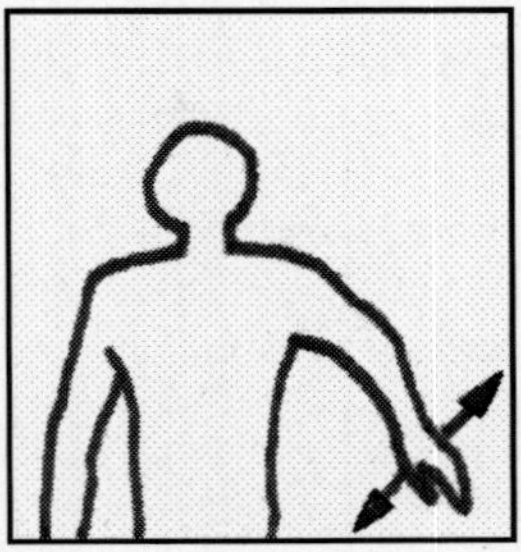

Dieses Zeichen wird häufig an Stelle von „Arm heben" verwendet und hat im Grunde genommen die gleiche Bedeutung.
Es wird z. B. dann gegeben, wenn ein Schwall unübersichtlich ist und das letzte kleine Kehrwasser vor der Engstelle nicht mehr Boote aufnehmen kann.

5.) Beide Arme heben – Weiter!

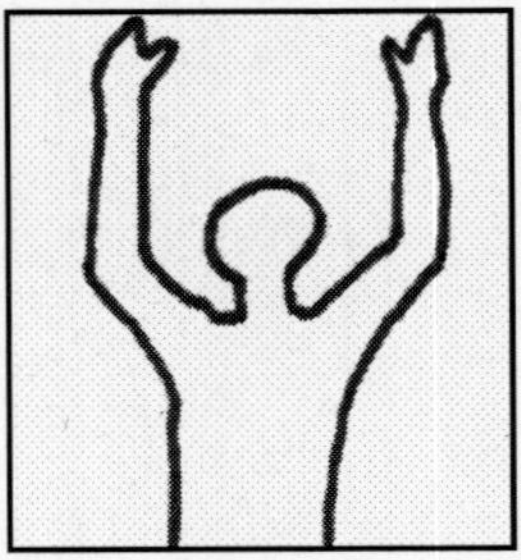

Wenn beide Arme mit der flachen Hand in die Höhe gehoben werden, so bedeutet dies weiterfahren/freie Durchfahrt.

6.) Auf sich zuwinken – Weiterfahren!

Mit dem angewinkelten Arm über der Schulter zu winken hat im Grunde die gleiche Bedeutung wie „Beide Arme heben“ und signalisiert:
Weiterfahren, ist nicht so schwer/keine Gefahr.

7.) Mit dem Arm zur Seite deuten – diese Richtung!

Deutet der Vorausfahrende nach links oder rechts zur Seite, so bedeutet das keineswegs, dass die Nachfolger das Ufer anfahren sollen, sondern dass es günstiger wäre, die Fahrt-Route weiter links oder weiter rechts zu wählen.

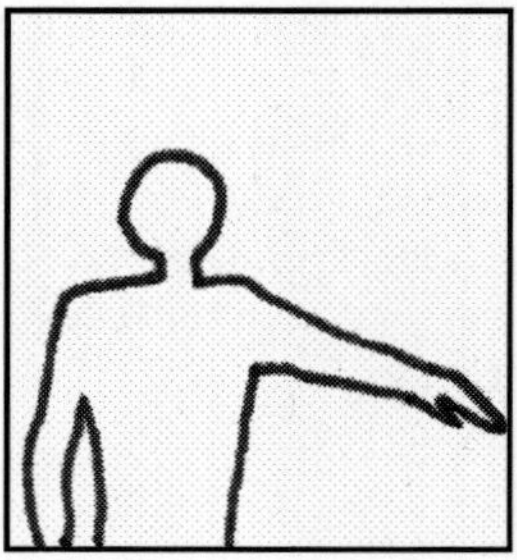

8.) Auf- und Abbewegen des Armes mit geschlossener Faust – zügig fahren!!!

Es ist keine Droh-Gebärde, sondern der Vorausfahrende deutet darauf hin, dass eine Stelle kommt, die mit viel Fahrt zu nehmen ist, wie z. B. eine Walze.

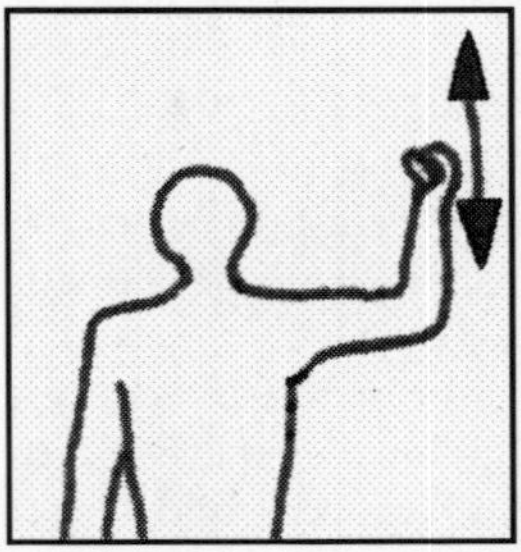

Erfolgreiche Rettungs-Aktion mit Wurfsäcken im Kreis zuverlässiger Paddelkameraden. Auch dabei ist eine Verständigung durch Handzeichen hilfreich.

Dachtransport von Canadiern

Allgemeines

Der Transport unserer Canadier auf dem Fahrzeugdach ist nicht ganz unproblematisch und wirft immer wieder Fragen auf.
Unsicherheit besteht vor allem in den Punkten, wie breit dürfen denn die Quer-Traversen des Dachträgers sein und wie viel und wie darf man draufpacken, um bei den Gesetzes-Hütern nicht in Ungnade zu fallen?

Um einerseits die Transport-Kapazität unserer Fahrzeuge mit unseren voluminösen Sportgeräten optimal ausnutzen zu können, andererseits aber eine vermeidbare Gefährdung anderer Verkehrsteilnehmer absolut auszuschließen und damit man beim Anblick einer Polizeistreife vor lauter schlechtem Gewissen nicht so zusammenzucken muss, dass man nicht mehr über den Rand des Lenkrades schauen kann, habe ich mich mal für Euch durch den nebulösen Paragraphen-Dschungel der Straßenverkehrs-Ordnung (StVO) und Straßenverkehrs-Zulassungsordnung (StVZO) geschlagen.

Anmerkung:
Die nachfolgenden Angaben beziehen sich auf die Bestimmungen in der Bundesrepublik Deutschland, in anderen Ländern (z. B. Schweiz, Österreich) gelten zum Teil abweichende Vorschriften.
Der Text in fetter Schrift in den Abschnitten 1 und 2 entspricht in der Regel dem Gesetzes-Text, sind also keine „klugen" Sprüche von mir.
Mit Pfeil „⇨" gekennzeichnete Passagen sind dagegen Empfehlungen und Interpretationen von meiner Person.

1. Dachträger

1.1 Montage

- **Gepäck- und Skiträger müssen am Fahrzeug sicher angebracht sein.**

  ➩ Achtet darauf, dass der verwendete Träger für Euer Fahrzeug geeignet bzw. passend ist.
  Nur hochwertige Marken-Fabrikate verwenden, Finger weg von verlockend billigen Angeboten aus dem Kaufhaus.
  Vor allem nach einem Fahrzeugwechsel sich gründlich davon überzeugen, dass die Trägerfüße und Klemmplatten zur neuen Dachrinnen-Form oder Dachkontur (bei Fahrzeugen ohne Regenrinne) passen.
  ➩ Die Befestigungsschrauben regelmäßig auf festen Sitz kontrollieren, wie z. B. beim Tank-Stop.
  Beachtet auch, dass Zahn- und Well-Scheiben, sowie selbstsichernde Muttern nach dem Lösen ihre Sicherungswirkung verlieren.
  Sofern man sie nicht auswechselt, müssen diese Verbindungen besonders im Auge behalten werden.

- **Ihre Befestigungen, z. B. in den Regenrinnen, dürfen keine vorstehenden, scharfkantigen Teile enthalten.**

  ➩ Hier ist natürlich hauptsächlich der Hersteller gefragt.
  ➩ Aber: Zum Träger gehörende Abdeckungen, Abdeckkappen, Endkappen an den Quer-Traversen oder ähnliches immer montieren.

- **Der Abstand der Querholme (Träger) untereinander sollte möglichst groß sein (ideal ca. 100 bis 140 cm).**

Zur Erzielung großer Abstände und für die Aufnahme der Querholme sehr praktisch, sind die fest montierten Dachrelings bei den Kombi-Modellen/Vans der diversen Fahrzeug-Hersteller.
Bei sehr geringem Abstand der Tragrohre (ist bei manchen, vor allem modernen Fahrzeugen oft anders nicht möglich) ist ein Transport zwar ebenfalls möglich, dann sind aber Abspannungen nach vorn und hinten zwingend erforderlich und sollten sehr sorgfältig und solide ausgeführt sein (siehe hierzu Punkt 3 Ladungssicherung).

- **Träger-Systeme nicht länger als unbedingt notwendig auf dem Wagendach belassen.**

  ⇨ Auch unbeladen erhöhen sie den Kraftstoffverbrauch noch um bis zu 15 %.

Anmerkung:
Spezialisiert auf die Produktion hochwertiger Dachträger für die unterschiedlichsten Fahrzeugtypen (auch für Hochdächer von Wohnmobilen/Campingbussen, sowie für Wohnwagen; speziell auch für den Bootstransport) ist übrigens die Fa. Sport Zölzer www.zoelzer.de ; Kupferdreher Str. 196 D-45257 Essen-Kupferdreh ; Tel. 0201 - 487815

1.2 Zulässig Breite der Dachträger

- **Die Träger (Quer-Traversen) selbst dürfen die Fahrzeug-Umrisse nicht überragen.**

  ⇨ D. h., zur Ermittlung der zulässigen Breite Eurer Träger solltet Ihr einen Blick in den Kraftfahrzeug-Schein werfen bzw. in dessen Nachfolger Zulassungsbescheinigung Teil 1. Unter Ziffer 13 (bzw. 19 bei der neuen Ausführung) sind die Maße Eures Fahrzeugs vermerkt (= der Fahrzeug-Umriss; L = Länge, B = Breite, H = Höhe).

Der Träger darf also so breit sein bzw. nicht breiter sein, als unter „B“ eingetragen.

- Dies dürfte vor allem für Besitzer von modernen Fahrzeugen interessant sein, deren Seitenwände meist stark eingezogen sind und das Dach dadurch im Verhältnis zur Fahrzeugbreite schmal ausfällt.
  Die Träger dürfen also über die Außenkante des Daches überstehen, aber insgesamt eben nicht breiter sein als unter „13 B“ bzw. 19 im Kraftfahrzeug-Schein eingetragen.

- **Achtung:**
  Bei der Ermittlung der höchstzulässigen Fahrzeugbreite (= Fahrzeug-Umriss) werden die Außenspiegel grundsätzlich nicht berücksichtigt.
  ⇨ Ihr dürft also die Spiegel **nicht** als Maß für die Fahrzeugbreite/Breite Eurer Dachträger heranziehen.

- **Achtung:**
  Alle Anbauteile, hierzu zählen z. B. Dach- und Skiträger, gelten als verkehrsgefährdend.
  Es wird deshalb darauf geachtet, dass die Ecken und Kanten der Träger abgerundet sind.

  ⇨ Hier sind wegen der Verkehrs-Gefährdung ganz bestimmte Radien vorgeschrieben (r = 2,5 mm).
  Deshalb besonders bei Quer-Traversen die man selber ablängen kann (z. B. Thule, Atera, Mont-Blanc u. ä.) immer die beiliegenden Endkappen montieren bzw. fehlende Kappen ersetzen.
  Natürlich ganz besonders wichtig bei Trägern, die weit über das Dach überstehen.
  ⇨ Vor allem um die Verletzungs-Gefahr bei Fußgängern, Fahrrad- und Motorradfahrern auf ein unvermeidbares Maß zu reduzieren und selbstverständlich auch im eigenen Interesse, z. B. beim Be- und Entladen.

- **An die Besitzer von Kleinbussen, Transportern, Wohnmobilen, LKW, höheren Geländewagen etc.:** Anbauteile, die in einer Höhe von mehr als 2 Metern über der Fahrbahn angebracht sind, gelten als nicht verkehrsgefährdend, d. h. es bestehen keine Vorschriften darüber, wie die Ecken und Kanten beschaffen sein müssen.

  ⇨ Aus den vorher genannten Gründen sollte man aber auch hier Rücksicht und Sorgfalt walten lassen.
  ⇨ Auch dürfen Anbauteile dann über den Fahrzeug-Umriss überstehen. Allerdings werden dabei keine konkreten Maße genannt.
  Dies ist jedoch generell nicht zu empfehlen, da im unpassendsten Moment vermutlich sowieso nicht daran gedacht wird.

1.3 Tragkraft der Träger

- Leider findet man nicht bei allen Herstellern einen Aufkleber mit der möglichen Tragkraft auf dem Träger. Dies vielleicht deshalb, weil die Tragkraft des Trägers nicht mit der zulässigen Dachlast des Fahrzeugs verwechselt und ungeprüft gleichgesetzt werden darf. Aufschluss gibt dann die Bedienungs- bzw. Bauanleitung des Trägers. Aber wer hat die noch?.

  ⇨ Zudem sollte man bedenken, dass die Anforderung an Träger-Systeme nach DIN-Norm fast ausschließlich statische Prüfungen vorsieht, die aber hinsichtlich der Dauerhaltbarkeit nicht ausreichend praxisgerecht sind – auch wenn die Träger zum Teil das GS-Zeichen („Geprüfte Sicherheit“) einer anerkannten Prüfstelle haben. Schließlich geht die Fahrt nicht immer nur über die Autobahn oder andere gut asphaltierte Straßen, sondern häufig ebenfalls über schlechte Wegstrecken, teilweise

unbefestigte Straßen und Kopfsteinpflaster, wo der Träger zusätzlich dynamisch beansprucht wird (= höher). Dies sollte berücksichtigt werden, wenn man seinen Träger hohen Belastungen aussetzt.
Es sei nochmals darauf hingewiesen, nur hochwertige Marken-Fabrikate einzusetzen, auch wenn sie teilweise deutlich teurer sind als das verlockende Billig-Angebot irgendeines Kaufhauses von irgendeinem „No-Name"-Hersteller.

2. Beladung

- **Canadier werden üblicherweise umgekehrt (kiel-oben) transportiert.**
  Das Boot liegt dann satt und stabil auf den Trägern auf.

2.1 Zulässige Länge von Ladung (grundsätzlich)

- **Die Ladung darf nicht nach vorn über das Fahrzeug hinausragen.**

  ⇨ Die Spitze unserer Boote darf also <u>nicht</u> über die vordere Stoßstangen-Kante überstehen.
  Ausnahme bei Fahrzeugen über 2,50 m Höhe:
  Ladung darf bis zu 50 cm nach vorne überstehen, wenn diese in einer Höhe von über 2,50 m angebracht ist.
  ⇨ Z. B. bei Boots-Transport auf einem Wohnmobil, Kleintransporter etc.

- **Nach hinten darf eine Ladung bis zu 1,5 m ohne Einschränkung hinausragen.**
  Bei Beförderung bis 100 km darf sie bis 3 m hinausragen; darüber hinaus ist eine extra Ausnahme-Genehmigung der Straßenverkehrs-Behörde erforderlich.

⇨ Dies ist zu beachten, wenn auf einem Kleinwagen ein großer Wander-Canadier transportiert werden soll.

2.2 Kenntlichmachung überlanger Ladung bei Tage

- **Ragt das äußerste Ende einer Ladung mehr als 1 m über die Rückstrahler (*) eines Fahrzeugs hinaus, so ist es am Tag folgendermaßen zu kennzeichnen:**

  ⇨ Durch eine hellrote mindestens 30 x 30 cm große, durch eine Querstange auseinander gehaltene Fahne (=> ein roter Lumpen allein genügt also nicht),
  ⇨ oder ein Schild gleicher Größe und Farbe das quer zur Fahrtrichtung pendelnd aufgehängt ist,
  ⇨ oder einen zylindrischen hellroten Körper (z. B. Eimer) mit mindestens 30 cm Höhe und mindestens 35 cm Durchmesser.
  ⇨ **(*):** Maßgebend ist also nicht der Abstand Hinterkante Stoßstange zum Ende der Ladung, sondern der Abstand zu den Rückstrahlern (= „Katzenaugen"; diese sind meistens in der Rückleuchteneinheit integriert).

- **Diese Sicherungsmittel dürfen nicht höher als 1,5 m über der Fahrbahn angebracht werden.**

- Ob die unter Punkt 2.4 „Achtung Italien-Urlauber" genannten beiden Warn-Tafeln als Ersatz für die oben erwähnten roten Kennzeichnungen von der Straßenverkehrsbehörde/den Überwachungsorganen akzeptiert oder toleriert werden, kann ich leider nicht sagen (diese „Italien-Warntafeln" sind rot-weiß gestreift) – aber ich gehe eigentlich schon davon aus.

2.3 Kenntlichmachung überlanger Ladung bei Dunkelheit

- **Während der Dämmerung, bei Dunkelheit oder schlechten Sicht-Verhältnissen ist überstehende Ladung, wenn sie mehr als 1 m über die Rückstrahler eines Fahrzeugs hinausragt, mit mindestens einer typgeprüften Leuchte mit rotem Licht, nicht höher als 1,5 m über der Fahrbahn und ein Rückstrahler, nicht höher als 90 cm über der Fahrbahn zu kennzeichnen.**

  ⇨ Die Schlussleuchten des Fahrzeuges alleine reichen dann also nicht mehr aus.
  Der Rückstrahler ist vorgeschrieben, weil die rote Leuchte erlöschen kann, ohne dass der Fahrer dies bemerkt.
  ⇨ Allgemein dürfte dieser Punkt vor allem wesentlich für stolze Besitzer von großen 2-er Canadiern sein. Die 17-Fuß Boote sind immerhin zwischen 5,20 und 5,30 m lang.

- Übrigens: **Typgeprüfte Leuchten** sind an bestimmten Prüfzeichen erkennbar:

  ⇨ Drei Wellen-Linien und Kennbuchstaben „K“ mit Prüfnummer oder
  großes „E“ mit Kennzahl von einem Kreis umschlossen oder
  kleines „e“ mit Kennzahl von einem Quadrat umschlossen.

2.4 Achtung Italien-Urlauber

- Ragen Teile über die hintere Stoßstange hinaus (z. B. Heck-Fahrradträger (selbst wenn dieser unbeladen ist!!!), Surfbretter, Boote etc.), ist es seit 1990 in Italien in jedem Falle Pflicht eine Warn-Tafel anzubringen.

  ⇨ **Achtung:** Die bisher übliche quadratische 50 x 50 cm große, rot-weiß gestreifte **Sonderlasten-Warntafel** aus Kunststoff mit runden Rückstrahlern (Katzenaugen) an jeder Ecke, **genügt in Italien nicht mehr.** Diese Tafeln sind für unter 10 Euro beim ADAC oder in Camping- und Bootszubehör Märkten erhältlich.

  ⇨ **Für Italien sind schon seit einigen Jahren spezielle Aluminium-Warntafeln mit sehr ausgeprägtem Rückstrahl-Effekt durch eine spezielle, retro-reflektierende Wabenfolie vorgeschrieben.** Diese speziellen Italien-Tafeln bekommt man ebenfalls bei den oben genannten Bezugsquellen und kosten so ca. 40 Euro.

  ⇨ **Achtung:** Bei Nichtbeachtung drohen hohe Geldstrafen, die italienische Polizei kassiert bei Ausländern erbarmungslos ab. Dies selbst dann, wenn der Heck-Fahrradträger nicht beladen und eingeklappt ist!!!

2.5 Zulässige Breite von Ladung (grundsätzlich)

Der nachfolgende Punkt ist vor allem dann von Interesse, wenn man plant, z. B. zwei Canadier nebeneinander zu transportieren oder einen Canadier plus ein oder zwei Kajaks.

- **Die Ladung eines Fahrzeugs darf breiter als der Umriss des Fahrzeugs sein (= eingetragene Breite im Kfz-Schein/EU-Zulassungsbescheinigung), aber**

ein Fahrzeug einschließlich Ladung darf allgemein höchstens 2,5m breit sein (seit Okt. '94 sogar 2,55m).

⇨ Grundsätzlich ist es also kein Problem sich bei der Beladung in der Breite auszudehnen.

- **Achtung: Dies gilt jedoch <u>nicht</u> für einzelne Gegenstände.**

⇨ Beispielsweise Pfähle, Stangen (z. B. von einem „Tipi"), waagrecht liegende Platten und andere schlecht erkennbare Gegenstände dürfen seitlich **<u>nicht</u>** über den Umriss des Fahrzeugs hinausragen.
⇨ Luftgepolsterte Reifen von Zweirädern werden geduldet, nicht aber beispielsweise überstehende Schutzbleche.

- **Überbreite bei 2,5m bzw. 2,55m breiten Fahrzeugen (große Wohnmobile, LKW, Busse).**

⇨ Wird kaum für jemand in Frage kommen, aber der Vollständigkeit halber.
Bei einem 2,5 m breiten Fahrzeug darf die Ladung ohne besondere Maßnahmen nicht mehr als 40 cm über den äußeren Rand der Lichtaustrittsfläche der Begrenzungs- und Schlussleuchten seitlich hinausragen.
Ragt die Ladung mehr als 40 cm über die Begrenzungs- und Schlussleuchten hinaus, ist die überbreite Ladung kenntlich zu machen und es ist eine Ausnahmegenehmigung der Straßenverkehrs-Behörde einzuholen und mitzuführen.

2.6 Zulässige Breite von Ladung bei Dunkelheit

Komplizierter wird dies allerdings bei Dunkelheit/schlechter Sicht.

- **Ragt nämlich die Ladung grundsätzlich seitlich mehr als 40 cm über den äußeren Rand der Lichtaustrittsfläche der Begrenzungs- oder Schlussleuchten hinaus, so ist sie während der Dämmerung, bei Dunkelheit, oder wenn die Sichtverhältnisse es sonst erfordern, kenntlich zu machen und zwar seitlich höchstens 40 cm von ihrem Rand und höchstens 1,5 m über der Fahrbahn nach vorn durch eine typgeprüfte Leuchte mit weißem, nach hinten durch eine mit rotem Licht.**

- Bei den Begrenzungs- und Schlussleuchten eines Fahrzeugs ist es wiederum so, dass sie der Fahrzeughersteller nicht weiter als 40 cm von der breitesten Stelle des Fahrzeugs entfernt anbringen darf (die Spiegel werden wiederum nicht berücksichtigt).

- **Anmerkung:** Mit Begrenzungsleuchten sind vorne die (schwachen) Lampen gemeint, die bei Standlicht brennen. ⇨ Sie sind bei Fahrzeugen deutscher Herstellung meist in den Scheinwerfern integriert, bei italienischen und französischen Fahrzeugen sind sie meist separat angebracht.

- **Anmerkung:** Die Schlussleuchten sind Teil der Rückleuchte und werden landläufig als „Rücklicht“ bezeichnet. ⇨ Die Rückleuchte selbst enthält in der Regel ja noch Blink-, Brems-, Nebelschlusslicht, Rückfahrscheinwerfer und Rückstrahler (= „Katzenaugen“).

⇨ Fahrzeuge über 2,10 m Breite (z. B. Lkw, Busse, größere Wohnmobile) sind zusätzlich noch mit Umrissleuchten/Spurhalteleuchten ausgestattet.
Sie haben vorne weißes und hinten rotes Licht, um die Breite über alles anzuzeigen.
Die Umrissleuchten/Spurhalteleuchten dürfen dabei nicht als Maß herangezogen werden.

- Vorausgesetzt also, man hat einen Dachträger mit der maximal zulässigen Breite montiert, darf im ungünstigsten Falle, wenn die Begrenzungs- oder Schlussleuchten sehr weit innen am Fahrzeug montiert sind, die Ladung bei Dunkelheit nicht über die Breite des Trägers/ des Fahrzeug-Umrisses überstehen, sofern man sie nicht gesondert durch Beleuchtung absichern möchte. Dies wird wohl wegen des Aufwandes beim Transport unserer Canadier kaum in Frage kommen.

2.7 Ermitteln der zulässigen Breite bei Dunkelheit

Um ganz sicher zu gehen, wie weit man die Ladung nachts bei seinem Fahrzeug über den Umriss überstehen lassen darf, muss man notgedrungen zum Meter-Stab greifen, um den Abstand der Begrenzungsleuchten (= Standlicht vorne) bzw. der Schlussleuchten zu ermitteln.

- Dazu am besten Licht einschalten, um zu sehen, welcher Teil der Rückleuchte als Schlussleuchte fungiert.

- Dann vom äußersten linken zum äußersten rechten Rand der Lichtaustrittsfläche der Begrenzungs- bzw. Schlussleuchte messen
  = Maß **a1** bzw. **a2** (siehe Skizze weiter unten).

- Breite des Fahrzeugs anhand des Kfz-Scheins (unter Ziffer „13 B“) bzw. der EU-Zulassungsbescheinigung Teil 1 (unter Ziffer „19“) ermitteln = Maß **b**.
  Die Angabe ist in mm. Durch 10 geteilt erhält man Maß b in cm.

- **Zulässiger seitlicher Überhang X:**
  Maß a in cm plus 80 minus Maß b in cm und das ganze dann durch 2 geteilt gibt an, um welches Maß X die Ladung pro Seite über den Fahrzeug-Umriss auch ohne zusätzliche Absicherung durch Beleuchtung bei Dunkelheit überstehen darf.
  Dabei muss man natürlich von der Messung vorn/hinten (= a1/a2) den ungünstigsten Wert, also das kleinste Maß a, heranziehen. In dem nachfolgenden Beispiel wäre dies a2.

  X = (a1,2 + 80 – b) / 2 [alle Maße in cm]

- **Maximal zulässige Gesamtbreite Y:**
  Maß a in cm + 80 gibt an, wie breit die Ladung bei Dunkelheit ohne zusätzliche Beleuchtung im Gesamten sein darf.
  Auch hier für die Bestimmung das kleinste Maß a einsetzen.

  Y = a1,2 + 80 [alle Maße in cm]

Prinzip-Skizze:
Ermitteln der zulässigen Breite bei Dunkelheit ohne zusätzliche Beleuchtung

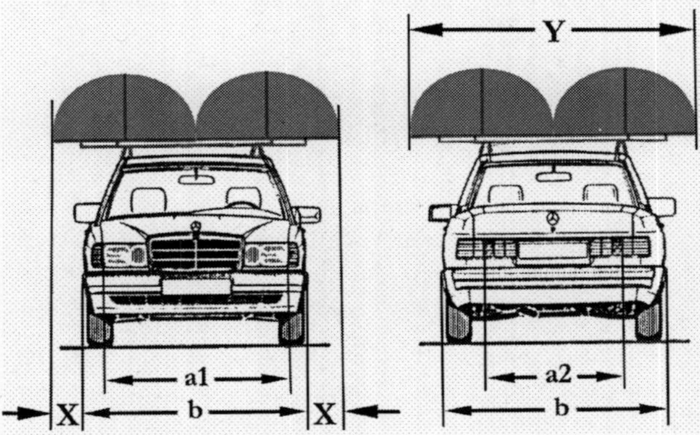

2.8 Zulässige Höhe der Ladung

Verbietet sich ein Transport von zwei Canadiern nebeneinander, können zwei Boote auch übereinander gestapelt werden. Wie man das konkret am besten macht und was dabei zu beachten ist, dazu später.

- **Dabei darf ein Fahrzeug zusammen mit der Ladung eine Höhe von 4 m nicht überschreiten.**

  ⇨ Allerdings sollte man beachten, dass es doch einige Brücken gibt, die eine Höhen-Begrenzung von 3,60 m haben (Warn-Schilder beachten!).
  Eine derartige Höhe dürfte allerdings nur für größere Wohnmobile relevant sein.

- Wohnmobil-Besitzern usw. sei empfohlen, am Armaturenbrett einen Aufkleber mit der Höhe des Fahrzeuges ohne bzw. mit Boot/Booten anzubringen, um an niederen Unterführungen, Brücken, Tankstellen, Fähren o. ä. keine unliebsame Überraschung zu erleben.

2.9 Zulässiges Gewicht (allgemein)

- Bei all der Packerei muss man natürlich die zulässige Dachlast, die Tragkraft der Träger und grundsätzlich auch das zulässige Gesamt-Gewicht bzw. die zulässigen Achslasten vorn/hinten des Fahrzeuges beachten.

  ⇨ Denkt an Euer vollbepacktes Urlaubs-Auto mit Boot, Kind und Kegel (Paddel).

2.9.1 Zulässige Dachlast

In den Prüfungs-Fragen zum Führerschein heißt es zwar, dass eine vom Fahrzeug-Hersteller angegebene Dachlast nicht überschritten werden darf, andererseits gibt es grundsätzlich keine Vorschriften über zulässige Dachlasten.

- Weder im Kfz-Schein noch im Kfz-Brief wird die Dachlast angegeben.
  Letztendlich sind nur die Achslasten und das zulässige Gesamtgewicht des Fahrzeuges begrenzendes Kriterium. Hinweise auf die mögliche Dachlast findet man nur in der Betriebsanleitung des Fahrzeuges.

  Aus Gründen der Verkehrssicherheit und der Verantwortung und Haftung bei Unfällen oder Unglücken im Zusammenhang mit der Dachlast, sollte man sich jedoch unbedingt an der Herstellerangabe orientieren. Aus juristischer Sicht hat die Angabe/Beachtung der zulässigen Dachlast nämlich durchaus Gültigkeit.

⇨ Dabei beachten, dass nicht nur das reine Gewicht der Dachlast zählt, sondern das Gewicht der Träger selbst ebenfalls mit berücksichtigt werden muss.

⇨ Verlasst Euch bei der Gewichtsangabe für die Boote nicht auf die „geschönten“ Prospekt-Angaben der Hersteller, meist wird das reale Gewicht des Bootes deutlich höher liegen.

⇨ Dies sollte man auch bedenken, wenn man das Boot mit Spritzdecke „richtig herum“ transportiert, um noch Gepäckstücke darin zu verstauen.

⇨ Außerdem ist die Rohbau-Struktur des Daches, die Dachrinnen selbst (sofern man noch welche hat) und die Träger nicht unbegrenzt belastbar, deshalb strikt die Hinweise beachten.

⇨ Man muss zudem bedenken, dass sich bei Auffahrunfällen mit mehr als 10 bis 12 Stundenkilometern mit Sicherheit ausnahmslos sämtliche Träger-Systeme vom Dach lösen, es sei denn, man hat sie zuvor angeschweißt. Deshalb auch das/die Boote konsequent zusätzlich nach vorn und hinten abspannen.

2.9.2 Tragkraft der Träger

Siehe hierzu Punkt 1.3

2.10 Fahreigenschaften

- Eigentlich selbstverständlich, dass man mit aufgetürmter Dachlast vorsichtiger und umsichtiger fahren sollte, um sich und andere nicht zu gefährden.

- Die Fahreigenschaften eines Fahrzeuges können durch die Dachlast erheblich beeinflusst werden. Diese wirkt sich in der Regel stets nachteilig aus.

- Durch den hohen Schwerpunkt neigt das Fahrzeug in Kurven stärker zum Wanken oder gar Kippen, ganz besonders natürlich, wenn man zwei Boote aufeinander-packt.

- Die Seitenwind-Empfindlichkeit nimmt erheblich zu.

- Bei starker Beladung sollte man auf jeden Fall den Reifendruck nach Empfehlung des jeweiligen Fahrzeug-Herstellers erhöhen. Angaben darüber finden sich in der Bedienungsanleitung, sowie häufig als Aufkleber im Bereich der Tank-Klappe oder sonst wo am Fahrzeug.

- Durch die deutlich vergrößerte Querschnitts-Fläche und der erheblichen Verschlechterung des (guten) Cw-Wertes der strömungsgünstigen Karossen steigt der Luftwider-stand an, was eine Erhöhung des Kraftstoffverbrauches mit sich bringt, wobei der Verbrauch ab ca. 80 km/h mit zunehmender Geschwindigkeit drastisch ansteigt (im Quadrat der Geschwindigkeit).

2.11 Sonstige Sorgfaltspflichten

- **Ebenso selbstverständlich, dass die Ladung sicher befestigt sein muss.**
  Siehe hierzu den nächsten Punkt „Ladungssicherung".

- **Die Beleuchtungs-Einrichtung und das amtliche Kennzeichen dürfen in ihrer Wirkung nicht beeinträchtigt werden.**

- **Die Ladung darf die Sicht des Fahrzeugführers nicht beeinträchtigen.**

  ⇨ Das ist nicht immer ganz unproblematisch. Durch einen Canadier wird der Blick durch die Windschutzscheibe zum Teil doch erheblich behindert, wie z. B. beim Blick auf Ampeln.
  Bei Canadiern mit weit hochgezogenen Spitzen ist unter Umständen die Sichtbehinderung so stark, dass das Boot auf dem Kiel transportiert werden muss (Boot dann ausgerüstet mit Persenning und Lukendeckeln).

- Ist das Fahrzeug neben dem Innenspiegel nur mit einem Außenspiegel (dem Linken) ausgerüstet, darf die Sicht beim Blick durch den Innenspiegel durch die Ladung nicht wesentlich beeinträchtigt werden.

- **Allgemeiner Hinweis:**
  Bei nur einem Außenspiegel darf das Rückfenster auch nicht sichtbehindernd beklebt oder durch Gegenstände verstellt sein oder sich in sichtbehinderndem Zustand befinden (z. B. beschlagen oder vereist).

- **Die Verkehrssicherheit darf durch die Beladung nicht leiden.**

⇨ Das ist natürlich eine „wachsweiche", wenig konkrete Forderung.

2.12 Vorschriften bezüglich Dachlasten in der Schweiz und Österreich

- In der Schweiz sind gemäß dem schweizerischen Verkehrsrechts zum Teil abweichende Vorschriften gültig:

  ⇨ Die Dachlast darf nicht breiter als das Fahrzeug sein und die Gesamthöhe darf 4 m nicht überschreiten (=> zulässige Höhe also analog wie in Deutschland). Zudem darf sie vom Lenkrad her gemessen nur maximal 3 m nach vorne ragen und ab Hinterachse maximal 5 m nach hinten.
  Ragt ein Ladungsteil hinten mehr als 1 m über die Karosserie hinaus, muss er mit einem Signalkörper versehen werden.
  Ebenfalls müssen das Maximalgewicht der Dachlast und das maximale Gesamtgewicht des Fahrzeuges eingehalten werden. Beide Werte sind im Fahrzeugausweis vermerkt (bei Fahrzeugen mit Schweizer Zulassung).

- In Österreich: Ragt die Ladung um mehr als 1 m über den vordersten oder hintersten Punkt des Fahrzeuges hinaus, müssen die äußersten Punkte der hinausragenden Ladung durch eine 25 x 40 cm große weiße Tafel mit 5 cm breitem roten rückstrahlenden Rand gekennzeichnet werden (nahezu senkrecht, sowie mittig am Fahrzeug angebracht und nicht höher als 90cm über der Fahrbahn). Bei Dunkelheit, Nebel etc. müssen die äußersten Punkte der Ladung mit je einer Leuchte und einem Rückstrahler versehen sein. Vordere Leuchte weißes Licht nach vorn, hintere Leuchte rotes Licht nach hinten.

Der vordere Rückstrahler nach vorn weiß oder gelb, der hintere Rückstrahler nach hinten rot strahlend.

3. Ladungssicherung/Befestigung

3.1 Allgemeines zum Canadier-Transport

- Wie bereits schon einmal erwähnt, werden Canadier am besten umgekehrt (kieloben) transportiert (= stabilste Auflage auf den Trägern).
  Die Träger in möglichst weitem Abstand voneinander montieren. Praktisch in diesem Zusammenhang sind dabei, wie schon einmal erwähnt, die fest montierten Dachrelings zur Aufnahme der Querholme bei den Kombi-Modellen/Vans der diversen Fahrzeug-Hersteller.

- Problematisch könnte dieser Kieloben-Transport allerdings bei Wohnmobilen oder größeren Kastenwagen werden, wenn das Boot weit hochgezogene Spitzen hat (z. B. Gatz-Canadier; die Enden liegen u. U. auf dem Fahrzeugdach auf) oder bei PKW's, wenn es durch die hohen Spitzen zu starken Sichtbehinderungen kommt.

  In diesen Fällen, oder wenn man den Bootskörper als Gepäckbox benutzen möchte, muss man den Canadier auf dem Kiel transportieren.
  Dann sollte allerdings das Boot aus aerodynamischer Sicht, sowie zum Schutz vor Regen und zum Schutz des Gepäcks mit einer Persenning ausgerüstet und die Lukendeckel verschlossen sein.
  Bei Canadiern mit flachem Boden ist der Transport „auf dem Kiel" kein Problem. Bei Booten mit rundem Boden,

V-Boden oder Booten mit ausgeprägtem Kiel sind zum Schutz des Bootskörpers gegen Eindrücken des Bootsbodens, aber auch zum sicheren Transport gegen seitliches Verrutschen, ggf. spezielle Boots-Halter, die sich der Boots-Form weitgehend anpassen, erforderlich.

3.2 Gurte und Knoten zur Befestigung

- Zur sicheren Befestigung von Booten haben sich ca. 25 mm breite Zurrgurte mit massiver Klemm-Schnalle aus Metall oder Ratschen-Spanngurte gut bewährt. Auch hier gilt wieder auf gute Qualität zu achten. Hochwertige Gurte können in der Regel im Boot-Fachhandel erworben werden.
  Vorsicht mit Billig-Angeboten aus dem Kaufhaus oder Baumarkt. Meist taugen die Schnallen/Ratschen nicht sehr viel und die Nähte mit denen die Schnallen am Gurtband befestigt sind, sind alles andere als vertrauenserweckend. Siehe hierzu das Bild auf der Seite 289.
  Sehr gute Gurte haben im Bereich der Schnalle ein zusätzlich angebrachtes Etikett mit Prüfzeichen, Angabe der Bruchlast etc.
  Von Zeit zu Zeit die Klemm-Schnalle überprüfen. Der Haltestift kann sich u. U. lösen bzw. die Klemmwirkung lässt mit der Zeit nach – ein winziger Tropfen Öl wirkt dann Wunder.

- Darauf achten, dass die Gurte dicht am Boot (Süllrand) um den Träger geschlungen werden, damit wird ein seitliches Verrutschen verhindert (bezogen auf Kieloben-Transport).
  Eine seitlichen Halt gebende Stütze ist nicht unbedingt notwendig.
  Eine rutschfeste Schaum-Auflage auf den Holmen ist ebenfalls nicht unbedingt erforderlich, schützt aber ins

besonders Süllränder aus Holz vor Druckstellen und Beschädigung.
Wird so eine Schaum-Auflage verwendet darauf achten, dass sie unmittelbar am Süllrand abschließt. Das soll heißen, dass das Gurtband nicht unten auf der Schaum-Auflage aufliegen sollte, sondern direkt um den Holm geschlungen wird, da sonst nicht genügend Vorspannung auf die Gurte aufgebracht werden kann.

- Gurte so stark, bzw. nur so stark (bei Ratsche) anziehen, bis sich das Boot beim Rütteln am Süllrand nicht mehr auf dem Träger hin- und herbewegen lässt und die ganze Bewegung auf das Fahrzeug übertragen wird.

- Beim Spannen von Ratschen-Spanngurten sollte man auf jeden Fall etwas Fein-Gefühl walten lassen. Die Kräfte, die mit der Ratsche aufgebracht werden können, sind nämlich enorm.
  Damit wurde schon so manches Boot beschädigt. Besonders Canadiern aus GFK kann man damit sehr leicht das „Genick" brechen.

- Während der Fahrt die Verzurrgurte von Zeit zu Zeit auf festen Sitz kontrollieren, wie z. B. beim Tank-Stop. Das gleiche gilt auch für die Befestigungsschrauben und Verbindungs-Elemente des Dachträgers.

- Um unnötige Belastung von Gurten/Trägern, aber vor allem am Boot zu vermeiden, die Gurte über Nacht entspannen. Jeder Kunststoff beginnt mit der Zeit „zu fließen" – bleibende Verformungen sind dann möglich.

- **Expander-Gummis, Gepäck-Spinnen o. ä. sind zur Befestigung absolut ungeeignet und dürfen auf keinen Fall verwendet werden!!!**

- Das oder die Boote vorn und hinten zu der Abschleppöse oder der Stoßstange (mit Hilfe von separat angebrachten Stoßstangenhaken) mit stabiler Reepschnur (∅ mindestens 7 mm aus dem Bergsport) straff abspannen. Sonst müsste man sich zu 100 % auf nur zwei Gurte verlassen.
  Ebenfalls muss dann die Dachträger-Befestigung am Autodach, egal wie diese aussieht, alle Belastungen aufnehmen.

  Bei sehr geringem Abstand der Tragrohre ist, wie bereits schon einmal erwähnt, eine besonders sorgfältige und solide Abspannung zwingend.
  Und nur auf diese Weise lässt sich wie unter Punkt 2.9.1 bereits erwähnt, verhindern, dass im Falle eines schon geringfügigen Unfalles der sich unweigerlich lösende Träger samt Dachlast größeres Unheil anrichtet.
  ⇨ Nicht nur zu diesem Zweck ist es anzuraten, die Boote vorn und hinten mit soliden und belastbaren Fangschlaufen (Schnur-∅ ca. 10 mm) auszurüsten.
  ⇨ Gurte wie sie zum Verzurren auf dem Dach benutzt werden sind zum Abspannen nicht so gut geeignet, da sie vom Fahrtwind in Schwingungen versetzt werden und dann höchst unangenehme Geräusche von sich geben.

- Nun zum Abspannen:
  Die Reepschnüre am besten mittels „Palstek" (in Bergsteigerkreisen auch als „Bulin-Knoten" bekannt; siehe Skizze 1) an den Fangschlaufen des Bootes befestigen, Schnüre durch die Abschleppösen oder Stoßstangenhaken fädeln, und mittels dem unten abgebildeten Knoten („Trucker's hitch"; siehe Skizze 2) spannen und sichern.
  ⇨ Sollte die Schnur irgendwo an der Karosserie anliegen (z. B. an der Motorhauben-Kante), sollte man unbedingt zwischen Seil und Blech ein „Tempo"-

Taschentuch, einen Lappen oder ähnliches klemmen, um Scheuerspuren am Lack zu vermeiden.

⇨ Übrigens: Der in Skizze 2 abgebildete Knoten sieht komplizierter aus als er ist, einfach mal ausprobieren. Durch die Umlenkung und der damit verbundenen Möglichkeit zu spannen (Prinzip Flaschenzug) eignet sich dieser Knoten ebenfalls dafür, Boote mittels einer Schnur/Seil zuverlässig auf dem Dach zu verzurren. Weitere Knoten sind in dem Kapitel „***Knotenkunde und Seiltechniken***“ aufgeführt.

Skizze 1: Palstek bzw. Bulin-Knoten

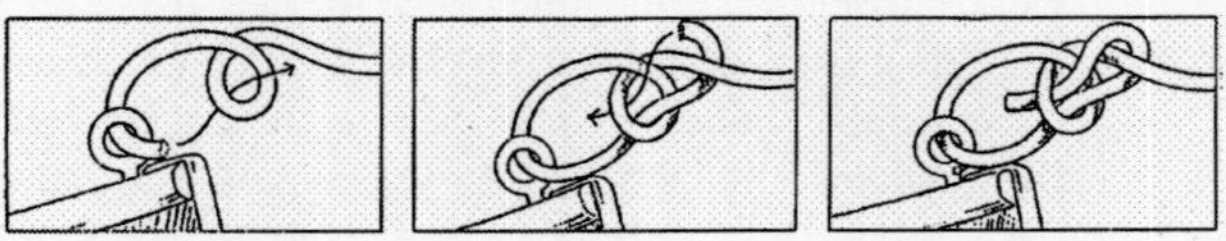

Skizze 2: Trucker's hitch

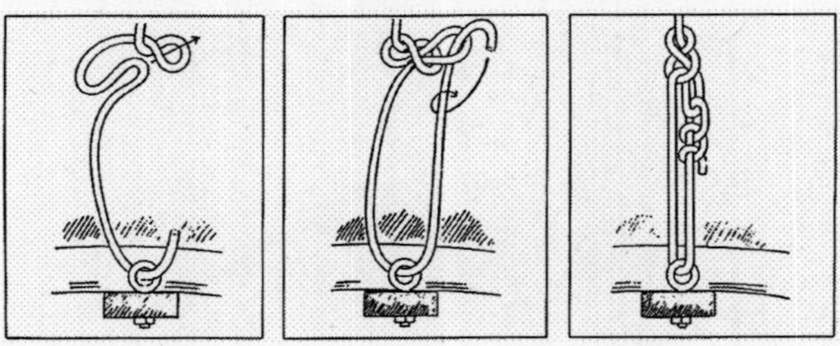

- Sollen zwei Boote übereinander transportiert werden, folgendermaßen vorgehen:
  Das erste Boot wie eingangs beschrieben kieloben auflegen und verzurren.

Das zweite Boot so auf das darunter liegende draufpacken, dass es am formschlüssigsten auf dem Rumpf aufliegt, also entweder kieloben oder in normaler Lage. Dies ist natürlich auch vom Wetter abhängig, bei Regen ohne Persenning immer kieloben.

Dann die Befestigungsgurte für das zweite Boot nicht um den Träger schlingen, sondern möglichst weit oben unter den Befestigungsgurt des ersten Bootes durchlegen (siehe Skizze unten). Damit wird dann zuverlässig verhindert, dass das zweite Boot seitlich abrutschen kann.
Zur Sicherheit kann man dann noch über das ganze „Paket" zusätzlich Gurte legen.
⇨ Nicht vergessen, Bug und Heck beider Boote zu den Abschleppösen abzuspannen, die zulässige Dachlast nicht überschreiten und die hohe Schwerpunktlage beim Fahren beachten.

Skizze: Verzurren von zwei Booten übereinander

- Es ist kaum vorstellbar, welche ungeheuren Wind-Kräfte am Boot angreifen, wenn man z. B. mit 100 Stundenkilometern über die Autobahn fährt, und es ist erst recht nicht vorstellbar, welche Gewalt ein Bootskörper entwickelt, wenn er sich bei dieser Geschwindigkeit vom Dach lösen sollte.
  ⇨ Das bedeutet, dass man im Interesse aller Verkehrsteilnehmer – vor allem aber um schreckliche Unfälle zu vermeiden – die Dachlast Boot nicht nur hundert-, sondern hundertfünfzigprozentig sichert.

Alle Angaben ohne Gewähr.

Dem sorgfältigen Verzurren des oder der Boote auf dem Autodach ist ein besonderes Augenmerk zu schenken

Ideal, wenn zwei Canadier nebeneinander auf das Fahrzeug passen (=> siehe rechtes Fahrzeug)

PakCanoe Falt-Canadier der Firma Pakboats in der Praxis

Allgemeines zu Falt-Canadiern

Falt-Canadier erfreuen sich einer zunehmenden Beliebtheit. Kleines Packmaß, keine Transport- und Aufbewahrungsprobleme, geringes Gewicht, gute Fahreigenschaften etc. sind für viele Paddler zugkräftige Argumente.
Nicht ein jeder hat die räumlichen Gegebenheiten, einen „dicken, fetten“ 16- oder 17-Fuß Wander-Canadier lagern zu können.

Bei anspruchsvolleren Wildnis-Trips, die einen Transport des Bootes per Flugzeug zur Einsatzstelle erforderlich machen, sind heutzutage Falt- oder Schlauch-Canadier oft die einzige Möglichkeit. Die vor allem wegen der stets strenger werdenden gesetzlichen Bestimmungen zum Außen-Transport von Canadiern an Flugzeugen, sowie den satten Preisen von Air Chartern.
Häufig kann dadurch ein kleinerer preiswerterer Flugzeugtyp gewählt werden, was die Anschaffungskosten für ein Boot sofort amortisiert.

Bei „normalen“ Flug-Reisen mit den einschlägigen Airlines zählen die verpackten Boote einfach als übliches Gepäckstück.
Von den Fahreigenschaften sind Falt-Canadier mit einem starren Boot durchaus vergleichbar, auch wenn sich im Wildwasser ein paar Besonderheiten ergeben, dazu aber später.

Die andere Alternative zu Falt-Canadiern sind Schlauch-Canadier (Luft-Boote), wie z. B. XR-Trekking, Grabner Outside/Adventure, Spreu Otter etc.
Ihre Fahreigenschaften weichen von einem Boot mit festem Rumpf erheblich ab, und generell nicht miteinander vergleichbar.
Ihr Haupt-Einsatzgebiet liegt in fließenden Gewässern und im Wildwasserbereich, wo sie sehr sichere Fahreigenschaften aufweisen und auch dem ungeübteren Paddler eine Befahrung ermöglichen.
Auf ruhigen und stehenden Gewässern dagegen ist ihr langsames, zähes Fahrverhalten schon sehr nachteilig zu nennen.
Zudem sind sie ganz besonders windempfindlich, und das Platzangebot für eine größere Unternehmung mit Sack und Pack ist ziemlich eingeschränkt.
Insgesamt gesehen, hält sich das reine Fahrvergnügen mit ihnen im Flachwasser auf Dauer doch in Grenzen, überhaupt wenn man einmal die Vorzüge eines starren Canadiers im Vergleich dazu kennen gelernt hat.

Einen sehr guten Kompromiss bieten hier meines Erachtens die schon genannten Falt-Canadier.
Wie schon gesagt: Sie bieten nahezu die gleich guten Fahreigenschaften wie ein starres Boot, und zusammengepackt sind sie etwa mit der Größe und dem günstigen Gewicht von Schlauchbooten zu vergleichen.
Bei Wildnis-Trips bieten sie zudem noch weitere Vorteile, auf die wir noch zu sprechen kommen.
Während die „Ally"-Boote der norwegischen Firma Bergans www.bergans.no bei uns sehr populär und weit verbreitet sind, führen die PakCanoe der US-amerikanischen Firma Pakboats www.pakboats.com hierzulande ganz zu unrecht noch ein ziemliches Schattendasein.
Infos zu den Ally's finden sich z. B. im Internet zur Genüge, bei den PakCanoe's möchte ich hiermit versuchen, diese Lücke etwas zu schließen.

Historie der PakCanoe von Pakboats

Beiden Konkurrenten ist gemein, dass sie aus einer strapazierfähigen äußeren PVC-Haut bestehen (analog einer LKW-Plane), das durch ein zusammengestecktes Gerippe aus dünnen Aluminium-Rohren ausgesteift wird. Entwickelt und gebaut werden die PakCanoe's von dem Norweger Alv Elvestad im US-Bundesstaat New Hampshire. Alv Elvestad kann auf eine jahrzehntelange Erfahrung im Umgang mit Falt-Canadiern zurückblicken.
Zehn Jahre lang (1984 bis 1994) war er Importeur der Ally's in Nordamerika, die sich dort bei zahlreichen anspruchsvollen Wildnis-Trips großer Beliebtheit erfreut haben.

Der Konstrukteur der PakCanoe's: Alv Elvestad

Allerdings haben sich bei diesen Unternehmungen an den damaligen Ally-Modellen auch diverse Schwachstellen herauskristallisiert und Lösungsvorschläge zur Verbesserung wurden vom Importeur an die Hersteller-Firma herangetragen.
Diese fanden jedoch bei dem Hersteller Bergans in Norwegen kein Gehör – die Boote ließen sich auch so gut auf dem Markt absetzen.

Daraufhin hat Alv Elvestad die Entscheidung getroffen, einen besseren Falt-Canadier zu entwickeln und zu fertigen. Die PakCanoe's sind also nicht einfach nur Kopien des Ally-Konzeptes, um ein Stück „Kuchen" vom Falt-Canadier Markt abzuhaben.

In den ersten Jahren wurden diese Boote exklusiv als „Escape-Series“ von dem amerikanischen Canadier-Hersteller „Mad River“ vertrieben, seit 1998 dann unter eigener Regie unter dem Firmen-Namen „Pakboats“, die Produkt-Palette der „PakCanoe“-Modelle.
Ergänzt werden die „PakCanoe“ Falt-Canadier außerdem durch superleichte Falt-Kajaks, den „Puffin“-Modellen.

In der Zwischenzeit sind übrigens diverse Optimierungen bei den Ally-Modellen eingeflossen. Ein direkter Vergleich zwischen Ally und PakCanoe's ist mir jedoch nicht möglich.

Mit einem Falt-Canadier verlieren Portagen an Schrecken

Besondere Konstruktions-Merkmale der PakCanoe von Pakboats/Kurz-Info

Ein kurzer Vorgriff.
Die PakCanoe zeichnen sich im Wesentlichen durch zwei Besonderheiten aus:

1.) Eine geschlossenzellige Schaumstoff-Matte auf dem Boden des Bootes, die an der Außenhaut fixiert ist. Mit ca. 6 mm ist sie dünner wie bei anderen Herstellern, aber dafür ist das Material des Bodens besonders robust ausgeführt und außen zusätzlich mit Kielstreifen versehen. Dadurch ergibt sich ein kleineres Packmaß wie bei der Konkurrenz und der Aufbau ist durch die fixe Bodenmatte wesentlich einfacher.
Die Oberfläche der Matte selbst ist glatt, sehr robust und reißfest ausgeführt, eine Beschädigungsgefahr besteht kaum. Im Fall des Falles wäre sie zudem problemlos zu reparieren bzw. auszutauschen.

Eine dickere Bodenmatte hätte den Nachteil, dass sie sich sehr negativ auf die Stabilität des Bootes auswirkt, wenn es mit Wasser gefüllt sein sollte.
Der Schaum ist ja ganz unten im Boot platziert, so dass er dann zwangsläufig unter Wasser ist. Wegen des Auftriebs ist der Schaum aber bemüht an die Wasser-Oberfläche zu gelangen.
Dies würde das Boot letztlich instabil machen (⇨ Erhöhung der Kipp-Gefahr).

2.) An den Seitenwänden links/rechts sind innen zwischen Außenhaut und Gestänge jeweils drei separate Luft-Kammern über die gesamte Länge des Bootes angeordnet (= „Air Tubes").
Sie sorgen für die Spannung der Bootshaut, liefern den Löwenanteil für den Auftrieb und dienen zusätzlich als

wirkungsvollen Puffer bzw. „Stoßdämpfer".

Das Fehlen dieser „Stoßdämpfung" an den Seitenwänden ist bei anderen Falt-Canadier Konstruktionen ein wesentlicher Schwachpunkt.
Bei eventuellem seitlichen Kontakt mit Hindernissen (z. B. „entlangschrabbern" an Steinen) ist nämlich der Abrieb an der Außenhaut genau dort relativ hoch, wo das Gestänge direkt an der Seitenwand anliegt. Dies wegen der dann sehr hohen punktuellen Belastung; keine Nachgiebigkeit bei diesen Booten.

Zudem trägt dieses Konstruktions-Prinzip zur Erhöhung der Sicherheit bei, da die „Air Tubes" sehr effektiv Auftrieb liefern, wenn das Boot innen mit Wasser gefüllt sein sollte. Seitlich angeordneter Auftrieb stabilisiert ein Boot wirkungsvoll.
Nähere Infos zur Wirkungsweise des Auftriebs unter „***Auftrieb der PakCanoe's – Vorteile der Luft-Kammern („Air Tubes")/Funktion des Auftriebs***".

Als weitere Besonderheit sind alle Segmente der Längsstreben über eine Gummi-Schnur verbunden (wie z. B. bei Klein-Zelten ebenfalls üblich), und nicht durch anfällige Feder-Verbindungselemente (ein weiterer Schwachpunkt bei anderen Konstruktionen).
Mit den Modellen des Jahres 2005 sind nochmals eine ganze Reihe von Detail-Verbesserungen in die Serie eingeflossen.

Wie allgemein bei Falt-Canadier dieser Art üblich, ist der Rumpf in sich zwar steif, aber in Längsrichtung flexibel.

Die PakCanoe-Modellreihe/ verfügbares Zubehör

Die Falt-Canadier werden in einer Länge von 14/15/16/16,5 und 17 Fuß angeboten, also in Längen von 4,25/4,55/4,90/ 5,05 und 5,20 Metern.
Die Länge in Fuß spiegelt sich auch im Namen der Boote wieder: PakCanoe 140, 150, 160, 165 und 170.
Mitte 2004 wurde die Modell-Palette wieder durch das besonders universell einsetzbare PakCanoe 165 ergänzt. Dieses ist sehr gut für Solo- als auch Tandem-Einsatz geeignet.

Die Modelle 140 und 150 sind Solo-Boote (Solo = nur von einer Person gepaddelt; Lieferung mit 1 Sitz), aber ggf. auch als Tandems erhältlich (= 140T und 150T; Lieferung mit 2 Sitzen).
In der Solo-Version sind sie sowohl als Touren-Boot, wie auch für bewegtes Wasser bis hin zum mittelschweren Wildwasser geeignet, bieten also ein weites Einsatz-Spektrum. Über das Solo-Modell berichte ich in dem späteren Abschnitt „***PakCanoe 150 Solo-Boot/Eignung der PakCanoe's als Solo-Boote allgemein***“ noch speziell.

Die 140T und 150T haben die gleiche äußere Boots-Hülle wie die Solo-Boote, sind aber etwas breiter und dafür etwas niedriger (Höhe der Seitenwände).
Das Modell 140T ist daher ein besonders stabiles (= kentersicheres) Boot für Tages-Trips und Angler, und das 150T ein besonders stabiles Boot für den gelegentlichen Familiengebrauch und für Angler.
Es gibt als Zubehör spezielle Umrüstsätze für diese beiden Boote (Satz Quer-Spanten), damit sowohl die Ausführung „T“ als auch „Solo“ je nach Bedarf dargestellt werden kann (= Conversion Kit).
Für das „165-er“ ist so ein Umrüstsatz ebenfalls erhältlich.

Das „165-er“ entspricht in der Breite dem „150-er“. Diese sind etwas schmäler als die Modelle 160 und 170. Daher ist es sehr gut für Solo-Betrieb geeignet, aber auch für Tandem-Einsatz.
Mit dem Conversion-Kit (165T) ist es in der Lage zudem sehr umfangreiche Ausrüstung für einen langen Trip transportieren zu können.
Obwohl die Seitenwand des 165T zwangsläufig etwas niedriger ist (34 cm statt 36 cm), ist dies im bewegteren Wasser/WW kein nennenswertes Handicap, da der flexible Rumpf dies ausgleichen kann. Zur Flexibilität der Rümpfe später noch ausführliche Infos.

Als Allround-Boot ebenfalls gut geeignet ist das PakCanoe 160. Es ist für ausgedehnte Gepäck-Fahrten mit zwei Personen noch geeignet, und stellt auch den Solo-Fahrer vor keine Probleme.
Das „170-er“ dagegen ist als Tandem schlechthin das „Arbeitspferd“ für ausgedehnte Wildnis-Trips oder gar Expeditionen. Aufgrund seiner Länge und Breite fasst es sehr viel Gepäck. Zudem eignet es sich durch sein Volumen hervorragend für seichte Fluss-Abschnitte.
Als Solo-Boot ist es allerdings nur sehr bedingt geeignet und empfehlenswert.

Alle Boote sind in den Farben rot oder grün erhältlich, und es steht für sie eine ganze Reihe von optionalem Zubehör zur Verfügung.
Dazu zählen 2-fach teilbare Paddel passend für den Transportsack, Knie-Polster (= „Knie-Pads“), Tragejoch aus Holz (= „Yoke“), D-Ring Platten und der Umrüstsatz bei den Modellen 140/150/165.

Darüber hinaus gibt es noch:
Spritzdecke (2-teilig) mit Schürzen, individuell längsverstellbaren Sitz, Passagier-Sitz, Sitzkissen, Reparatur-Satz (dieser ist identisch mit dem Original-Kit bei der Auslieferung), Kielstreifen zur Verstärkung inkl. Kleber.

Anmerkungen:
Die Modelle 160, 165 und 170 der Jahre 2003 und 2004 waren ab Werk mit dem optionalen „Expedition-Outfitting" (= Expeditions-Ausstattung) erhältlich.
Dieses Sonderausstattungs-Paket hatte eine vormontierte Spritzdecke, Tragejoch, zwei Paar Knie-Polster (= „Knie-Pads"), sowie fertig aufgeklebte Kielstreifen und D-Ring Platten an Bug/Heck beinhaltet (z. B. für die Befestigung von Bootsleinen). Damit war dann das PakCanoe sofort expeditionsgeeignet ausgerüstet.

Die Modelle ab 2005 sind nun generell serienmäßig mit den beiden zuletzt genannten Details ausgerüstet (Kielstreifen und D-Ring Platten an Bug/Heck). Das Expeditions-Paket wird daher nicht mehr angeboten. Ggf. Spritzdecke, Tragejoch und Knie-Polster bei Bedarf individuell ergänzen.

Für Angler, Fischer und Jäger von besonderem Interesse sind:
Motorhalterung für kleinen Motor seitlich (vorzugsweise ein Elektromotor), seitliche Ausleger für hohe Kipp-Stabilität, sowie Riggs für den Süllrand, um die PakCanoe's auch als Ruderboot einsetzen zu können.

Der Vollständigkeit halber kurz eine Übersicht der aktuellen „PakCanoe“ Modell-Palette der Fa. Pakboats:

Modell	Breite max. [cm]	Breite am Süll-rand [cm]	Höhe [cm]	Ge-wicht [kg] (**)	Länge [Fuß] [cm]	Zu-ladung [kg]
PakCanoe 140 (Solo)	81	76	36	18,7	14 425	180
PakCanoe 140 T	86	81	34	19,5	14 425	180
PakCanoe 150 (Solo)	84	79	36	21,1	15 455	300
PakCanoe 150 T	89	84	34	22,1	15 455	300
PakCanoe 160	94	89	36	23,3	16 490	350
PakCanoe 165(*) (Solo+ Tandem)	84	79	36	24,1	16,5 505	375
PakCanoe 165 T(*) (Tandem breit)	89	84	34	24,9	16,5 505	375
PakCanoe 170	96	91	36	25,5	17 520	415

(*) Das Modell 165/165T steht seit dem 2. Quartal 2004 wieder zur Verfügung.

(**) Gewicht der Modelle ab 2005, d. h. mit serienmäßigen Kielstreifen und Verstärkungen am Süllrand.

Nachstehend die beiden „Ecktypen“ der PakCanoe-Baureihe:

PakCanoe 170 (Tandem)

PakCanoe 140 (Solo)

Praxis-Test in Lappland

In Lappland, auf der hügeligen Hochfläche der Finnmarksvidda, sollen sich nun einige PakCanoe der Firma Pakboats in der Praxis auf einem längeren anspruchsvollen Wildnis-Trip bewähren.
Ziel ist es, die Boote unter harter Beanspruchung auf Herz und Nieren zu prüfen und ggf. Schwachstellen aufzuspüren. Dabei werden die Boote zwar verantwortungsbewusst und mit gesundem Menschenverstand eingesetzt, aber keineswegs geschont.
Um irgendwelchen Spekulationen und Missverständnissen zuvor zu kommen:
Die Tour hat zwar Alv Elvestad organisiert und dafür die PakCanoe's zur Verfügung gestellt, trotzdem bin ich bemüht so objektiv wie möglich über die Vor- und Nachteile dieser Boote zu berichten.

Mit in der „Test-Crew" ist u. a. der bekannte kanadische Buchautor, Fotograf und Canoe-Instructor Trainer Rolf Kraiker mit seiner Familie(www.blazingpaddles.on.ca), die Amerikanerin Laurie Gullion (Canoe-Instructor Trainerin bei der American Canoe Association (ACA)), sowie der Norweger Espen Brestbakmo.
Espen veranstaltet im Winter in Nord-Norwegen Hundeschlittentouren und im Sommer Paddeltouren im Dividalen/ auf dem Fluss Malselven (www.undervegs.no). Er verfügt dazu über eine kleine Flotte von Ally Falt-Canadiern (ca. 6 Boote). Espen hat also eine Menge Erfahrung mit Falt-Canadiern, und kann sehr gut Vergleiche zu den beiden Konkurrenten ziehen.

Die insgesamt 10-köpfige Paddler-Truppe ist zunächst mit 5 Booten ausgerüstet:
2 PakCanoe 170, 1 PakCanoe 160 und 2 PakCanoe 165. Das zuletzt genannte Modell 165 erfuhr im Jahr 2004 infolge

dieses Praxis-Tests erfreulicherweise eine Renaissance, und ist seit Mitte 2004 wieder offiziell im Programm der Firma Pakboats.

Gewicht/Konstruktions-Merkmale/ Aufbau/etc.

Gewicht/Packmaß

Ca. 24 kg lasten in Form eines einfachen, aber soliden Packsackes mit Tragegurt auf meinen Schultern, die ich vom Landeplatz des Hubschraubers zum anvisierten Übernachtungsplatz schleppe. Mit einem starren Canadier wäre diese Unternehmung schon gar nicht möglich gewesen. Ein riesengroßer Vorteil der Falt-Canadier, auch Touren in entlegeneren Gebieten problemlos zu ermöglichen.

Zudem kann, wie eingangs schon erwähnt, durch die Verwendung dieser Boote in der Regel ein kleinerer Flugzeugtyp gechartert werden. Dies schlägt in der Kosten-Bilanz signifikant zu Buche.
Rolf Kraiker berichtet beispielsweise von seiner Paddeltour auf dem Horton River in den kanadischen Northwest-Territories. Durch den Einsatz von PakCanoe's konnte auf eine teure „Twin Otter" verzichtet werden. Mit dem gesparten Geld war der Kaufpreis von 2 Booten bereits finanziert und darüber hinaus noch ein ordentlicher Batzen bares.

Ein Gewicht von 24 kg für das „170-er" kann sich für ein 17-Fuß Boot wirklich sehen lassen.
Das PakCanoe 160 bringt ca. 23 kg auf die Waage. Die Konkurrenz-Produkte mögen zwar ein paar wenige Kilos leichter sein, aber der besonders robuste Bootsboden,

und die einzigartigen seitlichen Luft-Kammern schlagen sich in einem etwas höheren Gewicht nieder (ca. 2 kg).
Wie sich noch zeigen wird, überwiegen diese Vorteile bei weitem und so nehmen wir das etwas höhere Gewicht gerne in Kauf. Ebenso seit 2005 die serienmäßigen Kielstreifen und die Verstärkungen am Süllrand. Die Gewichte der aktuellen Modelle sind in der Tabelle auf Seite 331 aufgeführt.

Ein für derartige Wildnis-Trips mit Stromschnellen aller Art im Bereich Wildwasser I-III geeignetes starres Boot (breite, seichte, steinige Passagen; Schwallstrecken; größere Wellen; Wasserwucht in Walzen und Löchern; Stufen und Absätze), z. B. aus dem strapazierfähigen Material Royalex, würde ohne mit der Wimper zu zucken locker 12 bis 15 kg mehr auf die Waage bringen.
Ein qualitativ hochwertiges Boot aus dem Material PE (Polyethylen) nochmals mehr.

Der einfache, aber praktische Transportsack (Größe ca. 89 x 43 x 33 cm) ist übrigens serienmäßig im Lieferumfang eines Bootes enthalten. Das ist bei anderen Herstellern bisher nicht der Fall.
Bei Preisvergleichen also ggf. mit einkalkulieren und beim Vergleich von Gewichtsangaben berücksichtigen.
Dieser nimmt komplett alle zum Aufbau erforderlichen Teile, inkl. Boots-Haut und zweier Sitze auf.
Das optional erhältliche Zubehör wie Tragejoch, Knie-Polster und 2-fach geteilte Stechpaddel würden ggf. ebenfalls noch hineinpassen.

Da liegen sie nun ausgebreitet:
Ca. 20 Einzelteile warten auf den Zusammenbau. Natürlich habe ich schon vorab neugierig die sehr ausführliche Aufbauanleitung in deutscher Sprache studiert, die keine Frage offen lässt. Aber nun ist konkret unser Geschick als „Bootsbauer“ gefragt.

Außenhaut/Bodenmatte

Zunächst wird die robuste, massiv verstärkte Außenhaut ausgebreitet. Sie besteht aus einem strapazierfähigen synthetischen Gewebe, die mit einer besonders abriebfesten PVC-Haut beschichtet ist. Die Außenhaut des Bodens ist dabei noch stärker ausgeführt (1300 gr./qm) als die Außenhaut der Seitenwand.

Innen ist die Bootshülle im Bodenbereich mit geschlossenzelligem Schaum versehen, also dieser fixen Bodenmatte (Stärke ca. 6 mm). Während die Matte früher fest mit der Hülle verbunden war, ist sie ab 2005 nur noch an mehreren Stellen fixiert und lässt sich ggf. auch austauschen. Seit 2005 ist der Boden noch zusätzlich serienmäßig mit fünf Kielstreifen versehen (unter jedem Längsstab einer).

Dieser Schaum verhindert eine hohe punktuelle Druckbelastung der Hülle, wo diese direkt an den Gestänge-Segmenten anliegt. Damit wird eine hohe Abriebfestigkeit erzielt. Dies auch bei eventuellem Stein-Kontakt, da der elastische Schaum dann nachgibt.
Diese Bodenmatte isoliert zudem effektiv gegen die Kälte des Wassers und sorgt für Auftrieb bei einer eventuellen Kenterung.
Der Aufbau des Bootes gelingt durch die fixierte Bodenmatte sehr einfach. Weder bei der Montage noch im Fahrbetrieb kann sich dieser Boden innerhalb des Bootes verschieben. Dass der Aufbau durch die feste Matte wesentlich einfacher ist als beim Konkurrent Ally bestätigt auch Espen Brestbakmo.

Die Oberfläche der Matte selbst ist glatt, und sehr robust und reißfest ausgeführt. Eine ernsthafte Beschädigung der Matte ist dadurch meines Erachtens ziemlich unwahrscheinlich.

Dieser Eindruck hat sich dann auch während der Tour bestätigt. Siehe hierzu den Punkt „***Beanspruchbarkeit der Boote bei Stein-Kontakt/Haltbarkeit bei Dauer-Belastung***".
Wie trotzdem eventuelle Blessuren problemlos beseitigt werden können, ist in dem Abschnitt „***Reparaturen in der Wildnis/Tipps für Reparaturen allgemein***" beschrieben.

Alu-Gestänge/Boots-Gerippe

Im gesamten müssen 9 Längs-Streben verbaut werden. Sie haben Farb-Markierungen, um den Aufbau zu erleichtern. Zudem sind die einzelnen Segmente der Stangen (Länge max. 81 cm) über die schon erwähnte Gummi-Schnur verbunden.
Somit sind diese gegen Verlust oder Falsch-Montage gesichert. Das Ineinanderstecken selbst geht natürlich ebenfalls „Ruck-Zuck".

Im zerlegten Zustand der Boote sind alle diese Längsstangen in der Bootshaut eingerollt, und stehen als kompakte Rolle seitlich im Packsack.
Daneben haben noch all die Quer-Streben (Spanten), Süllrand-Endstücke, Bug-/Heckstäbe (Steven), die beiden gepolsterten Sitze, eine kleine Luftpumpe, das Reparatur-Set usw. Platz.
Ist alles im Packsack verstaut, ergibt dies eine kompakte Einheit in der Größe eines dicken, fetten Rucksackes von ca. 90 cm Höhe und einem Umfang von etwa 145 cm (beim PakCanoe 170).

Ich möchte hier nicht im Detail den Zusammenbau beschreiben, sondern nur ein paar wesentliche Dinge erwähnen.
Die deutsche Bauanleitung von Pakboats für die PakCanoe's steht bei Interesse im Internet als PDF-Datei zur Verfügung:
www.kanadier.gps-info.de/b-pakcanoe_aufbauanleitung.PDF

Zunächst werden links und rechts die Süllrand-Stäbe (rote Farb-Markierung) in die Kanäle der Kanu-Haut eingeführt. Wird diese dabei etwas beiseite geschlagen, so dass sich eine möglichst gerade Linie ergibt, gelingt dies ohne Mühe. Es muss eben vermieden werden, dass die Stäbe durch die Öffnungen in den Kanälen für die Quer-Spanten vorzeitig nach außen dringen. Insgesamt betrachtet ist das wohl die fummeligste Arbeit des gesamten Aufbaues.

Anmerkungen:
Der Süllrand ist die obere umlaufende Kante eines Canadiers, teilweise auch Dollbord oder im englischen Gunnels bzw. Gunwales genannt.
Übrigens empfiehlt es sich beim Zerlegen des Bootes, beim Herausziehen der Süllrand-Stäbe, diese zum Boden hin etwas durchzubiegen. So wird effektiv vermieden, dass sich die einzelnen Segmente vorab in dem Kanal voneinander lösen. Zudem wird das Hineinschieben und Herausziehen der Stäbe erleichtert, wenn etwas Silikon in die Kanäle gesprüht wird.

Die beiden Süllrand-Stäbe werden dann jeweils an Bug und Heck durch die hufeisenförmigen Süllrand-Endstücke miteinander verbunden.
Tritt man dabei in das Boot und spreizt mit den Beinen den Süllrand etwas auseinander, gelingt die Montage/Demontage dieser Endstücke problemlos.

Danach wird der Kielstab (Mittelachse) eingelegt, und an den Enden jeweils der gebogene Bug-/Heckstab eingesteckt. Bug-/Heckstab ist dabei baugleich, sie bilden die Steven. Anschließend werden diese von unten in die Süllrand-Endstücke eingeclipst (C-Clip).
Nach und nach dann die vier anderen Längsstäbe in die Zapfen (Gabeln) der Bug-/Heckstäbe einführen. Die Farb-Markierungen helfen dabei, und schon innerhalb kurzer Zeit nimmt das Boot erste Gestalt an.

Luft-Kanäle/„Air Tubes“

Nun ist die Zeit gekommen, in der die Luft-Kanäle schon eine ihrer vielen Funktionen erfüllen – sie werden leicht aufgeblasen, um den weiteren Aufbau zu erleichtern. Eine Besonderheit des Konzeptes von Pakboats sind, wie eingangs schon erwähnt, die im Inneren an den Seitenwänden angebrachten Luft-Kanäle. Sie erstrecken sich über die gesamte Bootslänge.
Diese „Air Tubes“ bieten jeweils links und rechts an einem Stück drei separate Luft-Kanäle.

Jetzt werden die Querstäbe, also die Spanten eingesetzt. Dabei bilden robuste Schnappverschlüsse die Verbindung zu den unteren Längsstäben, und C-förmige Clipse zu den oberen Süllrand-Stäben.
Durch den leichten Druck in den Luft-Kanälen werden alle Bauteile in Form gehalten, aber ohne dass große Kräfte bei der Montage erforderlich wären.
Werkzeug o. ä. wird für den Aufbau generell nicht benötigt.

Beim Einsetzen der Quer-Spanten in der Mitte beginnen, also zunächst die breitesten Teile einfügen.
Dabei darauf achten, dass die Spanten seitenrichtig eingesetzt werden. D. h., dass die eckige Kante der Kunststoffteile auch in die Schnappverschlüsse der unteren Längsstäbe einrasten können.
Gegen unbeabsichtigtes Öffnen werden die Schnappverschlüsse anschließend mit vormontierten, unverlierbaren Gummi-Ringen gesichert. Im Bedarfsfalle lassen sich die Gummi-Ringe sehr leicht ersetzen.
Dann, nicht vergessen, rechtzeitig links und rechts den Seitenstab mit den Endkappen in die Nut zwischen den beiden unteren Luft-Kanälen einzuführen, bevor die restlichen Spanten verbaut werden.

Nach Abschluss der Arbeiten werden die Luft-Kammern mit einer kleinen Pumpe stärker aufgeblasen, bis sie sich hart anfühlen, das Boot erhält damit seine endgültige Spannung. Aber selbst wenn die Luft-Kammern nur von Mund aufgeblasen werden, ist die Funktionsfähigkeit des Bootes voll gewährleistet.
Auf der gesamten Tour haben wir nie die Pumpe benutzt, sondern einfach nur das, was die Lunge so hergibt. Dies hat vollkommen ausgereicht.
Wesentlicher ist, je nach veränderter Außen- oder Wassertemperatur ggf. erschlaffte Luftkanäle wieder aufzublasen, da diese zudem eine wesentliche Schutzfunktion bei seitlichem Kontakt von Hindernissen (z. B. Steinen) erfüllen. Dazu später aber mehr.

Bootshaut mit der fixen Bodenmatte ist ausgebreitet.
Der Süllrand ist montiert, d. h.
die Süllrand-Stäbe + Süllrand-Endstücke.
Der Kielstab ist eingelegt.

Bug- u. Heckstab ist in Kielstab eingesteckt,
und vorn/hinten in die Süllrand-Endstücke eingeclipst.
Nun montieren der restlichen Längsstäbe,
Farb-Markierungen helfen dabei.

Einsetzen d. Querspanten, dabei in der Mitte beginnen.
Seitenstäbe rechtzeitig einführen
(in die Nut zwischen d. beiden unteren Luft-Kammern)

Anmerkungen:

1.) In der deutschen Bauanleitung ist noch beschrieben, wie beim ersten Zusammenbau einmalig die Luft-Kammern am Boot befestigt werden müssen.
Dies ist nicht mehr erforderlich. Die „Air Tubes“ sind inzwischen ab Werk vormontiert.

2.) Bei einem Vergleichstest zwischen Ally und einem PakCanoe 160 im Kanu-Magazin im Jahr 2003 wurde bemängelt, dass sich einige C-Clipse der Verbindung Quer-Spanten zu den Süllrandstäben gelöst haben.
Alv Elvestad vermutet stark, dass eine mangelnde Spannung der Bootshaut durch ungenügend aufgeblasene Luft-Kanäle dafür Ursache gewesen ist.

Wenn ein am Ufer aufgebautes PakCanoe in das eisig kalte Wasser eines Gebirgs-Flusses in den Alpen einsetzt wird, ergibt sich physikalisch bedingt automatisch, dass die Luftschläuche an Spannung verlieren.
Der gleiche Effekt ist zu beobachten, wenn mit Canadiern im Wildwasser gepaddelt wird, die mit großvolumigen Auftriebskörpern (Luftsäcken) ausgestattet sind, oder dies ebenfalls bei Schlauch-Canadiern.
Sobald die Auftriebskörper mit kaltem Wasser in Berührung kommen, geht der Innen-Druck deutlich zurück. Eine Kontrolle/Nachblasen der Luft-Kammern bei der ersten Pause, hätte die faltige Außenhaut der PakCanoe’s bei dem Test vermieden. Ist bei einer Tour auch kein Problem. Dadurch dass die Außenhaut nicht mehr straff gespannt war, konnten sich dann auch ein paar C-Clipse der Verbindung Quer-Spanten zu den Süllrand-Stäben lösen.
Prinzipiell ist das Boot auch mit defekten Luft-Kammern voll funktionsfähig, nur ist die Gesamt-Performance dann nicht mehr optimal.

Eine erforderliche gesonderte Sicherung dieser Verbindungsstellen mit beiliegenden Klemmverbindern (Kabelbinder) wie der Tester schreibt, ist absolut unnötig.
Um das Modell 160 aber diesbezüglich unempfindlicher zu machen, wurde inzwischen der Schnitt der Seitenwand optimiert.

Boots-Form

Die Form des Bootes selbst ist symmetrisch, und es erhält durch die Form der Spanten einen flachen V-Boden, sowie an den Seiten etwas Tumblehome.
Was mir besonders bei den PakCanoe's gefällt, dass sowohl der Boden als auch die Seitenwände eine fast perfekte harmonische runde Form aufweisen. Sie sind dadurch fast nicht von einem festen Canadier zu unterscheiden. Großen Anteil daran hat das einzigartige Konstruktions-Prinzip mit den „Air Tubes", aber auch die fixe Bodenmatte. Demgegenüber sehen die Boote anderer Falt-Canadierhersteller doch deutlich eckiger aus, was natürlich auch für die Fahreigenschaften nicht so optimalen Einfluss hat, z. B. beim Kanten.
Ebenfalls positiv: An Bug und Heck sind seit 2005 nun D-Ringe zum Befestigen von Boots-Leine etc. serienmäßig bei allen Booten vorhanden.

Endkappen/Sitze/Knie-Polster

Durch Stoff-Kappen an Bug und Heck, sowie der Montage der Sitze wird das Boot nun vollends komplettiert. Ggf. werden dann noch die optional erhältlichen Knie-Polster eingesetzt (= „Knie-Pads").
Diese Streifen aus geschlossenporigem Schaumstoff werden U-förmig unter die Spanten geklemmt und sind gegen Verlust gesichert.

Im Verlauf der Tour erweisen sich die Knie-Pads als recht komfortabel und sind sehr zu empfehlen. Sorgen sie doch für ein entspanntes knien, und man berührt damit auch nicht ständig den eventuell feuchten Boden.
Beim Einsteigen ins Boot oder bei bewegteren Wildwasser-Passagen lässt sich nicht immer vermeiden, dass etwas Wasser ins Boot gelangt.

Die im Transport-Zustand raumsparend flach zusammengeklappten Sitze mit Schaumauflage sind ausreichend bequem und isolieren gut gegen die Kälte. Seit 2005 haben die Sitze oben ein Gurt-Geflecht und sind dadurch noch bequemer geworden.
Für ganz komfortverwöhnte Paddler-Gesäße sind zudem als Zubehör sich selbst aufblasende Sitzkissen erhältlich.

Die Sitze können an mehreren verschiedenen Stellen im Boot positioniert werden. Zum individuellen Trimmen des Kanus ein großer Vorteil.
Dabei kann die Sitzfläche je nach Wunsch für's Paddeln im Sitzen waagerecht gestellt oder für's Paddeln im Knien nach vorne geneigt werden. Auch im eingebauten Zustand kann die Neigung der Sitzfläche während des Paddelns mit einer Hand binnen weniger Sekunden je nach belieben abgeändert werden.
Aber selbst in der waagrechten Stellung lässt es sich ausreichend bequem knien. Dabei gibt es weder mit Stiefeln, noch bei Trägern großer Schuhgrößen irgendwelche Platzprobleme.

Ferner ist positiv festzuhalten, dass die Sitze über zwei Gurte fest im Boot fixiert werden.
So ist bei einer eventuellen Kenterung nicht zu befürchten, dass sich diese unerlaubt selbstständig machen können, oder man sich bei Portagen mit lästigen Einzelteilen herumplagen muss.

Die Fixier-Gurte für die Sitze sind so geführt, dass ein gefährliches Hängenbleiben mit dem Fuß bei einer Kenterung ausgeschlossen ist.
Allerdings erfordert das Verlegen der Gurte das „gewusst wie", damit die Funktion auch optimal gewährleistet ist. Wenn es einem am Objekt direkt vorgeführt wird, ist es doch leichter, als der schriftlichen Bedienungsanleitung geistig nachzuhoppeln.

Wesentlich ist, dass der vordere Gurt zunächst nach unten um den Kielstab herumgeführt wird. Das gleiche gilt ebenfalls für den längeren hinteren Gurt – zuerst um den Kielstab herumführen, und dann nach vorne um den vorderen Querspant und den Kielstab vorn führen. Von dort dann wieder nach hinten verlegen und verzurren.
Wird der Sitz sorgfältig befestigt, lösen sich auch unter härtester Beanspruchung nicht die C-Clipse der Befestigung. Wird der Sitz dagegen nachlässig/falsch montiert, kann es bei hoher Beanspruchung des Bootes zum Lösen der Clipse kommen. Deshalb sorgfältig nach der Anleitung vorgehen.

Doch zurück zum Aufbau:
Überhaupt enthält der gesamte „Boots-Bausatz" keine kleinen Einzelteile, die in der „Pampa" vergessen oder verloren gehen könnten. Die kleinsten Teile sind die beiden Süllrand-Endstücke (= Gunwale Terminators), die etwa die Größe und Form eines Hufeisens haben.

Uff – geschafft, das Boot ist jetzt fix und fertig aufgebaut. Meine Beschreibung, bzw. die Original Aufbauanleitung (⇨ Download im Internet unter: www.kanadier.gps-info.de/b-pakcanoe_aufbauanleitung.PDF) mag jetzt vielleicht nach kompliziertem Zusammenbau klingen, ist es aber absolut nicht.
Wenn man erst einmal mit der Aufbau-Reihenfolge und den Bauteilen vertraut ist, sowie sich an die Empfehlungen in der

Bauanleitung hält, lässt sich dies alles ohne Mühe innerhalb von 20 bis 30 Minuten bewerkstelligen.
Der mit Falt-Canadiern erfahrene Espen ist vom einfachen, mühelosen Aufbau der Boote ebenfalls begeistert.

So – und für uns heißt es jetzt das „neue" PakCanoe mit Sack und Pack beladen, und dann ab auf's Wasser – die Paddel werden schon etwas ungeduldig und nervös.

Boot ist komplettiert: Zu sehen sind die Luft-Kammern (grau) mit Füll-Schläuchen, Stoff-Kappe am Heck, Sitz und Knie-Polster, sowie Tragejoch

Anmerkung: Seit 2005 hat der Sitz oben ein Gurt-Geflecht und ist noch bequemer

Fahreigenschaften auf Flachwasser

Der erste Abschnitt der Tour in Lappland führt zunächst über mehrere langgestreckte Seen.
Ideale Bedingungen, um sich ein Bild über die Fahreigenschaften auf ruhigen, nicht strömenden Gewässern zu verschaffen (Flachwasser).
Bei den PakCanoe's können die Fahreigenschaften durch Verteilung des Gewichtes (= Personen und Gepäck) sehr effizient beeinflusst werden. Dies erfolgt durch die damit verbundene Variation des Kielsprunges wegen des flexiblen Rumpfes.
Das ist eine hervorragende Sache, erfordert jedoch etwas Sorgfalt und Beachtung bei der Wahl der Position der Sitzplätze und der Verteilung des Gepäcks (Gewicht).

Auf den See- und Flachwasser-Passagen dieses ersten Abschnittes begeistern die PakCanoe's durch ihren leichten schnellen Lauf. Die Fahreigenschaften sind mit denen eines vergleichbaren Expeditions-/Wildnis-Canadiers mit starrem Rumpf durchaus vergleichbar (engl. Riverrunning/Tripping-Canoes).

Mit dem superschnittigen Design und der Linienführung eines hyperschnellen „Winona"-Cruisers kann ein PakCanoe natürlich nicht konkurrieren, aber dafür würden sich diese Boote im strömenden Wasser/Wildwasser nicht annähernd so gut bewähren, sofern sie überhaupt dazu tauglich wären. Durch Verteilung des Gepäcks über die gesamte Länge ergibt sich bei den PakCanoe's eine gerade Kiellinie. Guter Geradeauslauf und wenig Kraft-Einsatz für eine hohe Geschwindigkeit ist das Resultat.

Wenn man im Vergleich an das zähe und windanfällige Fahrverhalten von Schlauch-Canadiern denkt, wäre das Fahrvergnügen auf dieser ersten Etappe der Fluss-Reise schon

erheblich getrübt.
Zudem bieten diese kaum eine Führung für einen akzeptablen Geradeauslauf.

Canadier sind leider generell sehr windanfällige Boote, Schlauch-Canadier aber ganz besonders.
Ohne Gepäck sind Falt-Canadier tendenziell etwas empfindlicher als ein vergleichbares Boot mit festem Rumpf, mit Gepäck/Ballast ergeben sich jedoch keine Nachteile.

Wie bei starren Canadiern gilt für die PakCanoe's prinzipiell ebenfalls der alte Grundsatz „Länge läuft".
Dies trifft auch für das „160-er" und „170-er" zu, wobei der Unterschied aber so gewaltig auch wieder nicht ausfällt. Allerdings ist schon zu spüren, dass das kürzere und etwas schmälere PakCanoe 160 bei vergleichbarem Beladungszustand etwas tiefer im Wasser liegt, und sich dadurch ein etwas höherer Fahrwiderstand einstellt, also für gleiche Geschwindigkeit ein höherer Kraft-Einsatz erforderlich ist, bzw. bei gleichem Kraft-Einsatz eine etwas geringere Geschwindigkeit resultiert.
Wer überwiegend Touren auf Seen oder Großgewässern plant, sollte aber schon lieber zum „170-er" greifen. Auf seichten Gewässern ist das größere Volumen des 170 ebenfalls von Vorteil, da der Tiefgang bei gleicher Beladung doch geringer ausfällt.

Allgemein bietet sich jedoch für Seen-Paddelei das neue Modell 165 aufgrund seiner schmäleren und damit schnittigeren Form ganz besonders an.
Dabei kann es aber auf fließenden Gewässern und im Wildwasser (WW) ebenso eingesetzt werden.

Fahreigenschaften auf fließenden Gewässern und im Wildwasser

Bei den weiteren Abschnitten der Tour in Lappland sind wir auf typischen Wildnis-Flüssen unterwegs. Flachwasser-Passagen und Stromschnellen wechseln sich stetig ab. Bei solchen „gemischten" Flüssen dann einfach die schwereren Brocken des Gepäcks mehr zur Bootsmitte hin konzentrieren. Dadurch wird der Kielsprung erhöht (engl. Rocker).

Auf Flachwasser-Passagen dann mehr an Bug und Heck sitzen, um eine gerade Kiellinie für einen guten Geradeauslauf zu erhalten.
In Stromschnellen dann beim Knien dichter zueinander rücken, um den Kielsprung (engl. Rocker) zu erhöhen und die Boots-Kontrolle zu verbessern.
Solch gemischtes Terrain ist auf zahlreichen Wanderflüssen in Süd-Deutschland und dem angrenzenden Ausland ebenfalls anzutreffen.

Ist in Stromschnellen ein extrem wendiges Boot mit sehr großem Kielsprung gefragt, das Gepäck inklusive Paddlern noch mehr in die Nähe der Mitte positionieren und die Enden unbelastet lassen.
Generell sollte im Wildwasser kein Gepäck in den Bereich der Bugspitze gepackt werden, um trockenen Lauf sicherzustellen. Damit ist es auch problemlos für WW III gerüstet.

In den anspruchsvolleren WW-Passagen dieses Touren-Abschnittes, vollbeladenen mit Gepäck, bewährt sich die flexible Rahmen-Struktur der PakCanoe's bestens. Und dies auf dieser Tour sogar in doppelter Hinsicht, dazu aber gleich.

Vor allem wenn Bug und Heck unbelastet sind, „klettern" die Boote über die Wellen, anstatt durch sie hindurchzustechen, wie dies bei starren Canadiern tendenziell der Fall wäre.
Die Wellen werden also „abgeritten". Bei Schwallstrecken und stehenden Wellen, aber auch in Walzen und Löchern laufen die Boote daher schön trocken.
Dies ermöglicht trotz schwerbeladenen Booten eine Fahrt durch bewegteres Wasser, ohne den fahrbaren Untersatz „abzufüllen".

Bei Wildnis-Fahrten mit Gepäck ein sehr großer Vorteil, zumal dadurch häufig eine sicherere Fahrt-Route gewählt werden kann.
Es ist ein enormer Unterschied, ob man sich mit leerem Boot im stark fließenden Wasser/Wildwasser aus „Spaß an der Freude" tummelt, oder dies mit Sack und Pack in der Wildnis bei einer mehrwöchigen Tour macht.

Bei Canadiern mit starrem Rumpf würde dies nur mit extrem defensiver Fahrweise gelingen. Also viel Rückwärtspaddeln um Fahrt rauszunehmen, damit dem Boot genügend Zeit bleibt, dass der Auftrieb im Bug wirken kann. Weiterhin ist eine dementsprechend sehr sorgfältige Routen-Wahl erforderlich.
Die PakCanoe's bieten daher zum Teil die positiven sicheren Eigenschaften von Schlauch-Canadiern im WW, aber ohne deren ausgesprochen negativen Eigenschaften auf stehenden Gewässern.

Beanspruchbarkeit der Boote bei Stein-Kontakt/ Haltbarkeit bei Dauer-Belastung

Leider ist der Wasserstand auf dem Trip eher sehr bescheiden zu nennen, so dass nur ein Teil der zahllosen Rapids (= Stromschnellen) uns solch herrliches Wildwasservergnügen bietet, wie eben beschrieben.
Dafür lernen wir einen zweiten positiven Aspekt der flexiblen Rahmen-Struktur, bzw. dem Konzept der PakCanoe's ausgiebig kennen.

Die Rapids in Lappland sind alle sehr lang und weisen zudem ein sehr starkes Gefälle auf. Bei der Länge der einzelnen Stromschnellen kann man schon fast in Kilometern rechnen. Mit vielen Stein-Hindernissen ist zu rechnen, und teilweise sind sie auch bei normalem Wasserstand recht seicht. Bei dem niedrigen Pegelstand wie wir ihn jetzt vorfinden, gleicht jedoch ein großer Teil der Schnellen eher gigantischen Steingärten, als einem paddelbaren Fluss.
Teilweise waren die Steine Gemeinerweise auch noch recht scharfkantig.

Wenn irgendwie möglich, paddeln wir die Passagen. Dabei bleibt natürlich ab und zu ein heftigerer Stein-Kontakt nicht aus. Häufig müssen wir auch die Boote, mit Sack und Pack beladen, über die Steine ziehen und zerren, oder treideln. Jedenfalls ist die Belastung für den Rahmen und die Außenhaut (Boden/Seitenwände) schon sehr extrem zu nennen, überhaupt, wenn die Länge und Anzahl dieser Rapids berücksichtigt wird.
Dass bei Portagen die Boote durchs dichte Unterholz geschleift werden müssen, oder über grobes Blockwerk und Steilstufen in Schluchten abgeseilt werden, kommt noch hinzu.

Sichtkontrolle nach den zahlreichen strapaziösen Stromschnellen

Der Bootshaut ist kaum etwas anzusehen

Jedenfalls ist es kaum fassbar und unbeschreiblich, dass die Boote alles nahezu ohne Blessuren wegstecken. Nur punktuell sind kleinere Schäden zu verzeichnen. Die notwendigen Reparaturen beschränken sich wirklich auf ein Minimum.
Ist von vornherein mit einer derartigen extremen Belastung zu rechnen, würde es sich empfehlen, das Boot vorab mit dem optional erhältlichen Kielstreifen zu versehen. Nur eines der fünf Boote war damit ausgerüstet.
Seit 2005 sind übrigens alle Boote serienmäßig mit insgesamt fünf Kielstreifen versehen (unter jedem Längsstab einer). Die Boote sind damit optimal gerüstet und unterwegs ist kaum noch etwas zu befürchten.

Das hochwertige Alu-Material des Gestänges ist so elastisch, dass es sich zwar unter extremer Beanspruchung dauerhaft verformen kann, aber nicht bricht.
Einige wenige Segmente der Kielstäbe waren am Anschluss der Tour etwas krumm. Diese Segmente dann einfach von Hand über's Knie wieder geradebiegen.
Keinerlei Schäden oder Ausfälle waren an den diversen Kunststoff-Teilen und Clipse der Verbindungs-Elemente festzustellen.

Die glatte Oberfläche der Bodenmatte hat sich als sehr robust und reißfest erwiesen. Eine ernsthafte Beschädigung ist daher ziemlich unwahrscheinlich.
Jedenfalls war nach Ende der Tour an keiner einzigen Bodenmatte eine Beschädigung festzustellen, obwohl einige Male das Gepäck recht unsanft herausgezerrt oder hineingestopft werden musste. Das grobe Profil der diversen Schuhe konnte der Matte ebenfalls nichts anhaben.
Im Fall des Falles ist eine Reparatur unproblematisch. Bei den Modellen ab 2005 lässt sie sich ggf. zudem austauschen.

Ich kann mir wirklich nicht vorstellen, diese Tour unter diesen Bedingungen mit einem starren Canadier durchzuführen. Ein GFK-Boot wäre vermutlich schon nach dem ersten Tag „pulverisiert", und ein Royalex-Boot hätte am Ende bestimmt keine Farbe mehr drauf (kompletter Abrieb der äußeren PVC-Schicht).
Wahrscheinlich wäre ein qualitativ hochwertiger PE-Canadier (Polyethylen) noch am ehesten in der Lage, die Strapazen dieser Materialschlacht zu überleben.
In wenigen Tagen um Jahrzehnte gealtert wären sie jedoch sicherlich alle.

Auf jeden Fall trägt der flexible Rumpf, hochwertige Materialien, gute Verarbeitung und das einzigartige Konstruktions-Konzept der PakCanoe's mit den seitlichen Luft-Kammern dazu bei, dass die Boote derart widerstandsfähig sind. Wie unterwegs ggf. Reparaturen am besten durchgeführt werden können, wird in dem späteren Abschnitt „***Reparaturen in der Wildnis/Tipps für Reparaturen allgemein***" berichtet.

Flexibilität des Rumpfes

Nochmals kurz zurück zur Flexibilität und Nachgiebigkeit des Rumpfes.
Trotz des insgesamt niedrigen Wasserstandes sind doch ein paar Stufen und Absätze mit darunter liegenden „Pools", Löchern oder Walzen zu überwinden.
Die PakCanoe's ermöglichen uns trotz geladenem Gepäck die Stufen und Absätze genau mittig anzufahren. Eigentlich ist dies prinzipiell auch der einfachste und sicherste Weg, aber starre Wander-Boote werden bei solchen Aktionen in der Regel hoffungslos „abgefüllt", eine anschließende Kenterung ist dann häufig nicht mehr zu vermeiden.

Kleinere Walzen können bei Falt-Canadiern häufig einfach ignoriert werden, bei starren Booten ist dies dagegen nicht besonders empfehlenswert.
Im Gegensatz zu festen Booten sind die Seitenwände eines Falt-Canadiers nicht wirklich starr, dadurch der Rumpf in Längsrichtung in sich flexibel.

Im Unterschied zu einer großen Welle enthält das weiße Wasser einer Walze sehr viel Luft, und diese Luft liefert wenig Auftrieb.
Wenn ein „Fest-Rümpfler" mit dem Bug in eine Walze eintaucht, muss der Auftrieb der Walze nahezu das gesamte Boot anheben.
Reicht dieser Auftrieb nicht aus, nimmt das Boot sehr viel Wasser auf. Dies endet meistens mit einer Kenterung. Bei einem flexiblen Boot, wie beispielsweise Falt-Canadiern, muss dagegen der Auftrieb nur den Bug, bzw. den vorderen Teil des Bootes anheben. In der Praxis ist dies ein enormer Unterschied.
Das Heck profitiert ebenfalls von dieser Eigenschaft. Wegen des luftdurchsetzten weißen Wassers mit wenig Auftrieb setzt das Heck eines starren Bootes häufig kurz aber heftig auf den Felsriegel oder Stein auf, der ja die Walze entstehen lässt.
Bei dem flexiblen Rumpf der PakCanoe's ist dies in der Regel jedoch nicht der Fall.

Große Wander-Canadier aus Royalex haben zwar einen insgesamt sehr starren Rumpf, aber der Boden ist häufig sehr labil. Dies führt dazu, dass auf Flachwasser oder bei leichten Wellen der Boden eingedrückt wird und flattert.
Durch die Quer-Spanten bei den Falt-Canadiern ist dagegen dort der Kielbereich sehr steif, und zeigt diese Unart der Royalex Verwandten nicht.
Ein zusätzlicher Grund, warum die PakCanoe's auf Seen/ Flachwasser eine gute Figur abgeben.

Kehrwasserfahren/Quer-Steifigkeit des Rumpfes beim Hebeln

Durch die Möglichkeit den Kielsprung weitgehend individuell bestimmen zu können, ist bei entsprechendem „WW-Trim" ein Kehrwasserfahren wie bei einem vergleichbaren Boot mit festem Rumpf problemlos möglich.
Natürlich kann/muss ein PakCanoe beim Ein- und Ausschlingen aus dem Kehrwasser ebenso gekantet werden, wie ein „Fest-Rümpfler".

Im Zusammenhang mit Falt-Canadiern hört und liest man immer wieder von dem Nachteil, dass sich die Boote beim Ein- und Ausfahren aus dem Kehrwasser in Längsrichtung in sich verwinden würden. Dies vor allem im Tandem-Einsatz. Dadurch wäre Kehrwasserfahren nicht so optimal, wie bei einem vergleichbaren starren Boot.
In der Praxis ist von dieser angeblichen Schwachstelle jedoch konkret nichts zu spüren.
Wenn sich beide Paddler weit auf die jeweils gegenüberliegende Seite hinauslehnen, kann es zu einer Verwindung des Rumpfes kommen, nicht aber beim Kehrwasserfahren.

Wenn beide Paddler beim Einschlingen in das-/ Ausschlingen aus dem Kehrwasser korrekt auf die gleiche Seite kanten, was sie ja eigentlich tun sollten, ist ein Verwinden auch beim extremeren Kehrwasserfahren unter „Playboat"-Bedingungen im Wildwasser kein signifikantes Thema. Auf der Tour haben wir bewusst ein sehr wachsames Auge darauf gelegt und sind mehr Kehrwässer angefahren und auch schärfer, als dies bei einer Wildnis-Tour üblich ist. Also weder bei Gepäck-Fahrten oder Wildnis-Trips, noch beim „Playboaten", dem „Spielen" im Wildwasser, ist die Verwindung in Längsrichtung ein ernst zu nehmendes Problem.

Bei den früheren Ally-Modellen konnten sich die Süllrand-Stäbe verschieben, wenn das Boot durch Wellen gepaddelt wurde. Dadurch konnten die Quer-Spanten nach oben herauswandern und die Bootshaut hat an Spannung verloren, das Boot war insgesamt nicht mehr so steif.
Möglich, dass sich dadurch dieses Vor-Urteil gegen die Tauglichkeit von Falt-Canadiern im Wildwasser/beim Kehrwasserfahren in den Köpfen festgesetzt hat.
Aber wie schon gesagt: Weder bei den aktuellen Ally-Modellen, noch bei den PakCanoe's sind diesbezüglich Nachteile zu erwarten.

Falt-Canadier haben zwar einen in Längsrichtung flexiblen Rumpf der sie über die Wellen gleiten lässt, aber zumindest die PakCanoe's haben in Querrichtung sehr steife Süllränder (Dollborde/Gunnels), bzw. die Boote sind in diese Richtung insgesamt sehr formstabil.
Jedenfalls sind die Süllränder in Kombination mit den Quer-Spanten so steif, dass sehr wirkungsvoll und nach Herzenslust gehebelt werden kann.
Das optional erhältliche und empfehlenswerte Tragejoch trägt zur Versteifung ebenfalls bei.
Nachteile zu einem starren Boot mit Holz- oder soliden Vinyl-Süllrändern konnte ich wirklich keine feststellen, obwohl ich Hebel sehr häufig einsetze.

Über die Steifigkeit der Süllränder/Quer-Steifigkeit der Ally's kann ich keine Aussage machen, da mir diesbezüglich die Erfahrung fehlt.

Auftrieb der PakCanoe's – Vorteile der Luft-Kammern („Air Tubes")/ Funktion des Auftriebs

Die Höhe und die Verteilung von Auftrieb ist in den PakCanoe's recht ungewöhnlich, aber sehr effektiv gelöst. Der geschlossenzellige Schaum des Bodens liefert zwar auch ein bestimmtes Maß an Auftrieb, aber für den Löwenanteil sorgen die schon beim Aufbau erwähnten „Air Tubes", den jeweils drei Luft-Kammern auf jeder Seite über die gesamte Bootslänge.
Diese sind gut geschützt zwischen der Außenhaut und dem Alu-Rahmen positioniert, wo sie zusätzlich als Puffer bzw. „Stoßdämpfer" dienen, sowie für die Spannung der Bootshaut sorgen.

Das Fehlen dieser „Stoßdämpfung" an den Seitenwänden ist bei anderen Falt-Canadier Konstruktionen ein wesentlicher Schwachpunkt.
Bei eventuellem seitlichen Kontakt mit Hindernissen (z. B. „entlangschrabbern" an Steinen) ist nämlich der Abrieb an der Außenhaut genau dort relativ hoch, wo das Gestänge direkt an der Seitenwand anliegt. Dies wegen der dann sehr hohen punktuellen Belastung; keine Nachgiebigkeit bei diesen Booten.
Neben dem Gestänge spielt das keine Rolle, da gibt die Außenhaut wie bei Schlauch-Canadiern oder Rafts nach.

Durch die Luft-Kammern der PakCanoe's ist im Bereich des Gerippes der Abrieb bei eventuellem seitlichem Kontakt mit Hindernissen/Steinen ebenfalls auf ein Minimum reduziert. „Der Klügere gibt einfach nach".
Espen ist, wie jeder in der Gruppe, von der Funktion der „Air Tubes" begeistert. Unter ähnlichen Einsatzbedingungen hat er mit seiner grünen Falt-Canadier Flotte

der Konkurrenz doch deutlich mehr Material-Verschleiß.

Bei den zahlreichen steinigen Rapids hat sich, wie schon berichtet, nicht immer ein Stein-Kontakt vermeiden lassen, manchmal etwas heftiger am Boden und auch seitlich. Wirklich erstaunlich, wie das die Außenhaut der PakCanoe's einfach so wegsteckt.
Obwohl das Gestein teilweise recht scharfkantig gewesen ist, ist kaum etwas zu sehen – einfach nicht zu fassen. Rafts oder Schlauch-Canadier die nur aus überdimensionalen Luft-Kammern und baugleicher Außenhaut bestehen, sind in diesem Punkt ja bekanntermaßen besonders unempfindlich.

Anmerkung:
Es sollte strikt vermieden werden, das Blatt des Reserve-Paddels oder ähnliches zwischen Alu-Gestänge und Luft-Kammern zu klemmen. Damit würde man die schützende Wirkung der „Air Tubes" zunichte machen.

Wenn sich kein Wasser im Boot befindet, spielt der in einem Boot fest eingebaute Auftrieb überhaupt keine Rolle. Befinden sich jedoch mehrere Zentimeter Wasser im Boot, wird der Auftrieb sehr wesentlich.
Manche starren Canadier haben fest eingeschäumte Auftriebskörper, Styropor oder luftgefüllte Hohl-Räume in Bug und Heck.
Diese sorgen dafür, dass das Boot nicht untergeht. Von der Größe des Auftriebs ist nun abhängig, ob es gerade so ausreicht, dass das Boot nicht untergeht, oder ob er auch genügend Reserven bietet, um die Personen und Gepäck mit über Wasser zu halten.

Allerdings hilft Auftrieb, der in der Mittelachse eines Bootes platziert ist nicht, dieses zu stabilisieren, wenn es geflutet ist. Wer schon einmal sein Boot ziemlich „abgefüllt" hat, wird bestätigen, dass ein mit sehr viel Wasser gefülltes Boot eine ziemlich wackelige Angelegenheit ist. Das im Rumpf hin- und her schwabbelnde Wasser macht die weitere Fahrt zu einem Balance-Akt.

Auftrieb, der relativ weit oben an den Seiten angebracht ist, sorgt dagegen sehr effektiv dafür, ein geflutetes Boot zu stabilisieren, da die Kraft dieses seitlich wirkenden Auftriebes erstmal überwunden werden muss, um das Boot umzuwerfen/umzukippen/kentern zu lassen.
Bei den PakCanoe's ist dies durch die seitlich angebrachten Luft-Kammern (Air Tubes) realisiert.
Weiterhin sorgt die Platzierung des Auftriebs an dieser Stelle dafür, dass das Boot weiter oben schwimmt, wenn es im Wasser von der umgekippten Lage (kieloben) wieder umgedreht wird. Damit ist dann auch im Innern selbst weniger Wasser. Das ist ein weiterer Vorteil.

Durch diese „Air Tubes" konnte die Stärke der Bodenmatte als Auftriebs-Lieferant relativ dünn gehalten werden, was einem kompakten Packmaß der PakCanoe's zugute kommt. An dieser Stelle muss ich wieder Espen zitieren, der sich über das Packmaß lobend äußert.

Eine dickere Bodenmatte, wie es die Konkurrenz-Produkte einsetzen, hätte den Nachteil, dass sie sich sehr negativ auf die Stabilität des Bootes auswirkt, wenn es mit Wasser gefüllt sein sollte.
Der Schaum ist ja ganz unten im Boot platziert, so dass er dann zwangsläufig unter Wasser ist. Wegen des Auftriebs ist der Schaum aber bemüht an die Wasser-Oberfläche zu gelangen.
Dies würde das Boot letztlich instabil machen (⇨ Erhöhung der Kipp-Gefahr).

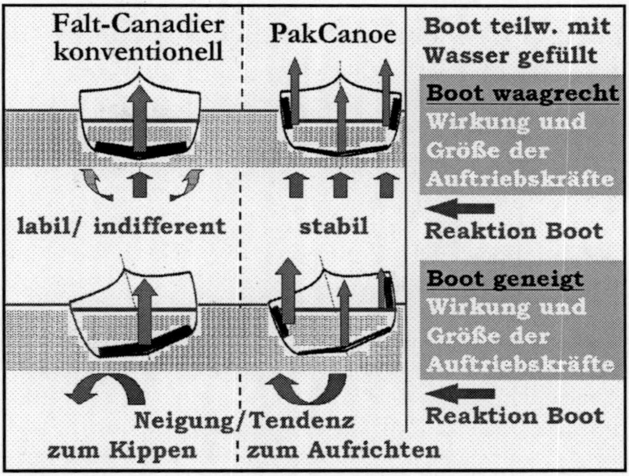

Prinzip-Skizze, wie die Auftriebs-Kräfte bei den unterschiedlichen Konzepten Einfluss auf die Stabilität des Bootes haben

Die Luft-Kammern erweisen sich in der Summe als eine sinnvolle Weiterentwicklung des prinzipiellen Falt-Canadier-Konzeptes, ohne direkten Nachteil. Das Konstruktions-Prinzip mit den „Air Tubes“ trägt wesentlich zur Erhöhung der Sicherheit bei. Seitlich angeordneter Auftrieb stabilisiert ein Boot doch sehr wirkungsvoll.

In einer ruhigen Minute auf der Tour haben wir das einmal direkt ausprobiert. Es ist in der Tat nicht nur blanke Theorie, sondern funktioniert in der Praxis ebenfalls verblüffend gut.

Portagen – Umtragungen/Tragejoch/ Anmerkungen zu Schlauch-Canadiern

Das günstige Gewicht von Falt-Canadiern nimmt vielen Umtragungen den Schrecken.
Wie schon erwähnt, sind 24 kg für einen robusten, widerstandsfähigen, voll wildwassertauglichen 17-Fuß Wander-Canadier wirklich ein hervorragender Wert. Damit kann man sich schon arrangieren.
Boote von anderen Falt-Canadier Herstellern mögen zwar ein paar wenige Kilos leichter sein, aber der besonders robuste Bootsboden und die einzigartigen seitlichen Luft-Kammern schlagen sich in einem etwas höheren Gewicht nieder. Ebenso seit 2005 die serienmäßigen Kielstreifen und die Verstärkungen am Süllrand. Die Vorteile überwiegen jedoch bei weitem. Zu den aktuellen Gewichten siehe S. 330.

Manche speziellen Boote in vergleichbarer Größe aus Kevlar oder ähnlichem mögen vielleicht noch ein paar Gramm leichter sein, sind aber für derartige Unternehmungen mit Stromschnellen unterschiedlichster Couleur eher nicht geeignet.
Ein dafür geeignetes Boot, z. B. aus Royalex, bringt dagegen wieder gut und gerne mindestens die Hälfte mehr an Gewicht auf die Waage. Ein hochwertiges Boot aus PE (Polyethylen) nochmals einige Kilo mehr.

Lange Rede kurzer Sinn: Mit Falt-Canadiern ist das Be- und Entladen des Bootes vom Autodach, Portagen etc. kein Hexenwerk.
Auch „Nicht-Goliaths“ wie mir gelingt es damit problemlos das Boot über den Kopf auf die Schultern zu rollen, und auch über längere Distanzen alleine zu tragen.

Für längere Portagen im km-Bereich, so wie sie jetzt hier auf der Lappland-Tour zu bewältigen sind, ist das optional

für die PakCanoe's erhältliche Tragejoch aus Holz sehr zu empfehlen (engl. Yoke).
Es wird einfach, aber solide am Süllrand festgeklemmt. Es kann dann während eines gesamten Trips am Boot befestigt bleiben.
Dies hat zudem den Vorteil, dass das Tragejoch dann als „Mittelducht" (Versteifungsstrebe) dient, und so dem Boot zusätzliche Quer-Steifigkeit verleiht. Bei Beladung mit viel Gepäck schon von Vorteil.
Allerdings ist das Yoke nicht anatomisch ausgeformt. Je nach Empfindlichkeit der tragenden Person kann eine kleine Polsterung empfehlenswert sein.
Ich beispielsweise trage bei Portagen immer die Schwimmweste darunter.

Wie schon beim Aufbau positiv erwähnt, sind die Sitze form- und kraftschlüssig mit dem Boot verbunden, also kein Ärger mit labil befestigten oder losen Einzelteilen, welche die lästige Schlepperei noch zusätzlich erschweren. Das gilt gleichermaßen für die Knie-Polster (Knie-Pads), die sich als recht komfortabel erwiesen haben.

Viele Leute sehen bei ihren Kaufüberlegungen in einem Schlauch-Canadier eine Alternative zu einem Falt-Canadier. Allerdings muss man bei Vergleichen zum Gewicht berücksichtigen, dass diese Boote in der Regel nur zwischen 4 und 4,5 Meter lang sind.
Bei den Falt-Canadiern sprechen wir dagegen von Wildnis-Trips geeigneten Booten zwischen 4,9 und 5,2 Metern Länge. Dies ist zu beachten, wenn der reine Zahlen-Wert auf dem Papier zunächst gleich erscheint.
Beim Vergleich von Booten in der gleichen Größenklasse, ist die faltbare Variante bedeutend leichter.

Da die Schlauch-Canadier alle recht klein sind, werden sie bei einer länger andauernden Gepäck- oder gar Wildnis-Tour dann zwangsläufig meistens überladen. Dies macht sie im Flachwasser noch zäher und langsamer, insgesamt instabiler, und der Tiefgang vergrößert sich, was natürlich ungünstig bei seichtem Wasser ist.

Neben der begrenzten Länge, bieten sie wegen ihren dicken Seitenwülsten zudem nur sehr wenig Platz für Gepäck. Für eine länger andauernde Tour gelangen sie daher insgesamt schnell an die Grenzen ihrer Transportkapazität – mehr etwas für Puristen.
Ebenfalls durch ihre dicken Seitenwülste bedingt, sind sie meines Erachtens alleine nur sehr unbequem zu „händeln" und zu tragen.

Transport von Falt-Canadiern auf einem Fahrzeug

Gehört zwar jetzt nicht unmittelbar hierher, aber kurz der Vollständigkeit wegen, da wir gerade schon beim Thema „transportieren" sind.
Es ist problemlos möglich, einen Falt-Canadier im zusammengebauten Zustand wie ein starres Boot kieloben auf dem Fahrzeugdach zu befördern.

Dabei sollte allerdings beachtet werden, dass das Boot in Längsrichtung so auf den Quer-Traversen des Dachträgers positioniert wird, dass sich in der Nähe der Dachträger-Streben jeweils ein Quer-Spant des Bootes befindet. So ist der Süllrand (Dollbord/Gunnels) bezüglich Steifigkeit gut geschützt, und das Boot kann mit Gurten oder Seil solide festgezurrt werden.
Allgemeines zum Dachtransport von Canadiern auf dem Autodach (gesetzliche Bestimmungen etc.) in dem extra Kapitel ***Dachtransport***.

PakCanoe 150 Solo-Boot/Eignung der PakCanoe's als Solo-Boote allgemein

Auf einem der Flüsse des Lappland-Trips hatte ich die Möglichkeit, mir über längere Zeit ein Bild vom PakCanoe 150 Solo-Boot zu machen (Länge 15 Fuß, also 4,55 Meter; Gewicht 19 kg).
Der besagte WW-Fluss wartet durch zahlreiche stark verblockte Stromschnellen auf und hat ein sehr großes Gefälle. Das technisch etwas anspruchsvollere WW erforderte also ein relativ kurzes, wendiges Boot.
Aber auch eine längere Strecke über einen See, unschwieriges WW I ohne große Hindernisse, und einfach nur Strecken mit flotter Strömung und auch völlig ohne, rundeten den Einsatz ab.

Prinzipiell ist alles bisher gesagte über die Tandem PakCanoe's 160/165/170, also Aufbau, universelle „Tuning"-Möglichkeit des Kielsprunges durch entsprechende Verteilung des Gewichtes je nach Einsatz-Zweck, den Vorzügen der „Air Tubes" – den seitlichen Luft-Kammern, der unglaublichen Robustheit (Gestänge/Außenhaut), dem günstigen Gewicht und Handling bei Portagen etc., auf das kürzere Solo-Modell 150 eins zu eins übertragbar.

Bei den eng verblockten Passagen ist die Wendigkeit eines solo gefahrenen Bootes gegenüber einem PakCanoe 160/165/170 als Tandem insgesamt schon von Vorteil. Das Solo-Boot ist doch erheblich leichter, da es nur das Gewicht von einem Paddler und das Gepäck von nur einer Person transportieren muss.
Zudem ist die Haupt-Masse, der Paddler, mehr im Zentrum des Bootes positioniert. So reagiert es auf Richtungsänderungen doch erheblich leichter und spontaner.

Die Länge des Bootes ist da weniger ein wesentliches Kriterium. Durch Konzentration des Gewichtes hauptsächlich in der Mitte (Person und schwere Gepäckstücke), kann auch mit den längeren Modellen eine hohe Wendigkeit erzielt werden.
Allerdings haben sich in den starken Verblockungen bei dem niedrigen Wasserstand diejenigen Paddel-Kameraden schon etwas schwerer getan, die ein PakCanoe 160/165 solo gepaddelt haben.

Das Boot mit seinem flachen V-Boden lässt sich sowohl bei der Geradeausfahrt, als auch beim Kehrwasserfahren problemlos kanten.
Der moderate Tumblehome sorgt dafür, dass extremeres Kanten nicht in einer plötzlichen unangenehmen Überraschung endet.
Trotzdem ist mit einer maximalen Breite von 79 cm an den Süllrändern ein Paddeln im Übergriff ohne übermäßige Verrenkungen möglich (dto. beim 165-er; das Modell 160 und 170 ist dagegen etwas breiter, siehe Tabelle unter ***„Die PakCanoe - Modellreihe/verfügbares Zubehör“***).

Insgesamt hat sich das PakCanoe 150 als sehr gutes Solo-Touren-Boot für eine längere Unternehmung mit Sack und Pack ausgezeichnet, das auch vor Wildwasser nicht zurückschrecken muss.
Auf dem Paddel-Trip war ebenfalls ein Solo-Boot 140 dabei. Mit Gepäck beladen, fand ich jedoch als Touren-Boot das Modell 150 die bessere Wahl.
Grundsätzlich möchte ich hinzufügen, dass sich diese Beurteilung auf ein robustes, universell einsetzbares Boot bezieht, das sowohl auf Flachwasser als auch im strömenden Gewässer bis WW III eine gute Figur abgibt, wobei der Schwerpunkt aber mehr auf strömenden Gewässern liegt.

Für den reinen Flachwasser-Einsatz auf Großgewässern wäre als „Solo-Schnellboot“ die 16,5 Fuß Variante (Modell 165) dann doch besser geeignet. Dies ebenso als Tandem. Mit dem 16 Fuß Modell 160, und noch besser mit dem schon erwähnten Modell 165 (schmäler), kann der Solo-Betrieb neben dem Tandem-Einsatz hervorragend abgedeckt werden (Flach- und Fließgewässer inkl. WW).
Die 17 Fuß Ausführung ist dagegen für den reinen Solo-Einsatz nicht empfehlenswert.

Aus dem Solo-Boot PakCanoe 150 lässt sich weiterhin eine Tandem-Variante machen, das PakCanoe 150T. Dazu gibt es als Zubehör einen speziellen Umrüst-Satz (Satz Quer-Spanten), damit sowohl die Ausführung „T“ als auch „Solo“ je nach Bedarf dargestellt werden kann (= Conversion Kit). Siehe hierzu auch ***„Die PakCanoe - Modellreihe/verfügbares Zubehör“***.

Die äußere Bootshülle bleibt dabei unverändert, aber durch die anderen Quer-Spanten ist das Tandem „T“ etwas breiter, dafür jedoch etwas niedriger (Höhe Seitenwände). Das Modell 150T wird damit zu einem stabilen (= kentersicheren) Boot für den gelegentlichen Familien-Gebrauch und für Angler.
Dieser besagte Umrüstsatz ist für den kleinen Bruder PakCanoe 140 ebenfalls erhältlich.

Für den ständigen Familien-Gebrauch und für diejenigen, die überwiegend zu zweit paddeln gehen, würde ich allerdings anstatt einem „150T“ doch eher zu einem „160-er“ oder gar „170-er“ raten.
Übrigens ist für das sehr universelle Solo/Tandem 165 so ein „Conversion-Kit“ ebenfalls verfügbar. Das 165T wird damit wahlweise zu einem „Frachtschiff“ für die „große Tour“ oder zum sicheren Familien-Boot.

Insgesamt konnten auf diesem Fluss zwei „165-er“, ein „160-er“, zwei „150-er“ und ein „140-er“ PakCanoe ihre Tauglichkeit als Solo-Boote unter Beweis stellen. Ein „170-er“ wurde als Tandem im WW-Trim gepaddelt, d. h. die beiden Sitze waren eng beieinander zur Mitte hin konzentriert.
Wie schon erwähnt, ist dieses Modell für Solo-Einsatz nicht so empfehlenswert.

Reparaturen in der Wildnis/ Tipps für Reparaturen allgemein

An der Bootshaut

Wichtigste Botschaft von Alv Elvestad:
Bei einer eventuellen Beschädigung der Außenhaut mit Eindringen von Wasser (Boden/Seitenwände), auf keinen Fall unterwegs mit „Duct Tape“ (Klebeband/„Panzerband“) versuchen, das Loch rasch und provisorisch zu verschließen. Die Empfehlung lautet, etwas Wassereinbruch im Boot zu tolerieren, und am Lagerplatz das Boot mit einem Reparatur-Flicken fachgerecht zu reparieren.
Die Klebstoff-Rückstände der Klebebänder wären derart hartnäckig, dass sie eine spätere fachgerechte Reparatur unnötig erschweren, und u. U. das erfolgreiche Ergebnis in Frage stellen können. Dies empfiehlt sich übrigens analog für die Ally's ebenfalls.

Für eine fachgerechte Reparatur im Lager/Camp auf die trockene Bootshaut einen Reparatur-Flicken setzen.
Die Kanten des Flickens abrunden, und Boot und Flicken dünn mit Klebstoff für Vinyl einstreichen. Hervorragend bewährt hat sich dafür der Klebstoff „HH-66 Vinyl Cement“, der auch beim Pakboats Fachhändler erhältlich ist.

Zumindest bei diesem ist ein Aufrauen der Klebeflächen nicht erforderlich. Warten bis der Klebstoff abgelüftet ist (=> nicht mehr am Finger klebt), und dann erst den Flicken blasenfrei auflegen und kräftig andrücken. Optimal ist es, wenn die Klebeflächen vorher mit Aceton gereinigt werden können (z. B. bei Bastelarbeiten zu Hause). Beim Ankleben der optional erhältlichen D-Ring Gewebeplatten für Bug und Heck oder den Kielstreifen (Modelle vor 2005), ist analog vorzugehen (kein Aufrauen erforderlich).

Das Ablüften des Vinyl-Klebers erfolgt relativ schnell. Beim Auftragen der langen Kielstreifen deshalb „Portionsweise" vorgehen, und immer nur Teilstücke von etwa 30 cm Länge mit Kleber bestreichen.
Dieses Teilstück dann zuerst aufkleben, bevor das nächste Teilstück in Angriff genommen wird.
Wird über Rundungen (z. B. an Bug und Heck) der Kielstreifen beim Klebevorgang ordentlich vorgespannt, so passt er sich der Rundung hervorragend an, ohne dass seitlich Einschnitte erforderlich werden wegen der Falten-Bildung.

Fachgerechte Reparatur mit abgerundetem Flicken

Am Gestänge

Für eventuell erforderliche provisorische Reparaturen am Alu-Gestänge ist dagegen „Duct Tape“ (Klebeband/ „Panzerband“) hervorragend geeignet und zu empfehlen. Wie bereits erwähnt, ist das Material des Gestänges so elastisch, dass es sich bei extremer Beanspruchung zwar dauerhaft verformen könnte, aber nicht bricht.
Ein krummes Gestänge-Segment ggf. einfach von Hand über dem Knie wieder geradebiegen.

An den Verbindungs-Elementen

Hierzu kann ich jetzt nichts Konkretes sagen. Diese Verbindungs-Elemente sind so robust und von hochwertigem Kunststoff-Material, dass es auf der gesamten Tour nicht das geringste Problem gab.
Aber mit einer preiswerten Popnieten-Zange aus dem Baumarkt bewaffnet, dürfte ein Austausch überhaupt keine Probleme bereiten, falls es denn je erforderlich wäre.

An der Bodenmatte

Meines Erachtens ist eine ernsthafte Beschädigung der Matte ziemlich unwahrscheinlich, da die Oberfläche glatt, und sehr robust und reißfest ausgeführt ist.
Bei kleineren Blessuren der Matte einfach mit einer Heißluftpistole den Schaum wieder verschweißen/verschmelzen. Eine eventuelle größere Beschädigung der Matte kann durch spezielle Reparatur-Flicken behoben werden, die ebenfalls über heiße Luft mit der Matte verschmolzen werden. Allgemein ist heiße Luft bei Reparaturen an der Matte viel einfacher und effektiver, als zu versuchen den PU-Schaum zu kleben (z. B. mit „Pattex“). Dies trifft übrigens ebenfalls für Reparaturen an der Bodenmatte bei den Ally's zu.

Bei den Modellen ab 2005 ist die Bodenmatte nur noch punktuell an der Hülle fixiert und lässt sich ggf. auch problemlos austauschen.

An den Luft-Kanälen (Air Tubes)

Die Luft-Kanäle sind prinzipiell gut geschützt und widerstandsfähig, so dass eine Beschädigung ziemlich unwahrscheinlich ist, aber passieren kann natürlich immer etwas Unvorhersehbares.
Beispielsweise haben auf der Tour die Draht-Reste eines Rentier-Zaunes an einem Boot die Außenhaut durchstochen, und einen Luft-Kanal beidseitig durchbohrt.
Übrigens ist so ein PakCanoe mit einem oder auch allen Luftschläuchen zerstört, keineswegs „waidwund“. Es ist trotzdem noch einsatzfähig, nur die Gesamt-Performance ist eben nicht mehr so optimal.

Die „Air Tubes“ sind vom Konzept aus dem gleichen strapazierfähigen Nylon-Material, wie die Auftriebskörper (Luftsäcke) für die offenen Canadier bei Wildwasser-Einsatz.
In der „Pampa“ Lapplands hat Alv den Schaden an dem Luftschlauch genau so, und mit den gleichen Materialien repariert, wie eine Beschädigung an der seitlichen Außenhaut.
Er hat also einen Flicken für die Außenhaut genommen, Flicken und Luftschlauch dünn mit dem „HH-66 Vinyl Cement“ bestrichen, ablüften lassen und dann fest angepresst. Es hat tadellos gehalten.

Wird oder kann der Schaden zu Hause repariert werden, empfiehlt sich jedoch wieder eine andere Vorgehensweise. An der Schadstelle den Luftschlauch etwas aufschlitzen, und innen in den Luftschlauch ein Stück des gleichen Materials einlegen. Dabei die glatte Seite des Flickens auf die glatte

Seite des Luftschlauches legen, also die gleiche Oberflächenstruktur gegeneinander.
Dann vorsichtig mit etwas Fingerspitzen-Gefühl die Materialien an der Schad-Stelle mit einem Haushalts-Bügeleisen miteinander verschmelzen. Am besten vorher an einem Probestück ausprobieren (=> Temperatur des Bügeleisens). Die Enden der „Air Tubes“ sind großzügig geschnitten, so dass dort Material für Reparaturen und zum Probieren abgenommen werden kann.

Weitere Reparatur-Tipps von Alv Elvestad auf Englisch unter www.kanadier.gps-info.de/b-reparatur_tipps.pdf

Nachteile / Schwachstellen / Wünsche

Also um es gleich vorweg zu nehmen. Schwachstellen oder direkte Nachteile kann ich bei den PakCanoe‘s wahrlich nicht feststellen.
Ich wüsste jetzt nicht, wo konstruktive und nachvollziehbare Kritik angebracht wäre, bzw. in welchem Punkt Verbesserungen konkret wünschenswert oder erforderlich wären. Wenn ein PakCanoe Besitzer Grund zur Klage, oder Vorschläge zur Verbesserung des Produktes hat, für den hat Alv Elvestad sicherlich jederzeit ein offenes Ohr. Die eMail Adresse von Alv ist info@pakboats.com . Es kann übrigens auf Deutsch geschrieben werden, die Antwort ist jedoch auf Englisch.
Schließlich unternimmt er selber mit den Booten anspruchsvolle Wildnis-Trips. Von daher hat er schon ein eigenes Interesse an optimaler Funktion.
Auch Rolf Kraiker mit seiner Familie setzt bei ihren großen Unternehmungen auf deren positive Eigenschaften und Zuverlässigkeit. Ebenso der bekannte amerikanische Expeditions-Paddler Cliff Jacobson.

Zudem sind mit den Modellen des Jahres 2005 nochmals eine ganze Reihe von Detail-Optimierungen eingeflossen. Alle Boote haben nun serienmäßig Kielstreifen (Verstärkungs-Streifen unter allen 5 Längsstäben des Bodens), die Süllränder sind ebenfalls mit dem Material der Kielstreifen verstärkt (Schutz vor Dachträger beim Autotransport etc.), optimierte Verbindungs-Clipse, „Air-Tubes" verstärkt, Sitze komfortabler (mit Gurtgeflecht), Gestänge aus anodisiertem Alu 6061 T6 (goldene Farbe), D-Ringe an Bug und Heck. Alle Neuerungen sind auch mit älteren Booten kompatibel.

Dass diese D-Ring „Patches" zum Befestigen einer Boots- oder Treidelleine/Fangschlaufe etc. nun serienmäßig bei allen Booten vorhanden sind, begrüße ich sehr.
Ich persönlich halte eine solide Befestigungs-Möglichkeit an Bug/Heck für eine Fangschlaufe und kurze Bootsleine/Wurfsack schon für sehr wichtig.
Bisher mussten diese selbst angeklebt werden (aber wer macht das schon?), oder wurden gegen Aufpreis vom Fachhändler montiert. Nur bei dem früher optional erhältlichen „Expedition-Outfitting" (= Expeditions-Ausstattung) für die Modelle 160, 165 und 170 waren diese bereits ab Werk befestigt.

Beim Vergleichs-Test von Falt-Canadiern im Kanu-Magazin im Jahr 2003 (Ally <=> PakCanoe) wurde allgemein die mangelnde Steifigkeit der Rümpfe derartiger Boote kritisiert. Dies wäre aber ein wesentliches Kriterium, um als Canadier für Wildnis-Touren geeignet zu sein.
Nach all den Erfahrungen und Erlebnissen die ich mit den PakCanoe's auf dieser wirklich anspruchsvollen Paddel-Tour durch die arktische Wildnis Lapplands sammeln konnte, bin ich da genau gegenteiliger Meinung.
Gerade weil der Rumpf in Längs-Richtung flexibel und nachgiebig ist, erlauben die Falt-Canadier mit dem gesamten Touren-Gepäck das Befahren auch schwieriger und wasser-

wuchtiger Stromschnellen. Meines Erachtens in der Praxis in der „Pampa“ ein ganz wesentlicher Punkt.

Ich meine, lieber mit einem offenen Falt-Canadier ins heftige Wasser und die Grenzen kennen, als mit einem starren Boot mit Persenning (Spritzdecke). Diese Paddler wissen häufig nicht in welche Gefahren sie sich eigentlich begeben. Zudem sind sie gerade deshalb so widerstandsfähig und ungeheuer robust gegen mechanische Beschädigungen. Die Flexibilität des Rumpfes heißt aber noch lange nicht, dass der Rumpf im gesamten „lommelig“ und „schlabberig“ ist. Die Boote bieten Fahreigenschaften und lassen Fahrmanöver zu, die durchaus mit starren Booten konkurrieren kann.

Die Flexibilität ist eigentlich nur beim „Playboaten“, beim „Spielen“ mit dem Wasser wirklich spürbar bzw. nachteilig zu nennen.
Dadurch können die Grenzen der eigenen Fahr-Kunst nicht ganz ausgelotet werden, weil die Boote doch in der Lage sind, den einen oder anderen Fahr-Fehler auszubügeln. Dies beispielsweise, weil die Boote durch die geringere Längs-Steifigkeit über die Wellen reiten, anstatt durch sie hindurch zu stechen.
Wie schon erwähnt, muss bei vergleichbaren starren Wander-Canadiern da doch öfters eher defensiv mit Rückwärtspaddeln gefahren werden, und kann zudem öfters mal eine „Seilfähre rückwärts“ erforderlich sein. Das stellt insgesamt doch erhöhte Anforderungen an die Besatzung. Mit den Falt-Canadiern ist das auf Wildnis-Trips natürlich schon wieder ein gewisses Maß an zusätzlicher Sicherheit.

Fazit zu den PakCanoe‘s von Pakboats

Wie sich insgesamt in den vergangenen Tagen eindrucksvoll gezeigt hat, sind Falt-Canadier in der Praxis doch um ein vielfaches robuster und widerstandsfähiger, als es das dünne Alu-Gerippe und die dünne Bootshaut zunächst vermuten lassen.
Für Wildnis-Trips kann man sich kaum ein geeigneteres oder besseres Boot vorstellen.

Insgesamt zeichnen sich die PakCanoe’s mit ihren zusätzlichen Luftschläuchen durch ein etwas ungewöhnliches, aber in der Praxis wirklich sehr geniales und funktionierendes Konzept aus.
Sie bestechen durch zahlreiche durchdachte kleine Details, die sich erst auf den zweiten Blick zeigen, bzw. sich erst in der Dauerhaltbarkeit und Zuverlässigkeit unter Beweis stellen können.

Das Boots-Konzept mit dieser sehr variablen „Tuning“-Möglichkeit des Kielsprunges je nach gewünschter Fahreigenschaft und Einsatz-Bedingung, funktioniert auch im praktischen Gebrauch erstaunlich gut.
Schon wirklich genial durch einfache Gewichts-Verteilung verschiedene Boots-Charaktere in einem einzigen Boot realisieren zu können.
Wie die Beladung/Positionierung der Sitze dann konkret im Detail zu erfolgen hat, ist zwar zunächst etwas schwierig, da die entsprechende Erfahrung noch fehlt, aber den Bogen hat man bald raus.

Die PakCanoe’s besitzen ein stückweit die positiven sicheren Eigenschaften von Schlauch-Canadiern, aber ohne deren negativen Eigenschaften auf stehenden Gewässern/im Flachwasser.

Leider sind Falt-Canadier, egal welcher Hersteller und welches Modell, eine sehr kostspielige Anschaffung. Das Preis-Niveau liegt etwa bei vergleichbaren, guten Royalex-Booten. Qualität hat nun mal ihren Preis.
Den Kauf eines PakCanoe's wird man aber sicherlich nicht bereuen.
Ein überzeugendes Konzept, ein hoher Qualitäts-Standard, gute Verarbeitung und ein insgesamt gutes Preis-/ Leistungsverhältnis sprechen jedenfalls dafür.
Zudem steht Alv Elvestad bei Problemen jederzeit mit Rat und Tat bereit, bei Großserien-Herstellern keineswegs eine Selbstverständlichkeit.

Fachhändler für Pakboats/ Bezugsquellen/Infos

Erhältlich sind in Deutschland die PakCanoe's von Pakboats beispielsweise bei diesen Fachhändlern:

- „Out-Trade" in D-89155 Erbach (bei Ulm);
  Heinrich-Hammer-Str. 10; Tel. 07305/928247
  www.out-trade.de
- „Kanulager" Andre Edinger in D-90489 Nürnberg,
  Mathildenstraße 38; Tel./Fax: 0911-534339
  www.kanulager.de
- „Kanu-Connection" in D-10997 Berlin;
  Köpenicker Straße 9; Tel.: 030-6122686
  www.kanu-connection.de .
- „Kanu Sport Esslingen" in D-73734 Esslingen-Berkheim; Konsumstr. 5/2; Tel. 0711/3464545
  www.kajak-sport.de

Eine generelle Info über die verfügbaren Händler erhält man über diese Internet-Seite: www.pakboats.info . Einfach die PLZ, oder das Land/den Staat eingeben. Weiterhin kann ggf. ein Anruf bei „Out-Trade" hilfreich sein (Tel.-Nummer und Adresse siehe vorhergehende Seite).
Über diese Fachhändler ist zudem eine schnelle Ersatzteil-Versorgung im Schadensfalle gewährleistet.

Infos zu den Booten auf der Webseite des Herstellers Pakboats unter www.pakboats.com (allerdings nur auf Englisch). Empfehlenswert und informativ ist der dortige „Pakboats Newsletter".

Anmerkung:
Auf meiner Internet-Homepage www.kanadier.gps-info.de ist auf der „Canadier"-Seite unter „Touren-Berichte" ein ausführlicher Bericht über diese Paddel-Tour im Norden Lapplands mit dem international bunt zusammen gewürfelten „Haufen" zuverlässiger Paddel-Kameraden zu finden: *„Circle Trip on Arctic Rivers" – Auf einsamen Wildnis-Flüssen in Lappland.*
Weitere Bilder von diesem Trip gibt es von Rolf Kraiker als Dia-Show auf dessen Webseite unter
www.blazingpaddles.on.ca/norway/norway_pics/

Aktuelles PakCanoe 165 mit serienmäßig verstärktem Süllrand und Kielstreifen, goldfarbig eloxiertem Gestänge, sowie D-Ring an Bug und Heck. Geeignet sowohl als Tandem- als auch als Solo-Boot.

PakCanoe Falt-Canadier auf stark verblockten Flüssen im hohen Norden Skandinaviens in „Action“:

Espen Brestbakmo und Lena Jinnegren

Laurie Gullion und Linda Jones

Leichtgewichts-Kothen aus Schweden

Allgemeines/Bezugsquellen

Das Interesse an diesen speziellen Zelten wird immer größer. Bei Treffen und Ausfahrten sind sie immer zahlreicher vertreten, werden in dem einen oder anderen Touren-Bericht erwähnt (manchmal dort auch als „Tipi“ tituliert), oder sind auf Bildern zu sehen.
Nachstehend die Adresse, wo man diese beziehen kann bzw. einen Katalog bekommt.
Die neueren Ausgaben des Katalogs gibt es in Deutsch und Englisch, allerdings sind keine Preise darin enthalten.

Tapp Jakt 9 der Fa. Moskoselkatan im Norden Kanadas

Die Firma heißt:
Tentipi AB (früher Moskoselkatan AB)
SE-930 86 Moskosel (Schweden) bzw. neuerdings noch in SE-686 23 Sunne

Tel. (von Deutschland): 0046 960 302 10
(die Leute dort sprechen gut Englisch)
Fax (von Deutschland): 0046 565 122 73

Eine Katalog-Bestellung und Abruf von Informationen mit Bilder ist zudem über das Internet möglich: www.tentipi.com
Detailliertere Angaben hierzu siehe Punkt „***Informationen über Internet***“ am Ende dieses Kapitels.

Das Zelt kann entweder direkt von der Hersteller-Firma in Schweden bezogen werden (z. B. über Fax bestellen, Lieferung ca. 2 Wochen später als Nachnahme, bzw. beim nächsten Schweden-Urlaub Besuch einplanen (Betriebsruhe während der schwedischen Sommerferien)), oder seit Anfang 2003 nun auch direkt in Deutschland/Österreich/Schweiz über einige Händler:
www.tentipi.com/standard.asp?TextNummer=3180

Die Firma selbst liegt nahe am Polar-Kreis im Ort Moskosel an der Straße 45 (Inlandsvägen) zwischen Arvidsjaur und Jokkmokk, ca. 50 km nördl. Arvidsjaur.
Bei Moskosel von der 45 in den Ort abbiegen und dem Straßenverlauf fast bis zum Ortsende folgen.
Die Fabrik ist ziemlich klein und liegt ganz unscheinbar linker Hand nach einem Wohnhaus (keine Hinweisschilder!).
⇒ GPS: N 65°52,719‘ / E 019°26,517‘ [WGS 84]

Eine Bestellung direkt in Schweden bzw. Selbstabholung lohnt aber kaum, da Schweden ebenfalls wie Deutschland und Österreich in der EU ist und eine Mehrwertsteuer-Rückerstattung (Tax Free) daher nicht mehr möglich ist.

In der Regel wird es in Deutschland und ggf. Österreich/ Schweiz vermutlich preiswerter zu erwerben sein als beim Hersteller in Schweden direkt (Preis-Vergleiche anstellen).

Modell-Ausführungen

Die Leichtgewichtskothen (= Tentipi „Adventure"-Serie, früher „Tappkatorna") werden jeweils in 3 verschiedenen Größen (Nr. 5, 7 und 9) und in diversen Ausführungen angeboten.
Für uns vor allem von Interesse: „Safir" Tentipi cp (b/p) / „Safir" Tentipi L (light); => früher Modell Varrie bzw. Jakt genannt).
Zudem stehen zwei verschiedene Materialien zur Auswahl:

- Beige-braunes „bom/pol" bzw. „b/p", d. h.
  Baumwoll/Polyester Mischgewebe;
  = Cotton/Polyester „cp"; Tent Canvas 4 bzw.
  Cotpol T4 und
- Dunkelgrünes „lätt", d. h.
  ripstopverstärktes silikonbeschichtetes Polyamid;
  = „light"; HT62 green.

Die Größe 9 ist die größte lieferbare Ausführung, die Größe 5 die Kleinste (Ø 3,8 m, Höhe 2,34 m).
Die Größe 5 würde ich für unsere Belange nicht in Betracht ziehen, da diese nur unmittelbar um die Mittelstange Stehhöhe bietet. Zudem ist der Freiraum sehr begrenzt, wenn ein Ofen oder ein offenes Feuer darin betrieben werden soll.

Für das Lager-Leben und für Canadier-Touren mit Gepäck, wo es auf ein paar wenige Kilo mehr oder weniger nicht ankommt, bieten sich die beiden folgenden Ausführungen

aus Baumwoll-Polyester Mischgewebe b/p an (=> bei dann großzügigem Platz-Angebot).
Dieses Mischgewebe vermittelt eine angenehme „Wohn-Atmosphäre“ sowohl bei heißem Wetter (luftig), als auch bei nassem Wetter (dicht). Zudem ist es tauglich für ein offenes Feuer bzw. einen kleinen offenen/geschlossenen Ofen.

- „Safir“ Tentipi 7 cp (ehemals „Varrie“/„Jakt“)
  (Ø = 4,4 m, Höhe 2,72 m, Gewicht ca. 10,6 kg)
  für 2 Erwachsene.
- „Safir“ Tentipi 9 cp (ehemals „Varrie“/„Jakt“)
  (Ø = 5,0 m, Höhe 3,10 m, Gewicht ca. 12,8 kg)
  für 2 Erwachsene mit Kindern.

Die Ausführung Safir (bzw. früher Varrie/Jakt) ist generell mit einer doppelten Entlüftungshaube oben und mit einem Stutzen für die Durchführung eines Ofen-Rohres ausgestattet.
Das Baumwoll-Polyester-Mischgewebe hat sich in der Praxis sehr gut bewährt. Deshalb empfehle ich persönlich die Modell-Variante Safir „cp“ (engl. Bezeichnung) bzw. Safir „bp“ (schwedische Bezeichnung).
Das inzwischen optional erhältliche Innen-Zelt halte ich persönlich bei dieser Stoffwahl für überflüssig.
Ebenso halte ich den optionalen Zelt-Boden für nicht erforderlich. Eine „normale“ Unterlegplane im Bereich der Schlafstätte erfüllt meines Erachtens den gleichen Zweck, erlaubt jedoch eine insgesamt deutlich flexiblere Nutzung des Zeltes.

In den Zelten hat man durch das üppige Platz-Angebot und Stehhöhe die Möglichkeit regelrecht zu „wohnen“, sowie dabei entweder ein kleines kontrolliertes Lagerfeuer zu entfachen oder es mit einem kleinen Ofen mit Ofen-Rohren auszurüsten.

Damit ist man dann für winterliche Unternehmungen/ Touren bestens gerüstet. Dieses selbst mit Kindern, wobei das alles mit moderatem Gewicht und Packmaß im Verhältnis zur Größe und dem gebotenen Komfort „erkauft“ wird. Im norwegischen und finnischen Sprachgebrauch sind Kothen übrigens besser bekannt unter dem Namen „Lavvu“.

Anmerkungen:
1.) Die Firma Tentipi AB (früher Moskoselkatan AB) hat eine sehr merkwürdige Art ständig die Bezeichnung ihrer Produkte bzw. Modell-Varianten zu ändern. Das soll wohl besonders innovativ wirken, führt aber leider nur zu unnötiger Verwirrung und Konfusion.
Für die Zukunft bleibt zu hoffen, dass der Hersteller endlich mal eine klare und beständige Linie in die Bezeichnung seiner Produkt-Palette bringt.

2.) Als preisgünstigere Alternative bietet die Firma Tentipi noch das Modell „Kvarts“ an (früher „Arran“ genannt). Die Kvarts-Modellreihe ist prinzipiell ähnlich den beschriebenen Safir (früher Varrie bzw. Jakt), allerdings in stark vereinfachter Ausführung.
Sie verfügen beispielsweise nicht über den grünen Faulstreifen am unteren Rand des Zeltes (Schmutzstreifen) und haben nicht diese genialen Entlüftungshauben mit der Möglichkeit der bequemen Regulierung von unten bzw. innen.
Ich würde empfehlen in den sauren Apfel zu beißen, und die Mehrausgabe für ein Modell Tentipi Safir zu verschmerzen.

3.) Inzwischen gibt es eine ganze Reihe von skandinavischen Zelt-Herstellern die ähnliche Produkte herstellen wie die Fa. Tentipi AB. Zwar sind diese in der Regel nicht so ausgetüftelt wie das Modell „Safir“, aber dafür in den Anschaffungskosten deutlich günstiger. Robust sind diese ebenfalls und können durchaus eine Alternative sein.

Aufbau des Zeltes

Der Aufbau erfolgt schnell und problemlos in 8 bis 10 Minuten (auch von nur 1 Person) mit Hilfe der beiliegenden Messleine (= exakter Abstand Mittelstab zu den Heringen), und einem auf ein Stück Stoff/Tuch aufgemalten 8-Eck (Spinnennetz/Fadenkreuz).
Während man sich früher diese Schablone selbst anfertigen musste (= exakter Winkel von der Mittelstange zu den Heringen), ist sie nun im Lieferumfang der Zelte bereits enthalten.

Mittelpunkt auswählen, mit den beiden erwähnten Hilfsmitteln die 8 Heringe an den Ecken setzten, Zeltleinwand ausrollen und in die Heringe einhängen, Mittelstab einführen und aufrichten, Zelt spannen – fertig.
Die Bedienung der Entlüftungshauben oben (beim Safir/Varrie/Jakt doppelte Haube) erfolgt bequem und zuverlässig über Schnüre von unten im Inneren des Zeltes.

Eine sehr ausführliche Gebrauchsanleitung mit vielen Tipps hat Christian Löhnert erstellt („Kanu-Info-Isar“; www.kanu-info-isar.de). Die Datei im PDF-Format kann im Internet unter
www.canadier-muenchen.de/verschiedenes/moskosel_1.pdf
herunter geladen werden.

Preise

Die Preise liegen in Schweden bei umgerechnet ca. 1100 bis 1470 Euro (je nach Modell nach oben offen; z. B. bei den teuren „light“ Ausführungen mit Innen-Zelt).
Die beim schwedischen Katalog angegebenen Preise (=> in separater Preisliste) sind in schwedischen Kronen – entsprechend Kurs umrechnen. Stand Preisliste zum Katalog 2008/2009:

- Safir Tentipi 7 cp kostet 11 600 SK, d. h. ca. 1290 €.
- Safir Tentipi 9 cp kostet 13 100 SK, d. h. ca. 1460 €.

Die Preise in Klammern im schwedischen Katalog sind ohne Mehrwertsteuer (immerhin satte 25% „moms“ in Schweden), und kommen für uns leider nicht in Betracht (wie erwähnt wegen der EU). Hinzu kommen noch die Transport-Kosten von Schweden mit ca. 50 Euro und die Nachnahme-Gebühren.
Nach meinen Erfahrungen sollte eine Bestellung jeweils spätestens Anfang Februar erfolgen, da im März immer der neue Katalog mit meist gestiegenen Preisen erscheint.

Aber wie bereits gesagt, empfiehlt sich jetzt der Kauf direkt in Deutschland/Österreich/Schweiz über einen der diversen Händler www.tentipi.com/standard.asp?TextNummer=3180

Empfehlen kann ich dabei z. B.:

- „Der Bootsplatz“ www.derbootsplatz.de
  von Stefan Balthasar.
  Hauptstraße 71; D-56818 Klotten/Mosel;
  Tel.: 02671 – 605518; Fax: 02671 – 916596

- „Wooden Boat“ www.wooden-boot.de
  von Jörg Wagner.
  Taunusstraße 92; D-61191 Rosbach;
  Tel.: +49 (0) 6003 – 6022; Fax: +49 (0) 6003-3716

Öfen für die Kothen

„Outdoor"-Ofen von Georg Petz

Georg mit seinem genialen „Outdoor-Ofen"

Einen sehr praktischen, bewährten, leistungsfähigen, kleinen und leichten Holz-Ofen für das Zelt hat Georg Petz ausgetüfftelt.
Er besteht aus dem bereits vielen Leuten bekannten Grund-Ofen (= nach oben offene Verbrennung, Lagerfeuer-Charakter; in meinen Berichten häufig liebevoll „Outdoor-Öfelchen" genannt), einem dazu passenden Aufsatz, der aus dem Grund-Ofen einen geschlossenen Ofen macht (Aufsatz wird quasi übergestülpt), einem Satz Ofen-Rohren mit Ø 60 mm, Länge der Segmente 50 cm, sowie passenden Halteklammern für die Mittelstange.

Der Aufsatz hat oben einen abnehmbaren Deckel für die Beschickung und ermöglicht darüber hinaus sehr effizientes Kochen.
Die ganze Einheit ist insgesamt so kompakt und leicht, dass sie durchaus bei schlechtem Wetter/kalte Jahreszeit bei Gepäck-Fahrten mit dem Zelt im Boot mit geführt werden kann.
Nähere Infos zu dem „Outdoor-Öfelchen" (Grund-Ofen/ Grund-Ofen mit Aufsatz) in dem nachfolgenden Kapitel „***Outdoor-Holzofen***".

Weitere nützliche Dinge aus dem Bastel-Keller von Georg sind z. B. für die Mittelstange passende Kleider-Haken, kunstvoll geformte Kerzen-Ständer (diese auch in mehrflammiger Ausführung), oder kompakt zusammenlegbare Wäschetrocken-Gestelle.

Interessenten wenden sich bitte direkt an:

Georg Petz
Battnerstr. 17
D-71701 Schwieberdingen
eMail: georg.petz@web.de

Übrigens kann Georg auch Euer Boot ganz nach Euren Wünschen individuell aus- oder umrüsten, und seine praxisorientierten Canadier-Kurse sind eine Empfehlung. Näheres hierzu in dem Kapitel „***Tipps und Hinweise***“, sowie „***Paddeltechnik***“.

Original-Ofen der Firma Tentipi

Von der Firma Tentipi AB selbst wird z. Zt. nur ein Ofen angeboten:
„Eldfell Pro“ in Edelstahl und „Eldfell Comfort“ aus gewöhnlichem Stahl. Alle Einzelteile, sowie die Ofen-Rohre können zum Transport im Ofen verstaut werden. Wegen dessen Größe und Gewicht für unsere Zwecke aber vermutlich weniger geeignet.
Der Preis für die „Pro“-Ausführung beträgt ca. 7000 SK (ca. 780 Euro; Lieferung in Sperrholz-Kiste), für die einfachere „Comfort“-Ausführung ca. 4600 SK (ca. 510 Euro).

Für ein kleines und kontrolliertes Lagerfeuer im Zelt bietet die Firma zwei verschieden große klappbare Feuerstellen an: „Hekla 7“ und „Hekla 30“, in älteren Katalogen als „Eldspis mini“ und „Eldspis max“ bzw. „Vildmarksspis 1“ und „Vildmarkspis 2“ tituliert.

Sonnen-/Regen-Vordach

Die Hersteller-Firma der Zelte bietet hierfür nichts an, jedoch hat sich Christian Löhnert (=> „Kanu-Info-Isar“; www.kanu-info-isar.de) ein Vordach für sein Tapp Jakt 7 selbst entwickelt und angefertigt.
Seine Bastelanleitung stellt er allen Interessierten im Internet zum Herunterladen zur Verfügung:
www.canadier-muenchen.de/verschiedenes/moskosel_2.pdf
(=> PDF-Datei; Anleitung ausgelegt auf das Modell Jakt 7).

Informationen über Internet

Wie zu Beginn erwähnt, kann über die Internet-Seite www.tentipi.com ein Katalog angefordert bzw. als PDF-Datei heruntergeladen werden, sowie eine Preis-Liste über eMail-Anfrage.
Auf der Homepage der Firma Moskoselkatan/Tentipi kann zwischen schwedischer, englischer, französischer und deutscher Sprache ausgewählt werden.

Ich hoffe, dass ich Euch damit die eine oder andere offene Frage beantworten konnte (Stand Mai 2008).
Für weitere Fragen steh ich Euch gerne zur Verfügung. Ich habe allerdings mit dem Verkauf und Vertrieb der Zelte überhaupt nichts zu tun – ich war eben der Erste der so ein Zelt hatte und bin daher für viele Ansprechpartner bezüglich Infos.
Auf meiner Internet-Homepage www.kanadier.gps-info.de sind auf der „Canadier"-Seite unter „Touren-Berichte" ein paar Bilder von den Zelten im Praxis-Einsatz zu finden, z. B. unter „*Wintertour auf dem Ognon '05*".

Mit Tapp Jakt 7 (links) und Tapp Jakt 9 (rechts), sowie je einem „Petz"-Ofen auf Gepäckfahrt im Winter

„Outdoor" - Holzofen

Allgemeines

Auf Treffen und Ausfahrten sind immer häufiger spezielle ***Leichtgewichts-Kothen schwedischer Herkunft*** zu bestaunen (siehe vorheriges Kapitel), die von uns häufig auch als „Tipis" bezeichnet werden.
Häufig wird man in diesen kegelförmigen Zelten zudem auf einen einzigartigen Holzofen stoßen, der gemütliche und behagliche Wärme verbreitet, und schon so manchen Besucher ins Staunen versetzt hat.
Außerdem wurde darauf schon so manches schmackhafte „Outdoor-Dinner" zubereitet.

Dieses in meinen Berichten meist liebevoll „Outdoor-Öfelchen" genannte Meisterstück, kann aber noch weitaus vielseitiger eingesetzt werden.
Wird es nämlich in Zelten meist mit einem Aufsatz und Rauch-Rohren betrieben (= geschlossener Ofen; innere Verbrennung), kann dem Holz-Öfelchen auch ohne Aufsatz als „Grund-Ofen" ordentlich eingeheizt werden. Dann bietet er eine nach oben offene Verbrennung mit Lagerfeuer-Romantik, eignet sich aber auch nach wie vor zum Kochen.
Aber in welcher Form auch immer: Es bleibt ein sehr praktischer, bewährter, leistungsfähiger, kleiner und leichter Holz-Ofen.

Jetzt überlasse ich jedoch lieber Georg Petz das Wort, dem genialen Konstrukteur und Aus-Tüftler des „Outdoor-Öfelchens". Er kann Euch zudem viel besser die Idee und Entwicklungs-Geschichte dieses Grund-Ofens vermitteln.

Übrigens ist Georgs Ofen ***das*** Original, und nicht der Nachbau irgendwelcher „Neu"-Erfinder.
Nebenbei bemerkt sind Georgs praxisorientierte Canadier-Kurse mit seiner jahrzehntelangen Paddel-Erfahrung ein Geheimtipp – auf jeden Fall ***die*** Empfehlung. Siehe hierzu das Kapitel „***Paddeltechnik***" bzw.„***Tipps und Hinweise***".

Viel Spaß beim Paddeln, Heizen und Kochen wünscht Euch jedenfalls

Ralf

Zelte mit Öfen:
jeweils links die „Tipi" und
jeweils rechts das „Camp-Fire"-Tent

Entwicklungs-Geschichte und Beschreibung des Grund-Ofens

Nun die Ausführungen von Georg Petz: Seit über zwei Jahrzehnten bin ich in meiner Freizeit immer wieder mit dem Canadier auf Seen, Wander- und Wildbächen unterwegs. Mal alleine mit der Familie oder zu zweit im Boot, mit einer kleinen Gruppe oder auf Solo-Tour mit Freunden.

Gemessen an meiner ersten 3-wöchigen Fahrt auf der Lahn (damals mit Frau und 2 kleinen Kindern), 1 kleines Iglu-Zelt, 1 Koch-Set mit Spiritus-Kocher, hat sich meine Ausrüstung in all den Jahren grundlegend geändert.
Neben dem Bestreben, immer besser mit dem Canadier fahren zu können, feilte ich zudem an der Ausrüstung des Bootes, am Zelt und den Koch-Möglichkeiten.

Ich begann feuerverträgliche Zelte in verschiedenen Formen zu nähen und zu testen.
Gleichzeitig entstand eine dazu funktionierende Ofen-Form, mit dem Ziel: ***Klein, leicht, einfach in der Handhabung und effektiv in der Leistung zu sein.***

Ein paar Jahre hat es dann schon gebraucht, bis sich der Ofen vom Prototyp mit Zug-Regulierungen und vielen technischen Extras zu einem einfachen, leistungsstarken „Grund-Ofen" gemausert hatte.
Um diesem kleinen robusten Ofen optimale Leistung abzuringen, muss alles aufeinander abgestimmt sein. Mein Grund-Ofen braucht daher keine Regulierung und ist einfach in der Handhabung:
Hinstellen, ein paar Späne zum Anzünden hinein, dann mit dickerem Holz gefüttert, bringt er Wasser genauso schnell zum Kochen wie ein guter Benzin-Kocher. Seine enorme seitliche Wärme-Abstrahlung macht den Ofen gleichzeitig zum effektiven Heizgerät.

Der Grund-Ofen ist ein robust angefertigter Stahlzylinder mit entsprechenden Öffnungen für Luft- und Rauchabzug, sowie eingebautem Feuerrost.
Bei einer geringen Größe von ca. 30 x 15 cm und einem Gewicht von ca. 2000 gr., ist dieses handliche Gerät leicht zu verstauen, zumal der offene Innenraum des Ofens zusätzlich als Stauraum genutzt werden kann.

Der Grund-Ofen ...

... als Lagerfeuer

... beim „Süppchen"-Kochen

... beim „Haupt-Gang"

Der Ofen hat weder Schrauben noch Muttern die verloren gehen könnten, noch irgendwelche Teile die erst zusammengebaut und zum Transport wieder zerlegt werden müssen – man stellt ihn hin, das ist alles!

Seit vielen Jahren wird dieser Ofen von mir gebaut und zur Zufriedenheit der Besitzer in Reisen um die halbe Welt mitgenommen.
Über Schweizer Freunde fand er den Weg auch nach Übersee.
Publiziert wurde der Ofen in Kanada unter anderem im Sommer 2001 in der Zeitschrift „NASTAWGAN“, dem Quarterly Journal der „Wilderness Canoe Association“.

Für einen bekannten Autor, einem Profi in Sachen Outdoor-Reisen mit Familie, ist dieser Ofen ein unentbehrlicher Bestandteil seiner Ausrüstung geworden.
Auch bei Rucksack-Touren über einen längeren Zeitraum ist es durchaus sinnvoll den Ofen mitzunehmen, da Holz in der Natur fast immer ausreichend vorhanden ist; Flüssig-Brennstoff jedoch kalkuliert, rationiert und mitgetragen werden muss.
Man bedenke, 1 Liter sind etwa 1 Kilogramm Gewicht und Volumen noch dazu.

Da der Ofen sehr sparsam ist, macht es kaum Mühe, die benötigte Menge Holz am Lager-Platz/Camp zu finden.
Bei schlechtem Wetter kann der Aufenthalt im warmen Zelt, in gemütlicher Runde, schon zum besonderen Erlebnis werden.
Rustikal gekocht im Topf oder mit der Pfanne, alles selbst gemacht, ebenso das Feuerholz für den Ofen. Das klingt gut, das klingt wie nach Ur-Omas Zeiten oder einer Blockhütten-Tour irgendwo in der Wildnis.

Ist es ja auch – eben „nur“ im Zelt und nicht gerade in Kanada oder Alaska, sondern hier irgendwo an einem schönen Plätzchen in heimischen Gefilden.

Einsatz bei diversen Zelt-Varianten/ Aufsatz für Grund-Ofen und Rauch-Rohre

Je nach vorhandenem Zelt und vorhandener Ausrüstung stehen verschiedene Variations- und Einsatz-Möglichkeiten für den Holzofen zur Verfügung. Dies wären beispielsweise:

1. Eine Bereicherung zum Schlafzelt, z. B. bei einem **Iglu**, ist ein **Tarp** (Baumwoll-Plane ca. 4 x 5 m) mit dem **Ofen** darunter. Das Tarp auf einer Seite heruntergezogen, dient gleichermaßen als Wind-, Regen- und Sonnen-Schutz.

2. Ein Zelt aus Baumwolle ist im Handel als **Camp-Fire-Tent** oder **Trapper-Zelt** bekannt (siehe Bilder weiter vorne). Im Camp-Fire-Zelt ist der Schlaf-Bereich nahtlos mit dem Wohn-Bereich verbunden.
In dem nach vorne offenen Wohn-Bereich hat der **Ofen** in der Mitte seinen festen Platz.

3. Seit einigen Jahren gibt es einen Hersteller der Zelte in **Tipi-Form**, so genannte „Leichtgewichts-Kothen“, aus Baumwoll-Polyester Mischgewebe anbietet (=> siehe vorhergehendes Kapitel):

- Größe 9 Durchmesser 5,0 m, Höhe 3,1m, Gewicht 12,8 kg
- Größe 7 Durchmesser 4,4 m, Höhe 2,7m, Gewicht 10,6 kg

Das Modell „Safir“ aus der „Adventure-Serie“ (früher „Tapp Jakt“ bzw. „Tapp Varrie“ genannt) besitzt oben neben der Entlüftungshaube, einen **Stutzen** für die **Durchführung eines Ofen-Rohres**.

Das Aufstellen der Zelte ist denkbar einfach:
8 Heringe im Kreis punktgenau eingeschlagen, wird das Zelt mit einer Mittelstange aufgestellt und an den Heringen eingehängt – fertig.
Nähere Infos zu diesen „Tipis" in dem schon eingangs erwähnten gesonderten Kapitel: „***Leichtgewichts-Kothen aus Schweden***".

In den Zelten hat sich mein **Grund-Ofen** (= nach oben offene Verbrennung) **mit** einem speziellen dafür gefertigten **Aufsatz** bestens bewährt, der aus dem Grund-Ofen einen geschlossenen Ofen macht.
Der Aufsatz hat oben einen abnehmbaren Deckel für die Befüllung des Ofens. Man kann sowohl mit als auch ohne Deckel kochen.
An dem Aufsatz werden die leichten, kleinen Ofen-Rohre angeschlossen.

Grund-Ofen mit Aufsatz und Rauch-Rohren im „Tipi"

Die Rauch-Rohre können an der Zelt-Mittelstange befestigt und weiter nach oben ins Freie geführt werden. Diese Kombination ist weit verbreitet und ist immer wieder auf vielen Touren und Treffen vorzufinden.

In Zelten: Grund-Ofen mit Aufsatz u. Rauch-Rohren ...

... jetzt beim „Süppsche"-Kochen

... und wieder beim „Gourmieren"

Der **Umbau vom offenen zum geschlossenem System** ist einfach. Der Aufsatz wird direkt auf den Grund-Ofen gesteckt (der Aufsatz wird quasi übergestülpt) und daran die Rauch-Rohre angeschlossen.
So entsteht ein Sog, der bei Bedarf ähnlich wie ein Schmiedefeuer den Ofen bis zur buchstäblichen Weißglut bringen kann.
Dieser Ofen ist so gebaut, dass in erster Linie der Ofen glüht und nicht seine Rohre.
Rotglühendes Metall entsteht um die 700° Celsius; so ist es zu verstehen, dass ein so kleiner Ofen es schafft, die dafür erforderliche Wärme im Zelt zu erzeugen.

Nun wisst Ihr etwas mehr über meinen Ofen und solltet Ihr von mir so einen mal besitzen, dann wünsche ich Euch heute schon viel Spaß beim „Einheizen".

Georg

Ofen mit Aufsatz und Abzugs-Rohren nun beispielsweise beim „Camp-Fire"-Tent oder einem Tarp oder ...

P.S:
Die Pfannkuchen die Georg hier gerade bruzzelt sind unter Paddlern schon legendär zu nennen.

Interessenten (für Ofen oder Pfannkuchen ☺) wenden sich bitte direkt an:

Georg Petz
Battnerstr. 17
D-71701 Schwieberdingen
eMail: georg.petz@web.de

Rezept für:

„ Das Trapper-Brot Bannock "

In dem einen oder anderen Touren-Bericht ist von „Bannock" die Rede.
Schon seit Jahrhunderten ist es der Brot-Ersatz für Trapper und Waldläufer schlechthin.
In unserer modernen Zeit bietet sich jedoch Backpulver, anstatt Hefe als Treibmittel an.
Letztendlich hat aber ein jeder eine etwas abweichende Rezeptur.

Grundsätzlich sind den Variations-Möglichkeiten sowieso keine Grenzen gesetzt.
Das Mischungs-Verhältnis von Mehl zu Backpulver sollte jedoch halbwegs in einem vernünftigen Verhältnis stehen, damit das Bannock hinterher einerseits nicht zu kräftig nach Backpulver schmeckt, anderseits aber auch zufriedenstellend aufgeht.

Ich mache mein Bannock immer wie nachfolgend beschrieben. Die Menge reicht dabei für zwei hungrige Paddlermägen für 1 Mahlzeit:

Zutaten und Zubereitung

Für die Zutaten werden nur folgende Grund-Substanzen benötigt:

- 250 gr. Mehl.
  Weizen-Mehl Typ 405 schmeckt mir am Besten. Die ersten 250 gr. bewahre ich immer in einem passenden wasserdichten Gefäß auf, das mir gleichzeitig als Maß dient.
- Halbes Päckchen Backpulver (7,5 Gramm).
  Beim Anrühren der Mixtur empfiehlt es sich zuerst das Backpulver in die Rühr-Schüssel zu geben. Sollte das Backpulver durch Feuchtigkeits-Einfluss etwas verklumpt sein, lassen sich die Klümpchen jetzt noch sehr leicht zerstampfen.
- Etwas Salz.
- 1 EL Zucker (ich mag's eben süß).
- Das ganze trocken gut vermischen.
- Zum Anrühren des Teigs etwas Milch (schmeckt dann noch besser) oder einfach nur Wasser nehmen. Alternativ kann auch Milch-Pulver in die Trockenmischung gegeben werden, das ja dann letztendlich auch mit Wasser angerührt wird.
  Grober Richtwert für den Flüssigkeits-Bedarf:
  Etwa 1/3 des Mehl-Volumens.
- Bei 500 gr. Mehl natürlich entsprechend 1 Päckchen Backpulver nehmen (15 Gramm).

Den Teig zu einer festen Masse kneten, bis er nicht mehr klebt, also nicht „labbrig“ wie für Pfannkuchen.
Dann portionieren und relativ dünn zu runden Fladen ausrollen. Höhe ca. 0,5 cm bis 1 cm – das kann natürlich variiert werden. Dazu den Teig mit der Hand flach drücken oder einem runden Hölzchen ausrollen.

Zum Ausrollen eignet sich auch eine, mit Mehl bestreute „Sigg“-Trinkflasche sehr gut.
Die Fladen sollten eben noch gut in die Pfanne passen.

Dann in heißem Öl von beiden Seiten langsam ausbacken, bis sie schön gold-braun sind. Öl hat sich dafür besser bewährt als Fett.

Damit das Bannock nicht zu trocken schmeckt, bin ich mit Öl nicht sparsam.
Hitze aber nicht zu extrem wählen, so dass der Backvorgang nicht zu schnell abläuft. Das Backpulver sollte schon Zeit haben zu wirken, damit der Fladen auch aufgeht.
Das fertige Bannock kann warm oder kalt weggeschmatzt werden, einfach „so“ oder z. B. mit Marmelade darauf.

Vom „Handling“ ist Backpulver vielleicht doch einfacher als Trocken-Hefe.

Tipp zum Aufteilen von ½ Päckchen Backpulver

Zwei leere Film-Dosen z. B. von Fuji-Filmen nehmen. Diese sind nämlich schön durchsichtig.
Damit lässt sich ein Päckchen Backpulver (in der Regel Inhalt 15 Gramm) gerecht aufteilen und mit dem Deckel dann darauf zudem gut vor Feuchtigkeit schützen.

Variationen

Grundsätzlich kann die Grund-Mischung nahezu beliebig variiert oder ergänzt werden, je nachdem was eben zur Verfügung steht:

- Statt Zucker Honig in den Teig geben (oder zusätzlich).
- Statt Zucker z. B. Cathay-Pemmikan in den Teig geben (=> gehen dann aber nicht mehr so auf). Das gibt dann eine ganz andere Geschmacksrichtung.
- Weizen-Mehl (weiß) mit Vollkorn-Mehl mischen. Dies sättigt dann noch länger.
- Geräucherten Speck erst in feine Scheiben schneiden und dann in Quadrate von ca. 1 cm Kantenlänge zerteilen. Diese dann ausbraten.
  Damit erhält man genug Fett für das Ausbacken der Bannocks und kann den Speck in den Teig kneten. Dieser sollte dann aber nicht zu dünn sein, und statt Zucker etwas Salz nehmen.
- Ganz ganz lecker: „Pizza"-Bannock.
  Den Fladen größer ausrollen und tendenziell dünner.
  Die Hälfte des Fladens mit geschnippeltem Speck/ Schinken und Käse belegen (ggf. noch Kräuter der Provence darüberstreuen) und dann zuklappen. Den Rand außen herum gut zudrücken, so dass die entstehende Tasche nicht mehr aufgeht. Dann von beiden Seiten wieder in Öl gold-braun ausbacken – einfach „gourmenant".

So, und jetzt viel Spaß und Erfolg bei Euren „Labor-Versuchen".

Damit Euch schon mal das Wasser im Mund zusammen läuft, hier eine visuelle Kost-Probe:

Links selbstgebackenes Brot im „Dutch Ofen",
rechts „Bannock" in der Pfanne

Jetzt kann ich Euch nur noch einen guten Appetit wünschen.

Links im Internet

Links rund um das Paddeln mit dem Canadier

Die nachfolgend aufgeführten Internet-Links können über die „Canadier"-Linkliste meiner Webseite www.kanadier.gps-info.de bzw. www.kanadier.gps-info.de/f-links-canadier.htm zudem direkt angeklickt werden:

GOC – German Open Canoe e. V.
Überregionaler, deutschlandweiter Verein speziell für die Freizeit-Paddler im Canadier, das Pendant zum SOC in der Schweiz.
www.g-o-c.de

SOC – Swiss Open Canoe
Überregionaler Verein speziell für die Paddler im Canadier in der Schweiz, das Pendant zum GOC in Deutschland.
www.soc.ch

DKV – Deutscher Kanu Verband e. V.
Hier finden sich u. a. Info's zu Pegelständen und Gewässersperrungen, ein Paddler-Forum etc. Ansonsten sehr auf Wettkampf-Sport und Kajak ausgerichtet.
Im angeschlossenen Verlag u. a. Flussführer und die Zeitschrift „Kanu-Sport" erhältlich.
www.kanu.de

Canadier Stammtisch München
Treffpunkt für Canadier-Fahrer und solche, die es werden wollen, kein Verein.
www.canadier-muenchen.de

Canadier Stammtisch Regensburg
Treffpunkt für Canadier-Fahrer und solche, die es werden wollen, kein Verein. Infos unter …
www.daskanu.de

Steve's Canoe Homepage (von Stefan Schaub)
Hier findet sich u. a. eine sehr umfangreiche Link-Sammlung (z. B. zu Herstellern).
www.canoe.de

„Open Canoe Journal" für Canadierfreunde
Nachfolge des „Canoeweb", der ehemaligen Homepage von Frank Mörke.
Es ist das Kommunikations-Zentrum für alle „einarmigen" Canadier-Freaks.
Touren-Berichte (auch eigene Berichte können veröffentlicht werden), allgemeine Infos u. v. m.
Weiterhin mit Forum für Diskussionen und Paddelpartner-Suche, sowie Markplatz für Käufe und Verkäufe.
www.open-canoe-journal.de

Open-Canoe Group
Private Homepage von Jan Dettmer.
Umfangreiche Beschreibung zur Durchführung von Wildnis-Touren (= Wildnis Manual), Bootstests, Buchempfehlungen, Links, u. v. m.
www.open-canoe.de

Kanu und mehr
Private Homepage von Hans Lengdobler.
www.daskanu.de

Saline 7
Kanu & mehr – über Kanufahren und Tourismus im Recknitztal von Familie Carmein. Touren-Vorschläge und Touren-Berichte, Tipps und Tricks, Verleih von Canadiern.
www.kanu7.de

Blazing Paddles (auf Englisch)
Sehr informative Seite des bekannten kanadischen Buchautors, Fotografen und Canoe-Instructor Trainers Rolf Kraiker und seiner Frau Debra.
Eine Fülle von Bildern, Touren-Berichten, nützlichen Tipps und Tricks (zum Fotografieren/Paddeln/für Wildnis-Trips).
www.blazingpaddles.on.ca

Wooden-Boat
Wer sich für wunderschöne Holzcanadier, edle Holzpaddel, Duluth Packs, Camp-Fire-Zelte etc., oder dem Freestyle und Canadian Style Paddling interessiert, ist bei **dem** Holzboot-Spezialisten Jörg Wagner genau an der richtigen Adresse. Vertrieb der schwedischen Leichtgewichts-Kothen von der Fa. Tentipi/Moskoselkatan.
www.wooden-boat.de

The Canoe & Paddle Store/Roland-Hess-Verlag
Selbstbau eines Holz-Canadiers. Infos von Roland Hess.
Mönchstraße 22A, D-70191 Stuttgart
Tel./Fax (0711) 256 93 65
www.holzboot.com

Holzcanadier
Seite rund um den Holzbootbau von Uwe Preiß.
Ebenfalls zu finden Paddel-Bau, Touren-Beschreibungen.
www.holzcanadier.de

Green Valley Boat Works (auf English)
Canoe and Kayak Plans For Sale.
Hier gibt's Baupläne für Holzcanadier und auch Kajaks zu kaufen, sowie allgemein Links zu Holzkanus (kanadische Seite; auf Englisch).
www.greenval.com

Die Faltbootseite
Sehr umfassende Informations-Seite für Faltboot-Fahrer. Mit speziellem Info-Forum, Tipps & Tricks, Links etc. Anmerkung:
Es geht hier nicht nur um klassische Falt-Kajaks wie z. B. dem „Klepper“ oder „Pouch“, sondern ebenso um Canadier die man zusammenpacken kann, wie z. B. den Ally oder den PakCanoe der Fa. Pakboats.
www.faltboot.de

Trikanu
Aus einem Kanadier durch einen Segelaufsatz eine kleine Segeljolle/Badeboot machen (wie bei einem Katamaran mit Schwimmern).
Die Erfahrungen des kanadiersegelnden Paddlers Till Gerken.
www.trikanu.de

KANU-Magazin
Europas größte Zeitschrift für Paddler (Kajak/Canadier). Erhältlich alle zwei Monate neu im Zeitschriften-Handel und bei Paddelläden.
www.kanumagazin.de

Jübermann-Verlag
Spezielle Wasserkarten für Kanuten von sehr guter Qualität. Diese sind in Paddel- und Buchläden ebenfalls erhältlich.
www.juebermann.de

Kanukarte / Canoemap
Umfangreiche Link-Sammlung zu Flussbeschreibungen von Flüssen in der ganzen Welt von Werner Götz. Alle Flüsse werden nach Kontinenten und Länder alphabetisch sortiert.
www.kanukarte.de

Kanu-Info-Isar
Kanu-Informationen Isar und Nebenflüsse (Isar, Loisach, Ammer, Amper, Würm).
Detaillierte Fluss-Karten für Kanu-Fahrer zum Download, Pegel-Informationen, Bilder, Literatur etc.
Private Homepage von Christian Löhnert.
www.kanu-info-isar.de

Der Fluss Regen
Info Seite über den Fluss Regen im Bayrischen Wald ab Blaibach mit Links zu detaillierten Skizzen und Fotos (von Regental-Kanu).
www.bootswandern.de/Deutschland/Bayern/Regen/Flussbeschreib/flussbes.htm

FlussInfo für Kanu-Touren
Webportal für Wasserwanderer. Ausführliche Infos zum Paddeln auf Flüssen in Mecklenburg-Vorpommern, wie z. B. auf der Warnow, Trebel, Recknitz, Peene, Havel-Müritz-Rundtour.
www.flussinfo.net

Kajaktour (Private Webseite von Mathias Dieckmann)
Infos zu mäßig-schweren und teilweise auch leichten Wildwasser-Flüssen in Zentral-Europa. Diese sind teilweise auch für Canadier geeignet.
Mit Fluss-Beschreibungen, Übersichts-Karten, Fotos und vielen Links zu den Wildwasser-Flüssen in Zentral-Europa.
www.kajaktour.de

kajak.at – „services 4 paddlers“
Deutschsprachige PaddlerInnen-Community. Informative Seite mit vielen Fluss-Infos (Fluss-Datenbank) u. v. m.
www.kajak.at

Kajak-Channel
Paddel-Portal für Wildwasser-Kayak & Kanu-Touren mit vielen Infos und Forum.
www.kajak-channel.de

Outdoor & Survival Forum – Follow your dreams
Forum zu allen Outdoor- und Survival-Fragen mit themenbezogener Untergliederung, u. a. auch für „Kanu“ & Kajak.
http://forum.outdoorseiten.net

Paddeln in Polen
Hilfreiche Tipps, Infos und Übersichts-Karten zu Flüssen in Polen in deutscher Sprache.
www.pttk.pl/deutsch/katalog_water/index.html

Paddeln in Kanada (auf Englisch)
Canadian Canoe Routes – A meeting place for Canadian wilderness paddlers. Ausführliche Infos zu Paddel-Touren in Kanada.
www.myccr.com

Paddel-Touren in Schweden
Umfangreiche Infos zu Paddel-Routen in Schweden (auch auf Deutsch => einfach auf die deutsche Fahne auf der linken Seite klicken).
http://biphome.spray.se/kanotguiden/

Paddeln in Finnland – Im Land der Tausend Seen
Infos zum Kanu-Sport und Kanu-Wandern in Finnland, Paddel-Routen, Links u. v. m.
www.finland.de/kanu/start.html

Kanutour am Alatna River in Alaska
Reise-Beschreibung, Checklisten, Storys, Bilder etc. zu einer Paddel-Tour mit einem Falt-Canadier auf dem Alatna-River in Alaska (Brooks Range). Private Homepage von Helmut Springer.
Infos und Link-Sammlung für eigene Touren-Planung in Alaska und auch Kanadas Yukon.
www.yukonhelmut.de

Big Salmon
Touren-Bericht über eine Paddel-Tour auf dem Big Salmon und Yukon-River.
www.yukon.at

Pakboats („PakCanoe“ und „Puffin“)
Das „PakCanoe“, Falt-Canadier der amerikanischen Firma Pakboats vom Faltboot-Spezialisten Alv Elvestad in verschiedenen Längen.
Ebenfalls im Angebot: Superleichte Falt-Kajaks („Puffin“).
www.pakboats.com

Out-Trade
Vertrieb der Falt-Canadier „PakCanoe“ von Pakboats, sowie von Triton in Deutschland.
Zudem Falt-Kajaks der Firma Pakboats („Puffin“), Triton (Russland), Folboot (USA), Klepper (D), sowie Taimen.
www.out-trade.de

Das Kanulager
„Kanulager“ von Andre Edinger in Nürnberg.
Fachhändler für die PakCanoe Falt-Canadier von Pakboats. Zudem Vertrieb von diversen Canadiern und Schlauchbooten. Touren-Tipps, Rezepte, etc.
www.kanulager.de

Kanu-Sport Esslingen
Vertrieb von Canadiern (auch die „PakCanoe“ Falt-Canadier der Fa. Pakboats, sowie deren Falt-Kajak „Puffin“), Kajaks, Paddel, Zubehör, sowie Outdoor-Ausrüstung für Sommer und Winter.
www.kajak-sport.de

Kanu-Witt
Fachgeschäft für Boote, Trekking und Zubehör in Reutlingen-Ofterdingen. Fachhändler für die PakCanoe und Puffin der Fa. Pakboats.
www.kanu-witt.de

„Kanu-Mühle“
Paddeln auf der Mecklenburgischen Seenplatte mit Kanuladen „Wasserwanderer“ in Wesenberg. . Fachhändler für die PakCanoe und Puffin der Fa. Pakboats.
www.kanu-muehle.de

Sport Zölzer
Zubehör für den Paddelsport aus eigener Fertigung, wie z. B. wasserdichte Packsäcke (auch Maßanfertigungen), Bootswagen, Spritzdecken, spezielle hochwertige Dachträger-Systeme (auch für Hochdächer von Wohnmobilen/Campingbussen sowie für Wohnwagen; speziell auch für Bootstransport) etc.
www.zoelzer.de

Kanu Verleiher
Wer (noch) kein eigenes Boot besitzt, findet in der umfangreichen Auswahlliste von über 1000 Kanu-Verleihern aus Deutschland und nahezu ganz Europa bestimmt ein geeignetes Schiffchen für sein Fluss-Abenteuer oder die ersten Gehversuche auf dem Wasser (von Bernd Pramschüfer – Canoe Dreams).
Zudem umfangreiche Link-Liste mit Online-Pegeln.
www.kanu-verleih.de oder www.canoe-dreams.com

Neoprenanzüge auf Maß/Reparaturen
Hans-Dieter Buse – Wasser-Sport-Freizeit,
Tel. 07191 / 52178, Fax. 07191 / 59278
Im Reutle 12, D-71573 Allmersbach im Tal
(bei Ludwigsburg/Stuttgart)
Neoprenanzüge auf Maß, sowie spezielle Ausführungen für Canadier-Fahrer (dünnes Material im Kniekehlen-Bereich für bequemes Knien) machbar. Reparaturen an allen Fabrikaten.
www.buse-neopren.de

CRCA – Canadian Recreational Canoeing Association
The Official Website of Paddling in Canada. Hier können umfangreiche Informationen zum Paddeln in Kanada gezogen werden.
www.crca.ca

UNDERVEGS
Paddel-Touren im hohen Norden Norwegens (Lappland) in dem einsamen Tal Dividalen/auf dem Fluss Malselv mit dem Outfitter Espen Brestbakmo. Dieser verleiht zudem Boote. Im Winter veranstaltet Espen Hundeschlitten-Touren.
Espen ist ein empfehlenswerter, zuverlässiger und wirklich erfahrener „Outdoorer".
www.undervegs.no

NORDLAND TOURS (Reisebüro in Deutschland)
Wer eine Paddel-Tour im Yukon Territorium oder sonstige Reise in West' Kanada (Yukon, Britisch Columbien, Alberta) oder Alaska plant, ist bei der Buchung von Flug, Mietwagen, Booten, Fahrten zur Einsatz- u. Aussatzstelle usw. bei Peter Igla bestens aufgehoben.
www.nordlandtours.com

Wolf Adventure Tours
(Whitehorse/Yukon-Territorium – Kanada)
Wer im Yukon-Territorium einen zuverlässigen Outfitter für eine geführte Kanu-Tour, Miete von Booten und Ausrüstung oder Transport-Service sucht, ist bei dem deutschsprechenden Wolf Schall (Whitehorse) in guten Händen.
www.wolf-adventure-tours.de

Escape North Tours ltd.
(Whitehorse/Yukon-Territorium – Kanada)
Exklusiv geführte Kanu-Touren in Klein-Gruppen in der Wildnis Nordkanadas von dem deutschsprachigen Outfitter Stephan + Susanne Atmanspacher. Verkauf von Neu- und auch Gebraucht-Booten (Canadier).
www.escape-north.com

Alaska Expedition Service
Der in Fairbanks (Alaska) beheimatete deutschstämmige Auswanderer Peter Kamper steht mit Rat und Tat bei der Durchführung von eigenen individuell durchgeführten Touren in Alaska zur Seite.
Verleih von Ausrüstung, Transport-Service u. v. m. Zahlreiche Infos zum Verhalten in der Wildnis.
www.angelfire.com/de/kanualaska/

Navigation mit GPS – Canadier und GPS Info - Seite
Zahlreiche nützlich Information zur Satelliten-Navigation mit GPS sind auf dieser Seite zusammengetragen (Grundlagen des GPS-Systems, Infos zu den Geräten, zu Software, zu digitalen Karten, Tipps und Hinweise, umfangreiche Link-Liste).
www.kanadier.gps-info.de bzw. direkt unter:
www.kanadier.gps-info.de/a-gpsseite.htm

Viel Spaß beim Paddeln zu allen Jahreszeiten wünscht Euch
nun der Verfasser Ralf Schönfeld

☺

Vom gleichen Autor im gleichen Verlag erschienen:

„Das GPS - Handbuch"

Dieser *„**Leitfaden für den Umgang mit einem GPS - Handgerät in der Praxis**"* möchte vor allem dem unerfahrenen Anwender eine Hilfestellung für einen raschen verständlichen Einstieg in Satelliten-Navigation geben, aber auch dem erfahrenen Nutzer den einen oder anderen hilfreichen Tipp auf den Weg geben.
Der Autor versucht sich dabei in die Rolle eines Anfängers hineinzuversetzen, um aus dieser Sichtweise in verständlichen Worten möglichst wenige Fragen unbeantwortet zu lassen.
Die Taschenbücher im praktischen Format 12,3 x 19 cm sind mit zahlreichen schwarzweiß Abbildungen und Grafiken zur Veranschaulichung illustriert.

Band 1:

Grundlagen, Basis-Funktionen, Navigation und Orientierung, Karten
Ca. 482 Seiten, Preis 19,90 Euro.
ISBN-Nummer: ***978-3-86582-234-5***

Band 2:

PC-Software, sowie digitale Karten GPS-Empfänger der Fa. Garmin
Ca. 420 Seiten, Preis 19,90 Euro.
ISBN-Nummer: ***978-3-86582-238-3***

Erhältlich sind diese u. a. direkt beim MV-Verlag www.mv-buchhandel.de oder dem örtlichen Buchhändler. Weitere Infos unter www.kanadier.gps-info.de

Viel Spaß und Nutzen mit dem elektronischen „Helferlein" GPS wünscht Euch Ralf Schönfeld.